W9-CKD-727

ACCIDENT

DU MÊME AUTEUR
CHEZ LE MÊME ÉDITEUR

Album de famille
La Fin de l'été
Il était une fois l'amour
Au nom du cœur
Secrets
Une autre vie
La Maison des jours heureux
La Ronde des souvenirs
Traversées
Les Promesses de la passion
La Vagabonde
Loving
La Belle Vie
Un parfait inconnu
Kaléidoscope
Zoya
Star
Cher Daddy
Souvenirs du Vietnam
Coups de cœur
Un si grand amour
Joyaux
Naissances
Disparu
Le Cadeau

Danielle Steel

ACCIDENT

Roman

LE GRAND LIVRE DU MOIS

Titre original : *Accident*
Traduit par Vassoula Galangau

La loi du 11 mars 1957 n'autorisant, aux termes des alinéas 2 et 3 de l'article 41, d'une part, que les « copies ou reproductions strictement réservées à l'usage privé du copiste et non destinées à une utilisation collective », et, d'autre part, que les analyses et les courtes citations dans un but d'exemple et d'illustration, « toute représentation ou reproduction, intégrale ou partielle, faite sans le consentement de l'auteur ou de ses ayants droit ou ayants cause est illicite » (alinéa 1er de l'article 40).

Cette représentation ou reproduction, par quelque procédé que ce soit, constituerait donc une contrefaçon sanctionnée par les articles 425 et suivants du Code pénal.

© Danielle Steel, 1994
© Presses de la Cité, 1994, pour la traduction française
ISBN 2-258-00002-5

A Popeye,
toujours présent
quand c'est nécessaire,
que les problèmes soient essentiels
ou sans importance...
A toute heure, à tout instant, chaque jour,
je t'aime et t'aimerai à jamais
de tout mon cœur,
tout mon amour,

D.S.

1

C'était un exquis après-midi d'avril, la fin d'une de ces longues journées ensoleillées, où la brise légère, douce comme une caresse, incite à la flânerie. Vers dix-sept heures, en traversant le pont du Golden Gate au volant de sa vieille voiture en direction de Marin County, Page embrassa d'un regard émerveillé le splendide panorama de la baie étincelante avant de tourner les yeux vers son fils, qui était tout son portrait, assis à la place du passager. Un sourire attendri lui vint aux lèvres. Les cheveux blonds du petit garçon avaient conservé la marque de son casque de base-ball et une fine poussière veloutait sa frimousse sympathique... Andrew Patterson Clarke avait fêté ses sept ans le mardi précédent, mais le fait d'avoir accédé à l'âge de raison n'avait aucunement altéré le lien, puissant et indestructible, qui l'attachait à sa mère. Celle-ci était l'incarnation même de la personne que l'on rêve de compter parmi ses amis. Attentive, disponible, toujours prête à rendre service, Page Clarke se signalait de surcroît par sa générosité, un fabuleux esprit créatif, un caractère enjoué... et une beauté étonnante dont elle semblait ne tirer aucune fierté particulière.

— Tu as été formidable, mon chéri !

D'un geste rapide et tendre, elle caressa la tête

ébouriffée de son fils. Il avait hérité de sa mère une abondante chevelure, blonde comme les blés, d'immenses yeux d'azur, une peau au teint de crème. Un semis de taches de rousseur ornait son petit nez retroussé.

— Quand tu as attrapé cette satanée balle à l'autre bout du terrain, je me suis retenue pour ne pas crier victoire, reprit-elle. Sinon, l'équipe adverse aurait certainement marqué un point.

Elle assistait à tous les matchs qu'Andy disputait, participait volontiers à chaque manifestation organisée par la maîtresse d'école : jeux, excursions, tombolas. Elle adorait être avec son fils et celui-ci lui rendait son amour avec une égale ferveur.

Andy, qui, récemment, avait perdu deux dents de lait sur le devant, exhiba ses gencives rosées dans un sourire satisfait.

— Ils risquaient même de marquer un tour complet, observa-t-il. A la vitesse où Benjie était parti, il aurait pu réussir à revenir à son point de départ. Mais Superman était là !

Sa remarque arracha à Page un rire amusé, dont la dernière note se perdit dans un soupir. Dommage que Brad n'ait pas été parmi les spectateurs ! Hélas, son cher époux consacrait tous ses samedis après-midi à jouer au golf avec ses associés et rien ne semblait pouvoir l'en distraire. Ses loisirs étaient minutieusement élaborés, chronométrés, et ne lui laissaient guère le temps d'un tête-à-tête avec sa femme. D'ailleurs, les rares fois où il avait pu se libérer, c'était elle qui lui avait fait faux bond, dépassée par le fardeau de ses devoirs maternels : conduire Allison à la piscine pour une compétition, à des kilomètres de la maison, assister à un match d'Andy, sans oublier les tâches diverses et les imprévus tels que l'attente plus ou moins longue du plombier, le rendez-vous chez le vétérinaire pour la chienne, etc. Adieu les doux et paresseux après-midi d'autrefois !

Cela faisait des lustres que les deux époux avaient sacrifié leurs tendres siestes à leurs tâches multiples. Page avait fini par s'en accommoder.

Bien sûr, dès que l'occasion se présentait, leur ancienne fougue ressuscitait. Toutefois, mener de front une vie amoureuse et un millier d'obligations familiales représentait un défi de tous les instants... défi que l'un comme l'autre s'empressaient de relever chaque fois qu'ils le pouvaient, c'est-à-dire en fait de moins en moins souvent.

Après seize années de mariage et deux maternités, Page était tout aussi éprise de Brad qu'au premier jour. Elle s'estimait une femme heureuse, comblée : un mari adorable, une aisance certaine, deux enfants superbes. Sans être somptueuse, leur maison de Ross — petite ville de la banlieue résidentielle de San Francisco — offrait charme et confort et Page, avec son talent de décoratrice et son extraordinaire aptitude à rendre originales les choses les plus banales, avait su donner à la demeure un cachet inimitable. Etudiante aux Beaux-Arts, puis styliste à New York, Page avait déployé toutes ses facultés artistiques pour embellir son intérieur, que chacun s'accordait à trouver superbe. Elle avait peint dans la chambre d'Andy une partie de base-ball que la rigueur du trait et le choix des couleurs rendaient fantastiquement vivante, presque réelle. Et chez Allison, l'année où celle-ci s'était entichée de tout ce qui était français, le pinceau magique de Page avait fait surgir sur une cloison une ruelle typiquement parisienne, face à un essaim de ballerines inspirées de Degas. Plus récemment, en un tour de main enchanteur, elle avait transformé la chambre de la jeune fille en piscine tapissée d'azulejos[1] céruléens, qui donnait aux visiteurs l'envie de se prélasser à l'ombre du grand parasol peint en trompe l'œil. A la vue de cette nouvelle

1. Carreaux de faïence émaillée. (*N.d.T.*)

décoration, les camarades d'Allison, muettes d'admiration, avaient décerné à l'artiste les titres de « super-sympa » et d'« hyper-cool », distinctions que les adolescentes réservaient aux seuls adultes qui avaient su gagner leur estime.

A quinze ans, Allison venait de commencer sa troisième année au lycée et il était fréquent que Page, en contemplant ses deux enfants, regrette de n'avoir pas eu une famille nombreuse. Mais dès le commencement de leur vie commune, Brad avait opposé à ce vœu un refus catégorique.

— Un gamin suffit amplement, avait-il décrété. Deux, grand maximum.

La naissance de leur fille avait été une joie pour tous les deux mais sept longues années s'étaient écoulées avant que Page le convainque d'avoir un deuxième enfant. Andy avait vu le jour après qu'ils eurent emménagé à Ross. « Son petit bébé miracle ! » Page l'avait baptisé ainsi, car il était né deux mois et demi avant terme. En effet, la jeune femme était tombée d'un escabeau, alors qu'elle s'évertuait à peaufiner une esquisse de Winnie-l'ourson sur le mur de la nursery. On l'avait transportée à l'hôpital d'urgence car sa chute avait provoqué des contractions annonçant la venue prématurée du bébé. Les obstétriciens avaient placé le nouveau-né en couveuse et, pendant deux mois, Page avait vécu dans la hantise de le perdre. Aujourd'hui encore, elle frémissait d'angoisse au souvenir de la minuscule créature — et en même temps si parfaite — lovée sous les lampes de la couveuse. Elle avait du mal à imaginer la vie sans son « petit trésor ». Oh, sans doute aurait-elle survécu, pour l'amour d'Allison et de Brad, mais elle aurait porté à jamais dans son cœur le deuil du petit être qu'elle avait adoré sitôt qu'elle l'avait senti bouger en elle.

— As-tu envie d'une glace ?

Ils avaient franchi le pont monumental pour emprunter l'embranchement de Sir Francis Drake.

— Oh, oui, m'man.

Avec tendresse, elle considéra le sourire édenté de son fils.

— Dis donc, Andrew Clarke, espérons que la petite souris qui t'a volé tes dents t'en rapportera des neuves très vite. Sinon, papa sera forcé de t'acheter un dentier. Tu imagines ?

— Ouaip, s'esclaffa Andy, ça serait drôlement rigolo.

Chaque minute passée avec lui tenait de l'enchantement. D'habitude, après un match, elle raccompagnait une ribambelle de petits copains d'Andy. Mais aujourd'hui, une autre mère s'était chargée de la corvée et Page se réjouissait d'avoir son fils pour elle toute seule. Pendant ce temps, Allison devait papoter avec ses amies, alors que Brad parcourait le green du club de golf. Un nouveau soupir gonfla la poitrine de Page. Depuis quelques jours, un projet grandiose avait germé dans son esprit : dessiner une fresque sur les murs de l'école élémentaire... ainsi que la décoration du salon d'une de ses relations. En effet, Page avait acquis une grande notoriété en décorant les murs du lycée de Ross quelques années plus tôt. Mais rien ne pressait.

Andy choisit un cornet double à la praline, avec des pépites de chocolat ; quant à sa mère, elle opta pour une boule de yaourt glacé parfumé au café. Ils allèrent s'asseoir dehors, devant la vitrine du glacier, dans un silence complice. Le menton dégoulinant de praline, Andy léchait sa glace avec entrain tandis que Page savourait la sienne avec délice tout en ayant la sensation de commettre un péché.

Ils restèrent un moment à regarder le défilé des clients, dans la clarté féerique d'un somptueux soleil couchant. Après quoi, Page évoqua l'idée d'un pique-nique en famille pour le samedi suivant.

— Chouette ! approuva le petit garçon avec un vigoureux hochement de tête, le nez barbouillé de chantilly.

Elle regarda son fils avec tendresse, submergée par une vague d'amour maternel.

— Il faut bien célébrer ta victoire, poussin. Andrew Clarke, la future terreur des stades ! J'ai de la chance d'être ta maman, tu sais ?

Elle se pencha pour l'embrasser, récoltant sur la joue un nuage de crème neigeuse et collante.

— Tu es formidable, trésor.

— Toi aussi, fit-il, la bouche pleine, en levant sur elle un œil interrogateur. Dis, m'man ?

— Oui, qu'y a-t-il ?

Elle avait terminé son yaourt depuis un moment, mais le cornet d'Andy semblait n'avoir pas de fin. Les glaces semblaient doubler de volume entre les mains des enfants, elle l'avait maintes fois constaté.

— Est-ce que tu penses que nous aurons un autre bébé, un jour, m'man ?

Surprise, les sourcils froncés, elle s'accorda un temps de réflexion. Les garçons ne s'embarrassaient pas de ce genre de considérations. A plusieurs reprises, Allison avait ramené la question sur le tapis et... non ! Page ne le pensait pas. Elle avait trente-neuf ans maintenant, mais ce n'était pas une question d'âge. Le problème venait plutôt de Brad, qui était fermement opposé à l'idée d'un troisième enfant.

— Non, mon lapin, je ne crois pas. Pourquoi me demandes-tu cela ?

— Parce que la maman de Tommy Silverberg a eu des jumeaux la semaine dernière. Je les ai vus l'autre jour, quand je suis allé chez eux. Ils sont identiques, ajouta-t-il d'un ton docte. Ils pèsent deux kilos six cents chacun.

— Oh, ils doivent être craquants ! En tout cas, pour répondre à ta question, je ne pense pas que nous aurons des jumeaux ou même un seul bébé, Andy.

Un singulier pincement au cœur ! Cela faisait des mois qu'elle languissait d'avoir un autre bébé.

— Essaie donc d'en parler à papa.

— De quoi ? des jumeaux ?

— Du nouveau bébé.

— Ça serait drôle, non ? Tu aurais dû voir la maison de Tommy. Un vrai foutoir. Il y avait des paquets de couches-culottes partout et puis des berceaux, des poussettes, des biberons. Et puis c'était rigolo parce que tout était en double. Sa grand-mère, qui est venue aider, a laissé brûler le dîner et le père de Tommy s'est mis à hurler qu'il en avait assez de vivre dans une porcherie.

— Et tu trouves ça drôle ! (Page pouvait facilement s'imaginer le chaos qui régnait chez les Silverberg.) Remarque, au début on est un peu désorganisé, et peu à peu, tout rentre dans l'ordre, on s'habitue.

— Est-ce que notre maison ressemblait aussi à une porcherie quand je suis né, m'man ?

Il avait englouti la dernière bouchée de sa glace, s'était essuyé la bouche sur sa manche, tout en passant ses paumes poisseuses sur l'étoffe déjà plus toute propre de son pantalon.

— Non, mais toi tu as l'air d'un petit cochon, pouffa-t-elle. Allez, en route ! Un bon bain te rendra figure humaine. Le reste ira dans la machine à laver.

Sur le chemin du retour, Andy se lança dans le récit d'un combat mémorable entre Mets et Yankees[1], auquel sa mère ne prêta qu'une oreille distraite. L'histoire des jumeaux lui avait gâché sa belle humeur... Un bébé ! Oh, c'était sûrement la faute à cette magnifique journée printanière. Trop tard ! Le désir impétueux de sentir contre son sein la bouche avide d'un nourrisson avait refait surface. La nostalgie de ses voyages romantiques avec Brad l'assaillit ; le souvenir brûlant de leurs étreintes vint la hanter et elle se surprit à regretter un passé à jamais révolu. Aujourd'hui, sa vie lui semblait uniquement faite de soucis maternels. Brad et elle ne se

1. Célèbres équipes de base-ball new-yorkaises. (*N.d.T.*)

voyaient plus qu'entre deux portes, au terme d'une journée harassante. La nuit, le plus souvent, la fatigue avait raison de leurs ardeurs, alors qu'au début de leur mariage ils n'étaient jamais rassasiés l'un de l'autre.

La voiture roulait à présent dans leur rue. En remontant l'allée bordée de massifs d'hortensias roses et bleus, Page remarqua la voiture de son mari à sa place habituelle. Elle se gara et coupa le moteur.

— Eh bien, je me suis bien amusée !

— Moi aussi. Merci d'être venue, m'man.

Rien ne l'obligeait à suivre ses exploits sportifs, et il lui savait gré de l'avoir fait.

— En ma qualité de groupie, je ferai toujours partie de vos supporters, monsieur Clarke. Va donc dire à ton père qu'il a engendré un fameux champion. Cette journée est à marquer d'une pierre blanche dans l'histoire du base-ball.

Andy avait rassemblé en riant ses affaires avant de disparaître à l'intérieur de la villa. D'un pas tranquille, Page longea le chemin au milieu duquel gisait la bicyclette d'Allison, qu'elle redressa. Les patins à roulettes de la jeune fille traînaient sur la pelouse ; elle les ramassa pour les poser contre le mur de brique du garage. Sur la véranda, une raquette de tennis était abandonnée sur l'une des chaises en fonte blanche, tandis qu'une boîte de balles trônait sur la table de jardin. Visiblement, son aînée avait eu une journée trépidante.

Page l'aperçut dès qu'elle eut franchi la porte de service. Pendue au téléphone mural de la cuisine, Allison arborait encore sa tenue de tennis, ses longs cheveux dorés ramassés en une tresse épaisse. Le dos tourné, elle semblait en train de conclure à mi-voix quelque pacte mystérieux. Enfin, elle raccrocha et se retourna pour faire face à sa mère. Page lui sourit. La beauté radieuse d'Allison ne manquait jamais de l'impressionner. Avec son allure de femme-enfant et sa turbulence, Allison faisait penser à une tornade. Elle avait toujours quelque chose à faire, à dire, à terminer, tout de suite et, non, cela ne pouvait jamais attendre ! En ce moment même, son joli minois reflétait cette expression d'urgence absolue, signe qu'elle était pressée.

Allison ressemblait énormément à son père. Éternellement sur la brèche, la tête toujours pleine de projets, incapable de se concentrer sur une seule idée. Nerveuse, excessive, exubérante. Elle n'avait pas la douceur d'Andy et de Page, ce qui ne l'empêchait pas de faire preuve d'une extrême gentillesse. Parfois, son esprit de rébellion l'emportait sur son bon sens, obligeant alors sa mère à sévir. Mais chaque fois, après des explications fracassantes, Allison se rangeait heureusement à l'opinion de ses parents.

Du reste ses éclats n'avaient rien de surprenant. A quinze ans, elle brûlait de voler de ses propres ailes, de se forger une personnalité bien à elle, plutôt que d'imiter Page ou Brad. Il lui fallait gagner pas à pas son indépendance, et elle s'y employait par tous les moyens. Contrairement à Andy qui, plus tard, suivrait les traces de leur père et qui ressemblait trait pour trait à leur mère, Allison revendiquait le droit à la différence. A ses yeux, son petit frère n'était encore qu'un bébé. Lorsqu'il était né, elle avait huit ans et en le voyant pour la première fois elle s'était exclamée qu'il était le plus beau bébé du monde et qu'elle n'en avait jamais vu d'aussi petit. Durant les deux mois critiques qui avaient suivi sa naissance, elle s'était fait du souci pour lui. Lorsque, enfin, ils purent le ramener à la maison, sa joie faisait plaisir à voir. Elle passait le plus clair de son temps à promener son petit frère bien calé contre son épaule dans la maison ou le jardin. Quand le matin Page trouvait le berceau de son fils vide, elle savait immédiatement où il était passé : dans le lit de sa grande sœur, qui le dorlotait et s'occupait de lui comme une petite maman. Allison avait adoré Andy. Elle le chérissait toujours tendrement, malgré leur différence d'âge, et le comblait de cadeaux — gadgets, bandes dessinées, photos de champions de base-ball. Elle avait même été jusqu'à assister à quelques matchs, tout en proclamant qu'elle détestait ce sport.

— Salut, Microbe, comment ça s'est passé ?

Ce surnom lui avait été donné à sa naissance alors qu'il était si petit bien qu'il dépassât à présent de plusieurs centimètres la plupart de ses camarades de classe.

— Plutôt bien, répliqua-t-il, modeste.

— Aujourd'hui, ton frère était le héros de son équipe, rectifia Page.

Rouge comme une pivoine, Andy s'en fut trouver son père.

Page commença à préparer le dîner ; elle irait dire bonsoir à Brad juste après.

— Et toi ? As-tu joué au tennis ? s'enquit-elle auprès de son aînée, tout en inspectant le contenu du congélateur.

Etant donné qu'il n'y avait pas de projet par la soirée, Brad pourrait s'occuper de faire un barbecue, se dit-elle en se réjouissant à cette perspective.

— Oui, avec Chloé. Deux élèves d'un autre collège, Academy, sont venus au club et nous avons joué des doubles avant de piquer une tête dans la piscine, répondit Allison d'une voix détachée.

Comme tous ceux qui ne connaissaient que la Californie, elle ne se rendait pas compte de sa chance. Elle vivait une jeunesse oisive et dorée que ni Brad, issu d'une famille pauvre du Midwest, ni Page, originaire de New York, n'avaient connue. D'emblée, la côte Ouest avait revêtu à leurs yeux des allures de paradis terrestre, qualifié par Page de « pays du ciel bleu et des enfants insouciants ». Et elle avait patiemment tissé autour de sa progéniture un cocon protecteur, les mettant à l'abri des périls qui rôdaient dans les grandes cités surpeuplées.

— Bravo ! Tu ne t'es pas ennuyée. Tu sors ce soir, ou tu restes à la maison ?

Si Allison acceptait de garder Andy, elle entraînerait Brad au cinéma, décida-t-elle. Mais en voyant la tête de sa fille, elle réalisa que rien n'était moins sûr. En effet, Allison avait une expression qui faisait penser à un masque de tragédie grecque, et qui semblait dire : « Empêche-moi de sortir et tu ruineras toutes mes espérances. »

— Le père de Chloé a proposé de nous emmener au restaurant et au cinéma.

— Ma chérie, ne fais pas cette tête d'enterrement. Je me renseignais, tout simplement.

Les traits crispés de la jeune fille se détendirent tout aussi soudainement qu'ils s'étaient figés. Elle avait frôlé la catastrophe. Page réprima un sourire. Les adolescents lui donnaient souvent l'impression d'être tombés d'une autre planète. La puberté avait ses souffrances secrètes, même au sein d'une famille unie, comme si chaque instant était source de petits malheurs cachés, imprévisibles, ignorés des adultes.

— Quel film irez-vous voir ?

Elle avait placé un morceau de viande dans le micro-ondes, afin de le décongeler. Le mirifique barbecue se transformait petit à petit en un repas plus modeste.

— Je n'en sais rien. Il y en a au moins trois qui m'intéressent, dont *Woodstock*, et tous les trois passent à la cinémathèque. Nous dînerons au Luigi's.

— Mmmm, on ne se refuse rien.

Page avait versé des chips dans un bol et commencé à préparer la sauce de la salade alors que, juchée sur un tabouret, sa fille la regardait. « Comme elle est belle ! » pensa Page avec émotion. Allison n'avait rien à envier aux top-models que l'on voyait sur les couvertures glacées des revues de mode : immenses yeux en amande aux iris d'un brun ardent moucheté de gris-vert — comme ceux de Brad —, cheveux blond vénitien, un teint de miel joliment hâlé par le soleil. Des jambes interminables, une taille fine, un cou de cygne. Dans la rue, les gens se retournaient sur son passage, les hommes en particulier. Un jour, en plaisantant, Page avait menacé de signaler par un écriteau fixé sur la poitrine de sa fille que celle-ci n'avait pas plus de quinze ans, bien qu'elle en parût dix-huit ou vingt.

— C'est chic de la part de M. Thorensen de vous consacrer son samedi soir.

— Bah, il n'a rien d'autre à faire, alors...

Comme tous les jeunes de son âge, Allison ne possédait aucun sens de la diplomatie et pas une once d'indulgence. En l'occurrence, elle faisait allusion au divorce qui avait transformé M. Thorensen en loup solitaire.

— Qu'est-ce que tu en sais ?

Page avait protesté pour le principe, mais tout Ross était au courant des démêlés conjugaux du père de Chloé. Sa femme l'avait quitté deux ans plus tôt. L'année suivante, elle avait obtenu le divorce. Elle avait mollement réclamé à son mari l'autorisation d'emmener leurs trois enfants à Londres, afin de les inscrire dans des pensionnats anglais, à ses yeux infiniment supérieurs aux écoles des Etats-Unis. Elle était américaine, mais vouait une admiration sans bornes au système éducatif britannique. Naturellement, Trygve Thorensen n'avait nullement l'intention de se séparer de ses chères têtes blondes et il s'était fait attribuer leur garde. Après quoi, l'ex-Mme Thorensen avait sauté dans le premier avion à destination du vieux continent, débarrassée une fois pour toutes de ses pénibles devoirs d'épouse et de mère. Vingt ans de vie commune s'étaient soldés par un cuisant constat d'échec. En dressant le bilan de son mariage, Mme Thorensen s'était sentie lésée. Durant toutes ces années, elle avait été l'esclave de son mari et de ses enfants. Elle leur avait servi de chauffeur, de bonne à tout faire, de cuisinière, de précepteur... Sa lassitude n'avait pas tardé à se muer en indignation. Elle en avait par-dessus la tête de tout ça : de Trygve, des gosses, des habitants de Ross et de leurs cancans.

Dana Thorensen souhaitait ardemment monter sa propre affaire. Elle en avait touché deux mots à son mari, qui avait fait la sourde oreille. De son côté, Trygve avait trop rêvé à une famille unie, heureuse, solidaire devant l'adversité, pour déceler la colère et la révolte dans les propos de sa femme. Il n'avait pas compris sa détresse.

L'orage qui couvait avait éclaté, dévastant avec une violence inattendue le paisible foyer des Thorensen. Le brusque départ de Dana ne laissa que des épaves. Un mari hagard, des enfants désemparés, des amis désolés. Toutefois, Trygve était parvenu à recoller les morceaux un à un. Excellent père, il avait tout naturellement endossé le rôle de la mère absente. Chroniqueur politique en free-lance, il avait loué un bureau en ville. Des arrangements pris avec ses collaborateurs lui permirent de rédiger ses articles chez lui. Contrairement à son épouse, il tirait d'inépuisables satisfactions de ses obligations parentales.

Les débuts avaient été laborieux. Mais jour après jour, grâce à sa générosité et à sa bonne humeur, chacun avait peu à peu surmonté son désarroi et retrouvé son équilibre. Il se débrouillait pour travailler pendant que les enfants étaient à l'école, ou tard dans la nuit, après qu'ils furent couchés. Il leur sacrifiait tous ses loisirs. Bientôt, toute la petite famille se promenait dans les rues de Ross, un sourire heureux aux lèvres. Trygve gagna la sympathie générale, d'autant qu'il ne s'était jamais apitoyé sur son sort. Toute la ville faisait son éloge, s'émerveillant de la façon dont il élevait ses enfants, du temps qu'il parvenait malgré toutes ses occupations à leur consacrer. Le fait qu'il ait invité Allison et Chloé un samedi soir n'avait rien d'étonnant. Son fils aîné avait commencé de brillantes études universitaires, le second suivait un stage d'apprentissage pour jeunes handicapés. Chloé et Allison s'étaient liées d'amitié au lycée. Elles avaient le même âge.

Chloé Thorensen, qui avait eu quinze ans à Noël, rivalisait de beauté avec sa meilleure amie. Petite, menue, un teint de magnolia, elle avait hérité des cheveux noirs de sa mère et des grands yeux d'un bleu nordique de son père. Elle attirait les regards masculins comme un aimant. D'origine norvégienne, Trygve avait vécu à Oslo jusqu'à l'âge de douze ans. Aujourd'hui, après toutes ces années sur le sol du Nouveau Continent, il était américain jusqu'au bout des ongles, malgré le sobriquet de « Viking » dont ses amis l'avaient affublé pour le taquiner.

Bel homme, il séduisait sans pour autant le rechercher. Son divorce avait excité les esprits des élégantes des environs — célibataires, veuves, divorcées — mais c'est en vain qu'elles s'étaient livrées à une véritable compétition pour l'attirer dans leurs filets. Entre son travail et ses enfants, il ne restait guère de place à Trygve Thorensen pour des aventures sentimentales. Afin de leur échapper, il prétextait de multiples occupations auxquelles Page n'avait jamais cru qu'à moitié. Elle penchait plutôt pour un manque de confiance, une absence d'intérêt totale, qui avait découragé les plus persévérantes des candidates au mariage.

On finit par conclure qu'il avait banni à jamais les femmes de son esprit.

Il avait passionnément aimé son épouse, ce n'était un secret pour personne. Les deux dernières années de leur union avaient basculé dans la discorde. Le farouche ressentiment de Dana avait aigri son caractère et elle s'était ingéniée à le faire souffrir avant de le quitter. C'était une âme tourmentée, prisonnière des liens d'un mariage dont, au fond, elle n'avait jamais voulu. Le joug conjugal portait bien son nom : il pesait sur ses épaules d'une façon insoutenable et elle ne souhaitait plus que s'en libérer. Trygve avait tenté l'impossible pour sauver son ménage : deux séances de conciliation ajournées, un procès de séparation des corps auquel il avait fait appel. Rien n'y fit. Il exigeait plus qu'elle ne pouvait lui donner. Lui désirait une vie de couple normale, une maison pleine d'enfants, des vacances tranquilles en camping. Et elle rêvait des lumières de la ville : New York, Paris, Hollywood, Londres, et leurs étourdissants plaisirs.

Dana Thorensen n'était pas faite pour Trygve. Ils s'étaient rencontrés très jeunes à Los Angeles, alors que Trygve n'était qu'un scénariste débutant, et Dana une éblouissante starlette en quête d'un rôle dans la Mecque du cinéma. Elle admira son talent d'écrivain, il fut envoûté par ses charmes. Lorsqu'il la supplia de le suivre à San Francisco, elle aurait certainement refusé si elle n'avait pas été aussi éprise de lui... Elle avait accepté, pour son malheur.

A San Francisco, elle passa des dizaines d'auditions dans différents théâtres, essuyant des refus cinglants. Bientôt, ses anciens compagnons lui manquèrent. La nostalgie des nuits blanches passées dans les luxueux night-clubs de Sunset Boulevard en compagnie de la faune des noctambules la submergea. Elle se mit à regretter jusqu'aux petits rôles sans éclat de figurante qu'elle avait assurés pour le compte de quelques grands studios... Elle se retrouva enceinte sans l'avoir désiré et Trygve la demanda en mariage. Une fois de plus elle capitula. Après quoi ce fut la dégringolade.

Un rôle secondaire dans une pièce moderne ne lui valut que des mauvaises critiques. Et quand Bjorn, leur deuxième enfant, naquit et qu'ils apprirent qu'il était mongolien, ce fut plus qu'elle n'en pouvait supporter. En son for intérieur sans jamais lui en parler, elle en tint rigueur à Trygve. Elle ne voulait pas d'enfants, n'en avait jamais voulu. La naissance de Chloé porta le coup de grâce à ses ambitions. Elle avait la sensation de s'enliser, tant son existence lui semblait mortellement ennuyeuse... Trygve, quant à lui, travaillait d'arrache-pied. Ses articles dans le *New York Times*, dans divers magazines et journaux étrangers, lui avaient apporté une immense notoriété. Grâce à sa plume, il offrait une existence confortable à sa famille. Or, tout ce que Dana avait si désespérément désiré se trouvait à présent hors de sa portée. Elle avait convoité une carrière de star, et elle s'était retrouvée confinée dans le rôle étriqué de la ménagère. Au fil du temps, sa rancune à l'encontre de son mari ne fit que s'accroître. Libre ! Elle voulait être libre à nouveau. Et ce qui lui était intolérable c'était que Trygve ne s'en rendait pas compte. Son côté « père parfait » achevait d'exaspérer Dana. En fait, Trygve Thorensen poursuivait avec un entêtement puéril un bonheur impossible.

Elle ne tarda pas à le taxer d'égoïsme, en vint à tout abhorrer chez lui. Sa patience, sa gentillesse, sa générosité. Et cette manie d'inclure dans leurs projets les copains de leurs enfants !... Et ces bandes de gosses bruyants qu'il emmenait camper ou pêcher !... Et cet acharnement à organiser des Jeux Olympiques pour « juniors », où même Bjorn gagna une médaille, pour la joie de tous sauf de Dana... Le monde s'était scindé en deux. Il y avait elle d'un côté du précipice, tous les autres groupes de l'autre côté. Sans aucun moyen de communiquer, de se comprendre, même quand elle y mettait du sien. Bjorn personnifiait toutes ses désillusions. Elle en avait honte. Elle fit le vide autour d'elle, passant pour une chipie éternellement mécontente, ruminant sans cesse l'iniquité d'un destin que d'autres lui enviaient. Trygve faisait figure de mari idéal, les enfants étaient adorables, jusqu'à Bjorn, qui était si attachant, si doux et émouvant. Personne ne s'étonna quand Dana Thorensen commit sa première infidélité. D'autres suivirent. On eût dit qu'elle prenait un malin plaisir à s'exhiber en galante compagnie. En fait, elle s'efforçait de pousser Trygve à mettre fin à cette union malheureuse.

Lorsque, enfin, elle s'en alla, tout le monde poussa un ouf de soulagement. A part Trygve. Des années durant, feignant de ne pas apercevoir le gouffre dans lequel Dana et lui tombaient enchaînés l'un à l'autre, il s'était inventé mille bonnes raisons pour sauver la face. De pieux mensonges auxquels il était le seul à accorder quelque crédit.

— Elle s'habituera... Cela n'a pas été facile pour elle de renoncer à sa carrière... Hollywood lui manque... Le mariage ne lui convient pas, comme à tous les êtres créatifs... Elle ne s'est jamais remise de l'infirmité de Bjorn.

Vingt ans d'excuses n'avaient servi à rien. Le départ de Dana laissa un grand vide. Et aussi quelque chose de plus ambigu, semblable à la disparition d'une douleur constante. Ce fut au tour de Trygve de s'attacher à la liberté. Et à la solitude. Il ne se sentait guère prêt à refaire sa vie. La seule idée d'un remariage, ou même d'une simple liaison, lui donnait la chair de poule. Prudemment, il s'était réfugié dans l'ombre, refusant tout rendez-vous pouvant compromettre le calme de son existence sans femme. Celles de Ross lui faisaient l'effet d'une bande de vautours en quête de proies, et il n'avait nulle envie de figurer sur leur tableau de chasse. Il se sentait parfaitement heureux. Seul, avec ses enfants.

— Il n'a pas eu un seul flirt depuis que la maman de Chloé est partie, dit Allison. Il passe ses journées avec ses enfants. Le soir, il rédige ses articles. D'après Chloé, il a commencé à écrire un livre. En tout cas, il aime bien sortir avec nous.

— Vous en avez de la chance ! s'exclama Page avec

un sourire. Espérons qu'un de ces jours, il s'intéressera à quelqu'un de... euh... disons de plus mûr.

Allison haussa les épaules. Pour sa part, elle ne pouvait imaginer le père de Chloé autrement que seul... Mais elle était trop jeune pour comprendre que Trygve Thorensen fuyait le vide terrifiant de son mariage raté.

— D'ailleurs, il adore tenir compagnie à Bjorn. Il lui apprend à conduire.

— Quel homme courageux ! remarqua Page d'un ton admiratif en lavant la laitue dans l'évier. Comment se porte Bjorn ?

— Comme un charme. Il joue au base-ball tous les samedis, et depuis quelque temps il se passionne pour le bowling.

La force morale de Trygve ne manquait jamais d'étonner Page. Comment aurait-elle réagi face au douloureux problème que soulevait un petit handicapé mental ? Elle l'ignorait. Certainement pas comme Dana, bien que, parfois, elle devinât le pourquoi de ses frustrations. Sans être intime avec Trygve, elle le connaissait depuis des années et lui vouait une profonde estime. Il ne méritait pas tous les ennuis qu'il avait eus. Personne ne méritait le malheur.

— Tu passeras la nuit chez les Thorensen ?

Elle avait fini de rincer les feuilles de salade, s'était essuyé les mains. Elle avait hâte de voir Brad.

Allison secoua la tête. Ayant abandonné le bol de chips sur le comptoir, elle avait saisi une pomme verte qu'elle polissait avec un pan de sa chemise.

— Ils me ramèneront après le cinéma. Chloé doit se lever aux aurores. Elle a un cours de danse.

— Un dimanche ?

— Ça doit être un cours de perfectionnement.

— A quelle heure dois-tu sortir ? interrogea Page, alors que toutes deux quittaient la cuisine.

— J'ai rendez-vous à dix-neuf heures avec Chloé.

Allison plongea ses grands yeux bruns dans ceux de sa

mère. Deux petites flammes jumelles dansaient au fond de ses pupilles, lueurs fugitives que Page n'eut pas le temps d'analyser. Encore un secret de jeune fille, sans doute guère important.

— Maman, tu me prêtes ton sweater noir ?

— Le cachemire orné de strass ?

Le cadeau que Brad lui avait offert à Noël. Un vêtement beaucoup trop chaud pour la saison, bien trop sophistiqué pour une gamine de quinze ans.

— Je ne crois pas que cette tenue soit appropriée pour le cinéma ou même le restaurant, mon chou.

— Le rose, alors ?

Le rose. Pourquoi pas le rose ?

— Marché conclu.

Elles se séparèrent dans le couloir, Allison se ruant vers sa chambre, alors que Page prenait la direction de la sienne.

Penché au-dessus d'une valise étalée sur le lit, Brad y empilait quelques effets personnels. Un sourire éclaira le visage de Page. Après tant d'années, le charme irrésistible de son mari opérait sur elle comme au premier jour. Grand, brun, élancé, Brad Clarke avait toute la séduction d'une vedette de cinéma. Un mètre quatre-vingt-dix, des cheveux aile-de-corbeau coupés court, l'œil velouté, les épaules larges. Des hanches étroites, de longues jambes musclées, un sourire à vous faire perdre la tête. Il se redressa quand Page entra dans la pièce.

— Le match s'est bien passé ?

Cela faisait des mois que Brad, trop pris par ses rendez-vous professionnels, n'avait pas assisté à un des matchs de son fils.

— Merveilleusement. Ton fils est un champion.

Elle s'était hissée sur la pointe des pieds pour l'embrasser et il l'avait enlacée, l'attirant contre lui.

— Il a de qui tenir. Tu m'as manqué, ma chérie.

— Toi aussi.

Elle se dégagea doucement de son étreinte, puis s'installa dans son fauteuil favori, le laissant à sa besogne. D'ordinaire, il bouclait son bagage le dimanche après-midi avant d'attraper le vol du soir. Ces derniers temps, ses déplacements s'étaient multipliés et, parfois, il préférait en finir avec ses préparatifs dès le samedi, de manière à passer un dimanche tranquille en famille.

— Que dirais-tu d'un mini-barbecue à la belle étoile ? J'ai décongelé quelques steaks. Nous serons seuls avec Andy.

Il la regarda, l'air chagriné.

— J'en aurais été ravi. Malheureusement, le vol de demain soir pour Cleveland était complet. Je pars tout à l'heure.

Elle lui rendit son regard, interdite. *Tout à l'heure !* Son projet de barbecue au clair de lune tombait à l'eau.

— Je suis désolé, ma puce.

— Pas autant que moi. J'en ai rêvé toute la journée.

Page avait souri mais le cœur n'y était pas. Seigneur ! jamais elle ne s'habituerait à ces absences. C'était trop lui demander. Brad lui manquait cruellement chaque fois qu'il partait en voyage.

Brad se pencha et caressa légèrement la joue de sa femme.

— Tu sais, Cleveland le dimanche soir ce n'est pas une sinécure, dit-il d'un ton badin.

Page hocha la tête. L'agence de publicité qui employait son mari le chargeait de missions de plus en plus importantes. Brad Clarke était le cadre le plus dynamique de la société, le seul qui avait le pouvoir de traiter des affaires compliquées, remportant des succès éclatants auprès de clients réputés difficiles.

— Je passerai la journée de demain à jouer au golf avec le président d'une grosse entreprise du coin, poursuivit-il. Je le laisserai gagner, naturellement, et j'emploierai chaque étape de ma défaite à le convaincre de signer le contrat.

Il l'embrassa, et au contact de ses lèvres, elle sentit le vieux frisson familier la parcourir de la tête aux pieds.

— J'aurais mille fois préféré rester ici avec toi et les enfants, susurra-t-il, tandis qu'elle nouait ses bras derrière sa nuque.

— Oublie donc les enfants ! souffla-t-elle d'une voix rauque, qui le fit rire.

— Mmmm, l'idée est plaisante. Tiens bon jusqu'à mardi soir. Je serai de retour dans la nuit.

Andy entra en trombe dans la pièce, interrompant brutalement leur baiser.

— M'man, Allie a laissé les chips dehors et Lizzie est en train de se régaler avec. Si ça continue, elle va vomir partout.

Lizzie était leur labrador, aussi connu pour son appétit féroce que pour ses digestions délicates.

— J'arrive... j'arrive...

Page adressa une moue d'excuse à Brad, qui lui tapota gentiment le derrière, puis elle s'élança sur les traces d'Andy. La cuisine ressemblait à un champ de bataille : les pommes chips jonchaient le carrelage et la chienne en avait englouti une bonne moitié en poussant des glapissements de bonheur.

— Bon sang, Lizzie ! Tu n'es qu'une cochonne ! gronda Page.

Elle se mit à nettoyer le sol, l'esprit ailleurs... « Oh, Brad ! » Elle ne voulait pas qu'il parte à Cleveland. Le besoin de sentir sa présence là, tout près d'elle, se fit impérieux, presque insoutenable. Cela faisait un temps fou qu'ils n'avaient pas eu un moment à eux. Elle regarda Andy d'un air dubitatif. Il s'escrimait à arracher au labrador une partie de son butin.

— Ça te dirait un dîner en amoureux avec ta vieille mère ? Papa prend l'avion ce soir, ta sœur est invitée, mais nous ne nous laisserons pas abattre ! Une bonne pizza nous remonterait le moral, tu ne crois pas ?

— Oh, chic ! chic ! chic !

Tout excité, le garçonnet se précipita hors de la pièce, talonné par la chienne. Page regagna la chambre conjugale d'un pas lourd. Il était environ dix-huit heures trente. Brad venait de refermer sa valise. Il avait enfilé un élégant costume de voyage : blazer croisé bleu foncé, chemise bleu pâle dont il avait laissé le col entrebâillé, pantalon beige, mocassins de cuir et chaussettes noires... Elle le trouva beau, rajeuni, plein d'allant, et se sentit du même coup centenaire. Brad sillonnait le monde, fréquentait des membres de la jetset, discutait affaires et contrats, alors qu'elle repassait ses chemises à la maison en surveillant leurs enfants. Elle prit son courage à deux mains et lui fit part de ses réflexions d'une voix fêlée, en passant ses longs doigts dans ses cheveux défaits, mais il l'interrompit en riant.

— Allons, allons, madame Clarke, pas de complexes ! Tu es la meilleure maîtresse de maison de la côte Ouest, tu prends merveilleusement soin de ta famille et dès que tu as un moment de libre, tu peins des fresques sensationnelles chez tes amis... Et tu te plains ! Tu devrais avoir honte, franchement !

Il n'avait pas tort, bien sûr, elle en convenait. Et pourtant, parfois, une singulière sensation de vide, comme si elle n'existait pas, s'emparait pas d'elle. Alors, elle se sentait seule au monde. Désemparée. Inutile. Sans but... Peut-être parce qu'elle n'avait jamais rien fait pour elle-même. Ses peintures ne lui avaient pas rapporté un sou depuis... depuis ses glorieuses années d'études à Broadway. *Broadway !* Une autre vie ! Les moments d'exaltation, alors que le décor d'une pièce d'avant-garde prenait forme sous ses doigts, fulgurèrent dans sa mémoire. Elle se rappela aussi les costumes qu'elle avait créés pour un spectacle historique et que les critiques avaient salués comme de purs chefs-d'œuvre. Et maintenant, les seuls costumes qu'elle confectionnait de ses propres mains servaient de déguisements à ses enfants pour Halloween.

— Voyons, mon amour, sois raisonnable. Ta place est plus enviable que la mienne. Passer la nuit du samedi à bord d'un avion bondé n'a rien d'excitant, crois-moi.

Brad avait déposé son bagage dans l'entrée où elle l'avait suivi et l'avait prise de nouveau dans ses bras.

— Je suis na...vrée, bredouilla-t-elle tout contre son cou.

C'était vrai que son existence paraissait d'une simplicité élémentaire comparée à celle de Brad. Ce dernier se tuait au travail. Ses parents ne lui avaient laissé qu'un pécule insignifiant en héritage. Il avait bâti sa carrière à la force du poignet, gravi les unes après les autres les marches de la réussite sociale ; il n'avait pas l'intention de s'arrêter à mi-chemin. Ambitieux, il entendait atteindre le sommet. Oh, il y arriverait, Page n'en doutait pas. Ses patrons lui avaient donné carte blanche. Il voyageait en première classe, résidait dans des palaces cinq étoiles. Le luxe dont il s'entourait en imposait à ses clients qui, très vite, succombaient à ses arguments. Et à son charme.

— Je reviendrai mardi soir. Je t'appellerai.

Il se dirigea vers les chambres des enfants, gratifia sa fille d'un baiser sonore sur la joue. Elle resplendissait dans le sweater rose de sa mère et sa jupette de lin blanc. Le torrent doré de ses cheveux lui balayait la taille, nimbant son adorable petit visage d'un halo lumineux.

— Peut-on savoir avec qui tu sors ce soir ?

— Le père de Chloé.

— Ce brave vieux Thorensen ! Pourvu qu'il ne se transforme pas en satyre libidineux, sinon il aura affaire à moi. Tu es ravissante, princesse.

— Oh, papa ! gémit-elle en levant des yeux faussement exaspérés au plafond, ravie au fond de son compliment. M. Thorensen est vraiment âgé, tu sais.

— Ah, ça fait plaisir ! Le Viking est de deux ans mon cadet.

Brad avait quarante-quatre ans mais paraissait plus jeune.

— Papaaaa ! Tu sais bien ce que j'ai voulu dire.

— Oui, hélas ! Sois gentille avec maman, d'accord ? Je te reverrai mardi soir.

— Au revoir, papa. Amuse-toi bien.

— Oh, sûrement ! Cleveland est la ville de tous les plaisirs, tout le monde le sait. Comment puis-je m'amuser sans vous ?

— Tu pars tout de suite, p'pa ?

Andy avait fait irruption dans la pièce et s'était pendu au bras de son père en le regardant avec adoration.

— Oui, jeune homme. Pendant mon absence, tu me remplaceras en tant que chef de famille. Tu prendras soin de ta mère et de ta sœur. D'ailleurs, dès mon retour, tu me feras un rapport détaillé sur le comportement de ces dames.

Le petit garçon hocha vigoureusement la tête. Il avait toujours pris à cœur les recommandations paternelles.

— Ce soir, j'emmène maman à la pizzeria, annonça-t-il, fier comme Artaban.

— Excellente initiative. Prends garde qu'elle n'attrape pas une indigestion, lui rétorqua son père sur le ton de la conspiration. Tu as bien vu ce qui est arrivé à Lizzie.

— Beurk ! geignit Andy avec une grimace dégoûtée qui les fit tous rire aux éclats.

Il escorta ses parents jusqu'à la porte. Brad sortit la voiture du garage, glissa sa valise dans le coffre, serra Page et Andy dans ses bras.

— Vous me manquerez. Soyez sages, moussaillons ! lança-t-il en se glissant derrière le volant et en claquant la portière.

— Bon voyage ! cria Page.

Elle avait eu toutes les peines du monde à refouler ses larmes et pourtant, depuis le temps, elle aurait dû s'habituer aux incessants aller et retour de son mari. Mais ce n'était pas le cas. Déjà, les départs du dimanche l'irritaient. Ce soir, plus que jamais, elle s'estimait flouée. Son rêve de passer un moment agréable avec Brad avait fondu comme neige au soleil... *Non, pas ce soir, je m'en vais. Bons baisers, à mardi !*

Elle le regarda, alors qu'il faisait tourner le moteur et, comme toujours, ses démons familiers l'assaillirent. « Pourvu qu'il ne lui arrive rien. Pourvu qu'il me revienne sain et sauf. »

— Sois prudent, murmura-t-elle en penchant la tête par la vitre baissée pour l'embrasser. Je t'aime.

Elle aurait bien voulu l'accompagner à l'aéroport, mais Brad aimait bien retrouver sa voiture au parking, à son retour.

— Je t'adore, dit-il doucement, puis il envoya un baiser à Andy.

Page avait reculé jusqu'au perron. Un dernier signe de la main... La voiture descendit l'allée. Elle suivit d'un regard humide les feux arrière jusqu'à ce qu'ils disparaissent dans le clair-obscur rougeoyant du crépuscule. Il était presque dix-neuf heures.

La jeune femme regagna la maison, oppressée par une étrange sensation de solitude, qu'elle essaya de surmonter. C'était ridicule à la fin ! « Tu es une personne adulte, se morigéna-t-elle en silence, tu as tort d'être aussi dépendante de lui. » De plus, il serait revenu dans trois jours. Jugeant sa réaction excessive, elle soupira d'un air moqueur. « Qu'est-ce que ce serait s'il partait pour un mois ! »

Fin prête, Allison était sortie de sa chambre. Un maquillage léger rehaussait son teint d'ambre clair. Ses cils, accentués d'un soupçon de mascara, ravivaient le sombre éclat de ses prunelles, un gloss scintillant soulignait la courbe pleine de ses lèvres. Jeune, heureuse, en pleine santé... Belle comme une couverture de *Vogue*, songea Page avec fierté.

— Passe une bonne soirée, mon ange. Je t'attends à vingt-trois heures, comme d'habitude.

— Oh, maman, s'il te plaît !

— C'est une heure on ne peut plus raisonnable, Allison, insista Page, inflexible.

Après tout, sa fille n'avait que quinze ans.

— Et si le film se termine plus tard ?

— Alors, exceptionnellement, vingt-trois heures trente. Mais pas une minute de plus.

— Merci bien ! bougonna la petite, boudeuse.

— De rien. Veux-tu que je te dépose chez Chloé ?

— Non, non... je préfère marcher. A plus tard, claironna-t-elle en sortant.

Page se dirigea vers sa chambre. Le téléphone se mit à sonner alors qu'elle s'apprêtait à saisir son sac : c'était sa mère qui l'appelait de New York. Page l'informa qu'elle était sur le point d'aller dîner avec Andy, promit de la rappeler le lendemain et raccrocha. Page regarda sa montre, Allison était probablement déjà arrivée chez son amie.

— A nous deux, bel athlète ! Quel restaurant préférez-vous ? Le Domino ? Chez Sakey's ?

— Le Domino. Nous sommes allés chez Sakey's la semaine dernière.

— Adjugé ! En route !

Dans la voiture, Andy alluma la radio, se branchant sur une station de musique rock, la préférée d'Allison. Il avait des goûts assez évolués pour son âge. Chemin faisant, il entreprit d'expliquer à sa mère ses projets d'avenir. Andy Clarke souhaitait exercer la noble profession d'instituteur. Lorsqu'elle lui en demanda la raison, il répliqua que les longues vacances d'été, de Noël et de printemps dont bénéficiaient les maîtres d'école avaient guidé son choix.

— Sauf si je rejoins les Giants ou les Mets.

— Je trouve l'idée tout aussi valable, dit-elle, déridée par le babillage de l'enfant.

— M'man ?

— Oui, trésor ?

— Tu es une artiste ?

— Plus ou moins. Je l'ai été dans ma jeunesse. Il y a longtemps que je n'ai plus touché un pinceau.

— Moi, j'aime bien la fresque que tu as faite pour l'école.

— Vraiment ? Justement, j'ai envie de recommencer.

Leur repas terminé, Andy régla l'addition en laissant un pourboire au serveur, sur les conseils de sa mère. En sortant du restaurant, il entoura la taille de Page et c'est enlacés qu'ils regagnèrent l'antique voiture de Page. Dix minutes plus tard, ils étaient à la maison.

Après le rituel bain du soir, Andy retrouva Page dans sa chambre. Alors qu'ils regardaient des jeux télévisés, il s'assoupit et, tendrement, elle le recouvrit du drap satiné en lui effleurant la tempe d'un baiser. Il avait déjà sept ans mais elle le considérait toujours comme son bébé. D'une certaine manière, Allison aussi était son bébé. L'image de sa fille, rayonnante dans le sweater rose pâle qu'elle lui avait prêté, fit éclore un sourire sur ses lèvres. Mais sans cesse, ses pensées dérivaient vers Brad. Il avait laissé un message de l'aéroport sur le répondeur, lui rappelant qu'il l'aimait.

Les premières images d'un feuilleton insipide défilaient sur le petit écran. La fatigue alourdissait les paupières de Page, mais elle lutta contre le sommeil de toutes ses forces. Elle tenait à attendre le retour d'Allison, afin de s'assurer que sa petite famille était en sécurité avant de s'accorder un repos bien mérité... A vingt-trois heures, elle regarda le journal de la nuit, notant avec soulagement qu'aucune catastrophe n'était survenue dans les airs ou à l'aéroport. Elle se faisait toujours du souci quand Brad prenait l'avion. L'actualité locale déployait le triste éventail des faits divers habituels. Échange de coups de feu entre bandes rivales à Oakland. Quelques prises de bec entre hommes politiques. Une crise mineure dans une usine de traitement des eaux... Le présentateur annonça qu'à la suite d'un accident de la route, le pont du Golden Gate avait été fermé à la circulation, mais Page n'y fit guère attention... Brad devait somnoler dans le vol de Cleveland, Allison sillonnait Marin County avec les Thorensen, Andy dormait à poings fermés à son côté. Rien ne semblait menacer sa petite famille.

Sur la table de chevet, la pendulette indiquait vingt-trois heures vingt. Dans une dizaine de minutes, Allison rentrerait à pas de loup dans le vestibule enténébré, les yeux brillants, les cheveux en bataille, avec probablement une grosse tache de sauce tomate sur son joli corsage rose... Le visage de Page s'éclaira d'un sourire indulgent, puis elle s'enfonça dans son lit pour suivre le bulletin de la météo.

2

Allison longea la rue au pas de course ; elle avait cinq bonnes minutes de retard... La résidence Thorensen était à trois pâtés de maisons de chez les Clarke, mais les deux amies étaient convenues de se retrouver à mi-chemin, au coin de Shady Lane et Lagunitas... Chloé faisait les cent pas quand Allison arriva, le souffle court et les joues en feu.

— Oh ! là ! là ! C'est géant ! s'exclama Chloé, admirative. Il est à ta mère ?

N'ayant plus grand-chose à glaner dans les penderies vides qui avaient abrité autrefois la somptueuse garde-robe de Mme Thorensen, Chloé avait eu recours à toute son ingéniosité pour se confectionner une tenue digne des circonstances. Un pull noir emprunté à une camarade de classe lui moulait le buste. (En fait, la prêteuse l'avait dérobé à sa grande sœur, laquelle, à ses dires, ne manquerait pas de l'étrangler si le pull-over ne lui était pas rendu intact le dimanche matin.) Elle lui avait assorti une mini-jupe de cuir noir, concédée par une autre amie, et des collants également noirs que Mme Thorensen avait oubliés dans le tiroir d'une commode avant son départ pour l'Angleterre.

— Tu es sublissime ! estima Allison en détaillant sa compagne.

« Auprès d'elle, je dois ressembler à Bécassine », songea-t-elle amèrement. Chloé s'était en effet surpassée. Elle avait adopté le point de vue de Dana Thorensen sur la mode, érigeant le noir en couleur suprême de l'élégance. Et elle savait que son ensemble lui seyait à ravir, car il mettait en valeur sa chevelure de jais, dans un contraste époustouflant avec sa peau laiteuse. Pour le moment, Chloé se dandinait nerveusement d'une jambe sur l'autre, telle une ballerine minée par le trac avant son entrée en scène. Elle suivait des cours de danse depuis sa plus tendre enfance et cela se devinait dans chacun de ses mouvements, d'une grâce inimitable. En automne, elle s'inscrirait à l'École de ballet de San Francisco où elle avait été admise après de longues et éreintantes auditions.

— Cesse donc de t'agiter, tu me donnes le tournis, protesta Allison à l'intention de son amie, qui examinait tour à tour sa montre et le bas de la rue, toujours désespérément déserte. Tu sais, nous n'aurions pas dû nous embarquer dans cette galère, acheva-t-elle, la voix tremblante, teintée de remords.

— Comment peux-tu dire une ânerie pareille ? objecta Chloé. Ce sont les deux plus beaux garçons du lycée. De plus, Phillip Chapman est un « senior ».

Phillip était le chevalier servant d'Allison. Quant à Jamie Applegate, Chloé se prétendait éperdument amoureuse de lui depuis qu'il avait quatorze ans. Il en avait maintenant seize et il appartenait à la catégorie des « juniors ». Les deux jeunes gens faisaient partie de l'équipe de natation de l'école.

L'initiative de cette sortie revenait à Jamie. Aussitôt, Chloé s'était mobilisée. Mise dans le secret des dieux, Allison avait commencé par rechigner.

— Impossible ! Maman ne me laissera jamais sortir avec un garçon de terminale.

Jusqu'alors, ses divertissements consistaient à sortir en groupe, avec des filles et des garçons de son âge qu'elle connaissait depuis toujours. En général, ils se contentaient d'un film et leurs rares surprises-parties ne se prolongeaient jamais au-delà de l'heure fatidique de onze heures du soir, qu'ils appelaient « le couvre-feu ». D'ailleurs, aucun de ses camarades ne possédant de permis de conduire, les parents se chargeaient de venir récupérer leur progéniture sur place.

C'était la première fois qu'elle avait un *vrai* rendez-vous. Avec quelqu'un qui passerait la chercher en voiture, pour l'emmener au restaurant. Allison avait peine à y croire... Au terme d'interminables conciliabules téléphoniques avec son soupirant, Chloé avait tiré, de son côté, la seule et unique conclusion qui s'imposait. Compte tenu qu'il connaissait à peine le jeune Applegate, son père s'opposerait sans aucun doute à cette petite fantaisie nocturne. De surcroît, le fait que Jamie circulait en voiture ne ferait qu'accentuer à son endroit la méfiance toute paternelle de Trygve Thorensen. Certes, s'il avait mieux connu Jamie, il lui aurait peut-être confié plus volontiers sa fille. Mais, le temps pressait. Pour une fois que l'élu de son cœur avait émis le souhait de s'amuser en sa compagnie, il était hors de question que Chloé laissât passer l'occasion. *Carpe diem.* Profite du jour présent... Elle en avait fait sa devise. Convaincre Allison que mentir aux parents ne porterait pas à conséquence ne posa pas de problèmes particuliers.

— Ils n'y verront que du feu, je t'assure ! Disons qu'il s'agit d'un essai, d'accord ? Si après ça, nous nous découvrons des affinités avec Phillip et Jamie, il sera toujours temps de mettre nos familles au courant.

L'hésitation d'Allison n'avait pas duré longtemps. Phillip Chapman était l'idole de toutes les lycéennes, des plus petites classes jusqu'à la terminale. Ne pas saisir la chance que sa bonne étoile lui offrait relevait de la pure bêtise. C'était trop tentant. Par ailleurs, Chloé avait raison. Si elles mêlaient les parents à l'histoire, autant renoncer toute de suite à leurs desseins. Aux messes basses pendant les récréations avait succédé un nombre incalculable de coups de fil entre les intéressées. Peu à peu, le projet s'était concrétisé. Ils avaient pris date et Chloé avait averti Jamie qu'elles les attendraient au carrefour, à quelques blocs de chez elle.

— Tiens ! tiens ! avait-il lancé. On dirait que papa t'interdit de fréquenter des garçons, pas vrai ?

— Bien sûr que non ! Je veux juste éviter que mes frères vous voient.

Il n'en crut pas un mot, naturellement, mais nota soigneusement le lieu du rendez-vous qu'il promit de communiquer à Chapman. Ce dernier les conduirait en voiture au Luigi's, expliqua-t-il.

— Et chacun paiera sa part ? s'alarma Chloé.

Son argent de poche était parti en fumée pour une paire d'escarpins à hauts talons. Sans parler des cinq dollars qu'elle devait à Penny Morris qui, forcément, ne tarderait pas à les lui réclamer. Chloé avait déjà remarqué que, suivant la loi des séries, les ennuis avaient tendance à vous tomber dessus en même temps... Le rire ensoleillé de Jamie interrompit ses méditations moroses. Il avait des cheveux d'un roux flamboyant, un regard espiègle, un sourire irrésistible.

— Mais non, idiote ! Vous serez nos invitées.

Chloé l'avait regardé, bouche bée. Ça, c'était le summum de la bonne éducation. La vraie classe ! Elle s'était dépêchée d'annoncer la bonne nouvelle à Allison et les deux complices avaient passé la semaine à glousser bêtement, dans l'attente du grand soir. Et voilà, c'était enfin arrivé.

Allison n'y avait jamais cru qu'à moitié. Comme les garçons étaient en retard, elle se demanda soudain s'il ne s'agissait pas d'un vaste canular destiné à les couvrir de ridicule.

— Ils ne viendront pas ! déclara-t-elle d'une voix maussade où vibrait une note d'anxiété. Ils nous ont posé un lapin. Pour quelle raison Phillip Chapman voudrait-il sortir avec moi ? Il a dix-sept ans, presque dix-huit, il aura son diplôme dans un mois et il est le capitaine de l'équipe de natation.

— Et alors ? Et *alors* ? rétorqua Chloé avec une véhémence qui masquait, en fait, sa propre nervosité. Pourquoi nous feraient-ils faux bond ? Tu es belle comme le jour, Allie, Phillip a de la chance de sortir avec toi.

— Tu es gentille, Chloé, mais peut-être que je ne lui plais pas.

Leurs chuchotements fiévreux s'interrompirent net, lorsque la silhouette massive d'une Mercedes gris métallisé remonta majestueusement la rue pour s'arrêter à leur hauteur. Elles virent Phillip au volant, Jamie à son côté, tous deux arborant costume et cravate, beaux comme des astres.

— Salut, lança Phillip d'un ton décontracté, en adressant à Allison un sourire enjôleur. Désolé de ce petit contretemps. Nous avions besoin d'essence et avons mis un temps fou pour dénicher une pompe à diesel.

Jamie avait jailli hors de la voiture et s'était précipité pour ouvrir la portière arrière à Chloé. Fasciné par la masse noire et brillante de sa chevelure, ses immenses yeux bleus et surtout par la jupette de cuir qui dévoilait ses longues jambes fuselées, il se répandit en compliments, tout en se glissant à ses côtés sur la banquette. Allison prit place près du conducteur. Ils formaient un groupe de jeunes gens séduisants, à l'allure d'étudiants plutôt que de lycéens.

La Mercedes redémarra en direction du restaurant.

— Attachez vos ceintures !

La voix autoritaire de Phillip donna à ses passagers l'agréable impression d'être adultes. La grosse voiture se mit à rouler à travers les rues silencieuses de Ross. Chloé et Jamie jacassaient en pouffant, comme s'ils avaient l'habitude de dîner ensemble tous les samedis soir depuis des siècles.

— Tu es ravissante, murmura Phillip. Je suis heureux que tu sois des nôtres.

— M... moi aussi, balbutia Allison, et un flot incarnat lui enflamma les pommettes.

— D'après Jamie, tes parents t'auraient interdit de te joindre à nous s'ils avaient su. De quoi ont-ils peur ? De nous ou de la voiture ?

Tentée un instant d'éluder la question, Allison se ravisa. Mieux valait jouer la carte de la vérité. Elle avait classé Phillip parmi les personnes qui semblent apprécier la franchise.

— Probablement des deux, je ne leur ai pas demandé leur avis. De la voiture, surtout. Je crois qu'ils ont une peur bleue des accidents.

— Ils ont raison. Mais ne crains rien. Tu ne pouvais mieux tomber ! Mon père m'a appris à conduire lorsque j'avais neuf ans... Si tes parents me connaissaient, ils ne se feraient aucun souci. Un de ces jours, je passerai leur dire bonjour, si tu n'y vois pas d'inconvénient. Ça les rassurera.

« Ou ça les affolera ». Quelle serait la réaction de ses parents s'ils apprenaient qu'elle était sortie avec un garçon de trois ans son aîné ? Assez mauvaise, à son avis. Mais peut-être leur plairait-il, avec son allure aristocratique et sa parfaite éducation. Phillip Chapman n'avait rien d'un voyou.

— Oui, je veux bien, répondit-elle, la gorge sèche, consciente des efforts qu'il déployait pour la mettre à l'aise.

— Alors, la cause est entendue.

Le trajet se déroula dans une atmosphère joyeuse et détendue. Chloé riait à gorge déployée aux plaisanteries de Jamie, qui la régalait des potins qui couraient sur l'équipe de natation.

Pendant qu'ils choisissaient leurs plats, Allison décida que Phillip lui plaisait. Le jeune homme avait commandé du vin. Les deux lycéens s'étaient munis de fausses cartes d'identité, au cas où un maître d'hôtel trop scrupuleux eût voulu connaître leur âge. Ils n'eurent pas besoin de se justifier, car le serveur leur apporta deux verres de vin rouge de Californie, dont les filles acceptèrent de goûter une gorgée. Au dessert, Phillip, qui n'avait pas fini son verre, prit deux tasses de café noir et corsé.

— Est-ce que tu bois toujours du vin ? s'enquit Allison, incapable de refréner sa curiosité.

Ses connaissances en matière d'alcool se résumaient à trois fois rien : une coupe de champagne à Noël, un ou deux demis de bière qu'elle avait détestée.

— Seulement quand je suis en bonne compagnie. Parfois, nous partageons une bouteille avec mes parents.

En dépit d'une largeur d'esprit indéniable, les Chapman auraient été furieux d'apprendre que leur fils utilisait une carte d'identité truquée pour se faire servir du vin en compagnie d'autres mineurs, mais Phillip se garda bien d'en parler. La présence de ces deux jolies filles à sa table l'avait rendu plus téméraire que d'habitude.

— Et ça ne te gêne pas pour conduire ?

— Absolument pas. Tout est question de réflexes et les miens sont infaillibles. Ne t'en fais pas, Allie, un petit verre n'a jamais fait de mal à personne. Surtout quand il a été noyé dans deux tasses de café.

— Oui, je l'ai remarqué, dit-elle, avec un sourire confiant.

Leurs regards se cherchèrent et elle le trouva encore plus séduisant que tout à l'heure. Une force tranquille émanait de toute sa personne. On eût dit un adulte à qui on pouvait tout dire sans aucune crainte.

— Ne t'inquiète pas, murmura-t-il.

Il posa sa main sur la sienne. Troublée, Allison détourna les yeux et les posa sur Chloé et Jamie, qui poursuivaient une joyeuse conversation à propos de la fameuse Ecole de ballet où Chloé entrerait dès la rentrée. Jamie la félicita de sa prestation lors d'une fête scolaire, à laquelle il avait assisté avec sa sœur.

— Merci, jeta-t-elle, rayonnante. Comment as-tu trouvé le spectacle ?

— Tout à fait médiocre, ce qui mettait davantage en valeur ton talent. Ma sœur t'a trouvée formidable aussi.

— Nous étions dans le même cours de danse. Je ne comprends pas pourquoi elle a abandonné.

— Le manque de courage... Elle estimait qu'elle n'était pas douée. En revanche, elle a toujours prétendu que tu es faite pour devenir danseuse étoile.

— Ah oui ? Peut-être... je ne sais pas. Il m'arrive d'être à deux doigts de laisser tomber. Les exercices à la barre à longueur de journée, c'est épuisant. D'un autre côté, j'adore la danse classique.

— C'est comme la natation, conclut Phillip. L'entraînement constitue une forme de sélection... Dites, si nous allions à Union Street ? L'endroit est agréable et on y trouve le troquet qui offre le meilleur capuccino de San Francisco.

— Génial ! s'enthousiasma Jamie.

— Excellente idée ! renchérit Chloé presque en même temps.

Tous les regards avaient convergé vers Allison, qui semblait en proie à une vague appréhension. Un tour en ville ? A cette heure-ci ? Personne ne savait qu'ils quitteraient Ross et... Oh, après tout quelle importance ? Quel mal y avait-il à prendre une tasse de café ici ou ailleurs ?

— Du moment que je suis de retour au bercail à onze heures et demie, il n'y a pas de problème, déclara-t-elle finalement d'une voix qui se voulait détachée.

— Alors, en voiture.

Phillip laissa un pourboire royal, puis ils retournèrent à la Mercedes. C'était la voiture de sa mère, commenta-t-il. Ses parents l'autorisaient à circuler dans une vieille fourgonnette, une espèce d'antiquité bonne pour la fourrière. M. et Mme Chapman étant partis en week-end à Pebble Beach, il en avait profité pour emprunter la Mercedes, un modèle qui datait d'une quinzaine d'années.

Ils traversèrent le pont du Golden Gate. Phillip régla le droit de passage, après quoi ils descendirent Lombard Street et prirent la direction du sud par Phillmore. Parvenus à destination, ils tournèrent un bon moment avant de dénicher une place pour se garer et peu après, ils déambulaient le long de Union Street, tout illuminée par les enseignes lumineuses des bars et des boutiques. La foule bigarrée du samedi soir avait pris d'assaut les terrasses des cafés. Tout en s'avançant au bras de Phillip dans l'air tiède de la nuit, Allison éprouva une plaisante sensation de flottement... Il s'était mis à lui expliquer ses projets d'études. Il se savait admis à UCLA. Au début, son choix s'était fixé sur Yale mais ses parents s'y étaient opposés. La côte Est était trop loin, ils préféraient savoir leur fils unique plus près de la maison.

— Ils ne sont plus tout jeunes, alors je me suis incliné. De toute façon, UCLA figure parmi les meilleures universités des Etats-Unis... D'ailleurs, pourquoi ne viendrais-tu pas me rendre visite en septembre ?

Une invitation en bonne et due forme ! Allison imagina la tête de ses parents, quand elle leur annoncerait qu'elle prenait le train pour Los Angeles. Un rire lui échappa.

— J'ai compris, sourit Phillip comme s'il avait deviné ses pensées. Nous allons trop vite pour un premier rendez-vous, hein ? Eh bien, les enfants, on le boit, ce café ?

Il était drôle, intelligent, compréhensif. Tandis qu'ils

savouraient un onctueux capuccino, elle se sentait de plus en plus attirée par lui. Il se pencha vers elle, comme pour lui faire une confidence. Leurs lèvres se frôlèrent... Ils étaient seuls au monde. Tout comme Chloé et Jamie, plongés dans une conversation animée.

Ils quittèrent le café vers onze heures. Lentement, ils longèrent la rue animée jusqu'à la voiture. A cette heure de la nuit, ils n'auraient aucune difficulté à parcourir la trentaine de kilomètres qui les séparait de Ross.

Allison boucla sa ceinture de sécurité.

— J'ai passé une merveilleuse soirée, Phillip.

— Moi aussi.

Il avait eu un sourire énigmatique que la jeune fille ne sut comment interpréter. Il paraissait si sûr de lui, si terriblement adulte... Elle se demanda tout à coup s'il n'avait pas esquissé un sourire d'adieu. « Il ne voudra plus me revoir, songea-t-elle, paniquée, il a été simplement gentil, juste pour un soir. » Présumer de l'avenir s'avérait difficile. Elle n'était sûre que de son propre désir : le retrouver au plus vite, se promener avec lui, main dans la main.

La Mercedes remonta en douceur Lombard Street, mettant le cap sur le pont du Golden Gate. La nuit, chaude et claire, enveloppait le pont de ses immenses crêpes de moire. Chaque étoile se détachait sur le firmament comme un cristal étincelant, le clair de lune couronnait d'argent les flots sombres de la baie, les lumières de la mégapole brillaient alentour. On eût dit que l'air avait acquis une qualité exceptionnelle, lumineuse et presque translucide, chose rare à San Francisco réputé pour son climat humide. Sur la mer, toute trace de brume avait disparu.

Allison sut alors qu'elle était en train de vivre la nuit la plus romantique de toute son existence, un de ces instants précieux et magiques, qui ne se présentent qu'une seule fois au cours d'une vie.

— Comme c'est beau, murmura-t-elle.

Des éclats de rire en provenance de la banquette arrière mirent un terme à sa rêverie.

— Avez-vous mis vos ceintures de sécurité, vous deux ? s'enquit Phillip d'une voix sérieuse.

— Mêle-toi de tes affaires, Chapman, répondit Jamie avec un rire moqueur.

— Pas question de commettre une infraction, mon vieux. Vous bouclez vos ceintures ou vous descendez.

Aucun cliquetis métallique ne vint rompre le silence qui s'était soudain abattu à l'arrière du véhicule. Embarrassée, Allison regarda le conducteur.

— Que fais-tu demain soir ? questionna-t-il.

Elle sentit les pulsations de son cœur s'accélérer. Ainsi, il voulait la revoir...

— Rien... Je n'ai pas le droit de sortir plus d'une fois par semaine.

Autant jouer la carte de la franchise jusqu'au bout. Elle n'était pas une « senior », pas même une « junior ». Elle avait quinze ans et devait se plier au règlement établi par ses parents. Elle venait de passer une soirée inoubliable mais elle ne se sentait pas le courage de mentir une fois de plus à sa mère. Elle avait toujours eu le mensonge en horreur.

Toute tremblante, elle attendit une réponse mais il ne parut pas en prendre ombrage. Il savait qu'elle était jeune et pour la revoir, il était prêt à jouer le jeu. Même si cela devait passer par l'incontournable visite aux parents.

— Demain après-midi je serai à l'entraînement. Puis-je passer te saluer après, et faire ainsi connaissance avec tes parents ?

— Oui, oui, bien sûr ! s'écria-t-elle, transfigurée par un sourire éclatant. Cela ne t'ennuie pas ?

Il lui lança un regard qui la fit fondre, puis secoua la tête.

— Non, puisque je te le propose.

— J'étais persuadée que ça t'embêterait de devoir rencontrer ma famille.

— Il le faut bien, non ? On ne peut pas continuer ce petit manège éternellement.

— Non, on ne peut pas, souffla-t-elle, soulagée par son attitude. Je déteste les cachotteries. Je serais incapable de leur mentir une seconde fois. Mes parents me tueront s'ils découvrent la vérité.

— Ma mère aussi, si elle apprend que j'ai pris sa voiture.

Il eut un rire de petit garçon turbulent et, gagnée par son hilarité, elle l'imita. Ils ressemblaient à des enfants qui, une fois leur bêtise faite, imaginent un moyen de se racheter.

La circulation était fluide et ils étaient pratiquement au milieu du pont. Jamie et Chloé se parlaient à mi-voix et, de temps à autre, un silence éloquent ponctuait leurs chuchotements. Phillip avait attiré Allison vers lui, et elle avait relâché la lanière de cuir de sa ceinture de sécurité, afin de pouvoir se blottir contre son compagnon... Phillip quitta la route des yeux et, l'espace d'une fraction de seconde, il dévisagea Allison avec une intensité extraordinaire.

C'est en reportant son attention sur le trafic qu'il l'aperçut... mais il était trop tard ! Un éclair de lumière fulgura en sens inverse, sorte de bolide éblouissant qui leur fonçait dessus à une vitesse hallucinante. Allison regardait Phillip quand le choc eut lieu. A l'arrière, Chloé et Jamie ne se rendirent compte de rien. Ce fut comme un arc en fusion dissimulant une masse d'acier. Un coup de tonnerre retentit brusquement, suivi d'une explosion de verre, dont les éclats s'épanouirent en une corolle luminescente. On eût dit la fin du monde, alors que les deux véhicules s'enroulaient furieusement, comme deux fauves enragés dans un mortel corps à corps... Les autres voitures faisaient des embardées pour les éviter et pendant un moment ce ne fut plus que crissements de pneus et coups de klaxon. Soudain, une sourde déflagration déchira la nuit limpide. Puis, plus rien. Rien que le silence.

Des bris de verre hérissaient le macadam autour des deux formes enchevêtrées, hideuses, tordues. Un long cri d'angoisse fusa, un concert discordant de coups de klaxon beugla dans le lointain, auquel s'ajouta bientôt le lugubre ululement d'une sirène de police.

Prudemment, lentement, puis avec hâte, conducteurs et passagers jaillirent des autres véhicules vers les deux voitures soudées l'une à l'autre dans une étreinte terrifiante et muette. Les sirènes se rapprochaient, alors qu'une foule stupéfaite s'agglutinait autour du tas de ferraille difforme. Il était difficile de croire qu'il pût y avoir un seul survivant.

3

Deux hommes s'étaient approchés de ce qui restait de la Mercedes gris métallisé. Une Lincoln noire l'avait percutée de plein fouet et la formidable collision avait réduit la première voiture en un informe amas de tôles froissées. Les deux véhicules s'étaient encastrés l'un dans l'autre si intimement qu'ils ne faisaient plus qu'un ; seule leur couleur permettait de les distinguer.

Une femme, errant à proximité de la Lincoln d'un air hagard, prononçait des mots sans suite. Apparemment, elle n'était pas blessée. Des motards se portaient à sa rencontre au moment où les deux hommes se penchèrent afin de fouiller du regard l'intérieur de la Mercedes. Le premier, en survêtement et tennis, brandissait une lampe torche. Le second, plus jeune, habillé d'un costume en jean, avait déclaré qu'il était médecin.

— Vous voyez quelque chose ? interrogea l'homme à la torche électrique.

Il s'efforçait tant bien que mal de maîtriser ses tremblements et tentait d'apercevoir le ou les occupants de la voiture. Il avait déjà été témoin d'accidents de la circulation mais celui-ci dépassait de loin tout ce qu'il avait vu jusqu'alors. Il avait failli accrocher une fourgonnette lorsqu'il avait voulu se ranger sur le côté, en écrasant la pédale de frein. Maintenant, le trafic s'était arrêté sur toutes les voies. Plus rien ne bougeait sur le pont gigantesque.

Un silence sinistre régnait dans la voiture écrasée. C'était comme une grotte dont les parois, à la suite d'un cataclysme démentiel, se seraient tordues, déformées en volutes bizarres. Le rond lumineux buta contre un écran lisse et opaque de ténèbres, puis, soudain, ils le virent : compressé dans l'espace incroyablement rétréci, la tête rejetée en arrière, constellée de taches sanglantes, l'arrière du crâne fracassé contre le montant de la portière, le cou dessinant un angle impossible. Ils surent instantanément qu'il était mort, bien que le médecin cherchât fébrilement un pouls qu'il ne trouva jamais.

— Le conducteur est mort, dit-il platement.

Ce dernier avait braqué la lampe vers le fond de l'habitacle. Le faisceau lumineux se refléta tout à coup dans les yeux écarquillés d'un autre garçon. Il était conscient mais aucun mot ne franchit le rempart de ses lèvres blanches, alors qu'il regardait fixement le cercle aveuglant de la lampe.

— Ça va, petit ?

Jamie Applegate ébaucha un vague hochement de tête. Une coupure lui lacérait l'arcade sourcilière. Il avait une expression hébétée, mais aucune autre blessure n'était visible, ce qui relevait du miracle. L'homme à la torche tira de toutes ses forces sur la poignée de la portière en accordéon, qui ne bougea pas d'un millimètre.

— La police routière sera là dans une minute, fiston.

Jamie se borna à un nouvel hochement de tête, comme s'il avait perdu l'usage de la parole. Il regardait toujours fixement le rond lumineux. « Il a dû être salement secoué », se dit l'homme au survêtement.

Le docteur jetait un coup d'œil à Jamie, quand un gémissement rauque s'éleva de la banquette arrière, puis se mua en un long cri déchirant... Chloé ! Jamie tourna vers elle un œil inexpressif. Par quel hasard se trouvait-elle là, près de lui ? Il avait la tête vide, incapable de se remémorer ce qui s'était passé. Le médecin contourna la voiture en courant, talonné par son compagnon. La lumière jaunâtre de la lampe leur révéla un spectacle plus effroyable encore, presque insoutenable. Enfouie entre le siège avant et le sien, qui s'étaient imbriqués sous l'impact brutal de la Lincoln, une jeune fille remuait faiblement le buste et les bras. Ses jambes avaient disparu sous un écheveau de bouts de fer habillés de lambeaux de cuir et de ressorts de suspensions.

— Mal… j'ai mal… je ne peux pas… bouger… hurla-t-elle brusquement.

Les deux hommes tentèrent de la calmer. Pendant ce temps, Jamie la considérait, effaré, puis il lança une phrase inintelligible à l'adresse de Phillip.

— Tenez bon ! les encouragea l'homme à la torche. Les secours ne tarderont pas à arriver.

Le vacarme des sirènes n'avait cessé de se rapprocher, mais les cris de la fille se firent plus perçants.

— … Pas bouger… peux pas respirer…

Son souffle sortait par saccades de sa poitrine en feu, et oppressée par une panique innommable, elle s'était mise à suffoquer.

— Ça va aller, dit le docteur d'une voix apaisante. Nous vous sortirons de là. Essayez de respirer lentement… régulièrement… tenez, prenez ma main.

Il avait passé l'avant-bras à travers la fenêtre à la vitre pulvérisée pour lui saisir la main. Elle avait les doigts gluants de sang. A la lueur vacillante de la lampe, le docteur ne pouvait se faire une idée précise de l'ampleur des dégâts. En tout cas, elle n'avait pas perdu conscience et parvenait à répondre à ses questions. Elle était vivante. C'était ça l'important. Par ailleurs, son état n'inspirait pas d'inquiétudes particulières.

L'autre homme était reparti vers l'avant du véhicule. Il avait aperçu une autre fille sur le siège du passager.

Elle gisait, inconsciente, sous un magma de métal froissé. Il secoua la portière avant, dans l'espoir de libérer la jeune passagère, littéralement écrasée sous le tableau de bord. En vain. Il n'y avait rien à faire pour décoincer cette satanée porte. Il se pencha à la fenêtre, festonnée d'aiguillons de verre effilés. La jeune fille ne réagit pas lorsqu'il la toucha. A mi-voix, il appela le médecin, qui vint à la rescousse. De prime abord, le praticien subodora le pire : elle devait être morte, elle aussi, comme le conducteur. Un instant après, un infime espoir supplantait l'affreux diagnostic. En lui tâtant le cou, il avait senti palpiter un pouls incertain et chancelant, comme prêt à s'éteindre... Il regarda de plus près. Presque pas de respiration. Des cheveux trempés de sang un filet visqueux ruisselait sur sa petite figure livide avant d'imbiber son sweater rose vif... Elle était couverte d'entailles, d'ecchymoses et d'hématomes.

« Sévère traumatisme crânien », conclut-il, en priant pour que les secours arrivent vite.

Sa vie ne tenait plus qu'à un fil. Il n'était même pas sûr qu'elle vivrait assez longtemps pour être secourue. Il ne pouvait rien pour elle. Même faire une piqûre était impossible à cause de son étrange position et des plaies ouvertes de ses bras. Il fallait attendre, se dit-il, terrassé par un sentiment d'impuissance, guettant les sirènes, de plus en plus proches. Un rapide bilan de la situation l'amena à conclure que la collision avait fait deux victimes. Les deux gosses à l'arrière avaient eu une sacrée chance.

— Nom d'un chien, qu'est-ce qu'ils fichent ? souffla l'homme à la torche avec impatience.

— Dans certains cas, l'attente est insupportable, répliqua le docteur.

Il avait exercé comme médecin d'ambulance quand il faisait son internat à New York, une dizaine d'années plus tôt, et il avait eu l'occasion d'observer les pires horreurs sur les autoroutes, dans les rues mal famées et les ghettos. Il lui était même arrivé de mettre des bébés au monde, au fond de quelque contre-allée malodorante et obscure. Et il avait souvent contemplé des scènes morbides sans aucun survivant.

— Ils ne vont pas tarder, répéta-t-il.

Une sueur froide perlait au front de l'autre homme. Les cris ininterrompus de Chloé lui vrillaient les tympans. Il évitait de regarder le visage ensanglanté d'Allison.

Enfin, ils furent là : deux fourgons de pompiers, une ambulance, trois voitures de police. Plusieurs témoins avaient bombardé le commissariat de coups de fil. Des badauds avaient envahi le lieu du drame et avaient appris qu'il y avait quatre passagers dans la Mercedes, dont deux grièvement blessés. La conductrice de la Lincoln, miraculeusement épargnée, sanglotait sans retenue dans les bras d'un inconnu.

Trois pompiers et deux policiers accoururent vers la voiture défoncée, ainsi que deux infirmiers jaillis de l'ambulance. Les autres agents de police s'occupèrent de rétablir la circulation, faisant signe aux automobilistes d'évacuer le pont par le nord. Peu à peu, le monstrueux embouteillage se résorba. Guidée par des coups de sifflet stridents, une longue file de véhicules s'ébranla lentement vers la sortie du Golden Gate, en passant devant les deux épaves enchevêtrées.

— Que s'est-il passé ?

Un officier de police s'était penché à la fenêtre du conducteur. A la vue de Phillip, il avait réprimé un sursaut.

— Mort sur le coup, déclara le médecin dont le diagnostic fut confirmé par l'un des infirmiers.

Fini ! Une vie fauchée brutalement en une seconde ! Sa jeunesse, son intelligence, sa gentillesse, l'amour de ses parents n'avaient guère pesé dans la balance absurde de la fatalité… Phillip Chapman, décédé à dix-sept ans, par une belle nuit printanière, un samedi soir... Mort sans raison !

— Les portières sont coincées, continua le médecin. La jeune fille à l'arrière est piégée. A première vue, elle souffre de graves fractures aux jambes. Elle saigne abondamment mais je crois qu'elle tiendra le coup. (Il indiqua Jamie, qui fixait sur lui un regard dénué d'expression.) Le garçon est en état de choc. Il faudra le mettre en observation à l'hôpital. Je pense qu'il n'a rien. Tout au plus une commotion.

Spontanément, les ambulanciers s'étaient portés du côté d'Allison. L'un des pompiers était reparti vers ses collègues en réclamant les « mâchoires de survie », énormes cisailles conçues pour découper les lourds panneaux de métal.

— Et la fille à l'avant, doc ?

— Elle est en très mauvais état. Je crains qu'il ne soit malheureusement trop tard.

Il n'avait cessé de surveiller son pouls. Elle vivait encore mais ses forces déclinaient rapidement. Une course mortelle contre la montre venait de s'engager. Les infirmiers s'étaient aussitôt activés. L'un d'eux lui avait posé une perfusion cependant que l'autre lui glissait un petit sac de sable sous la nuque.

— Elle a eu un traumatisme crânien important et Dieu sait quoi d'autre, soupira le médecin.

A moitié engloutie dans le bloc d'acier, elle avait l'air d'une poupée désarticulée. Chloé s'était remise à hurler. Il était difficile de savoir si elle pleurait ses amis ou si elle ne pouvait plus endurer son supplice.

— Mal... aux jambes... mal... au dos...

Ses souffrances constituaient pourtant un signe encourageant aux yeux des infirmiers. Combien d'accidentés de la route n'éprouvaient pratiquement aucune douleur, parce qu'ils avaient eu la colonne vertébrale réduite en bouillie ?

— Patience, petite. Tenez bon une minute encore. Nous allons vous sortir de là-dedans !

L'un des policiers avait réussi à forcer la portière du côté de Phillip à l'aide d'un pied-de-biche. Ils déposèrent avec douceur le corps disloqué sur un brancard, le recouvrirent d'un drap blanc, avant de le transporter vers l'ambulance, sous les regards choqués des curieux.

La portière ouverte permit au médecin de se faufiler près d'Allison. Son état avait sensiblement empiré, malgré la perfusion et le masque à oxygène, que les infirmiers lui avaient posé. C'était le seul moyen de la maintenir en vie, le médecin le savait. Les blessures aux bras ne lui permettaient pas de prendre sa tension, mais il n'avait nul besoin de tensiomètre pour estimer que l'inévitable risquait de se produire à tout instant. La jeune blessée était à l'agonie, et si les sauveteurs ne la délivraient pas à temps de son carcan de fer, elle subirait certainement le sort de son compagnon. Il la regarda, une boule d'émotion au creux de l'estomac.

— Tiens bon, petite fille, tiens bon, murmura-t-il, sachant qu'elle ne l'entendait pas. Cramponne-toi à la vie... Allons, un peu plus d'oxygène ! cria-t-il à l'intention des infirmiers, qui s'exécutèrent sans un mot.

L'un d'eux avait ajouté un tonicardiaque dans le goutte-à-goutte. Ils se battaient contre des moulins à vent ! S'ils ne la conduisaient pas dans une salle de réanimation tout de suite, elle était perdue, nul ne l'ignorait.

Soudain, le temps s'accéléra. La brigade de sauvetage composée de cinq membres arriva avec les mâchoires. Un simple coup d'œil leur suffit pour jauger la situation. Ils entrèrent en action après un rapide échange de propos avec le docteur et les ambulanciers.

Chloé balançait entre l'évanouissement et la conscience. Un pompier lui administrait de l'oxygène par la fenêtre fracassée. De l'avis général, c'était Allison qui devait être délivrée en premier de sa prison. Sa respiration s'était encore ralentie, son instinct de survie s'amenuisait à chaque instant. Chloé n'était pas en danger de mort, non plus que Jamie. Ils ne pourraient être évacués que lorsque le siège avant serait déplacé.

L'équipe de sauvetage travailla à la vitesse de l'éclair. On posa des cales devant les roues du véhicule, afin de le stabiliser, on dégonfla les pneus. Deux hommes nettoyèrent les fenêtres latérales des derniers morceaux de verre, deux autres retirèrent la vitre arrière... Ils recouvrirent de bâches les blessés, de manière à leur éviter des blessures supplémentaires lorsqu'ils les hisseraient hors de la carcasse. Le cinquième homme se mit à tapoter avec un marteau plat les bords du pare-brise auquel le choc avait donné l'aspect d'un puzzle dont les pièces menaçaient de s'effondrer à tout bout de champ. Avec efficacité, le sauveteur, les mains protégés par des gants, retira le pare-brise et le déposa au sol. Une minute à peine s'était écoulée depuis le début de leur intervention. Ils se déplaçaient avec une précision de danseur qui connaît à l'avance chacun des mouvements qui aura à faire. Le médecin avait repris espoir...

L'un des sauveteurs pénétra à l'intérieur, tranchant d'un coup de ciseaux les ceintures de sécurité, après quoi un ordre bref fut lancé :

— Le toit, maintenant.

La scie à métaux se mit à ronger la tôle dans un vacarme étourdissant, qui arracha un cri de terreur à Jamie, alors que Chloé gémissait. Seule Allison ne réagissait pas sous son masque à oxygène... Un instant plus tard, le toit s'envolait. Armé d'un chalumeau, un membre de la brigade avait pratiqué un trou à la portière avant. Il ne restait plus qu'à y insérer les cisailles, afin de dépecer le métal. L'appareil avait l'air de peser une tonne et il fallait les forces combinées de deux hommes pour le manipuler. Un bruit de marteau-piqueur déchira la nuit. Jamie éclata en sanglots, et le tintamarre infernal des « mâchoires » couvrit les hurlements désespérés de Chloé. Allison, elle, n'avait pas bougé ni eu la moindre réaction. Un infirmier, agenouillé à son côté, exerçait une pression sur la poche à oxygène... Elle ne respirait presque plus.

La lourde porte enfin démantibulée, les sauveteurs s'appliquèrent à redresser le tableau de bord et le volant, qu'ils soulevèrent à l'aide d'une poulie munie d'un croc géant. Entre-temps, les infirmiers avaient glissé une planche sous Allison.

A présent, en dehors du socle, il ne restait plus grand-chose de la voiture. Le pare-brise avait été retiré, les portes démolies. Le toit béait sur le ciel criblé d'étoiles. Les sauveteurs pouvaient maintenant déplacer Allison. En se penchant sur elle, chacun put se rendre compte de la gravité de ses blessures. Elle était d'une blancheur cadavérique. Une plaie zébrait son front, sa boîte crânienne semblait enfoncée sur le côté. Comme si, lors de l'accident, sa tête avait rebondi dans tous les sens.

L'opération avait atteint son étape la plus délicate. Il fallait faire preuve d'une prudence extrême pour l'extraire de son siège et l'allonger sur la civière sans aggraver son état. Le temps pressait, mais la moindre précipitation pouvait se révéler désastreuse. Un geste brusque aurait tranché à jamais le fil ténu qui l'attachait encore à la vie.

— On y va ! intima le chef de l'équipe.

Les sauveteurs, chargés de leur fardeau, se dirigèrent vers l'ambulance, où reposait déjà le corps de phillip, d'un pas rapide, en faisant attention à ne provoquer aucun choc. Deux autres ambulances apparurent dont les infirmiers se précipitèrent aider Chloé et Jamie.

Il était minuit, quand la première ambulance mit le cap sur l'hôpital général de Marin. Le jeune médecin avait pris place au chevet d'Allison. Il avait confié sa propre voiture à un policier, résolu à accompagner la jeune blessée jusqu'au bout. Ni lui ni les infirmiers n'avaient le pouvoir de l'aider, mais il tenait à être présent, de crainte qu'elle ne rende son dernier soupir durant le trajet. Elle avait besoin d'un neurochirurgien de toute urgence...

D'autres véhicules de police étaient arrivés sur les lieux de la tragédie. Une quatrième ambulance surgit, flanquée de deux voitures de pompiers. Le pont du Golden Gate demeurant fermé à la circulation côté San Francisco, l'interminable chenille d'automobiles rampait, pare-chocs contre pare-chocs le long d'une seule voie, en direction de Marin County.

— Comment va-t-elle ? s'enquit un pompier en parlant de Chloé, alors que les infirmiers attendaient les secours.

Elle se vidait toujours de son sang. On lui avait posé une perfusion et elle s'était évanouie quand ils avaient tenté de la soulever.

— Elle a perdu conscience deux ou trois fois mais elle est revenue à elle, répondit l'ambulancier. Il faut la sortir de là au plus vite.

Ils durent mettre le siège en pièces pour la dégager. De nouveau, la clameur assourdissante des appareils de sauvetage brisa le silence de la nuit. Dix minutes plus tard, à travers les lambeaux de cuir lacéré, les jambes de Chloé apparurent : cassées à plusieurs endroits, comme broyées, des bouts d'os saillant entre les chairs déchiquetées. Lorsqu'ils l'allongèrent sur le brancard, elle crut sombrer dans un puits noir sans fond.

La seconde ambulance démarra en trombe, gyrophare allumé, sirène rugissante. Les pompiers aidèrent Jamie à mettre pied à terre. Il était enfin libre ! Tandis qu'ils le tiraient hors de la voiture, il s'était agrippé à ses sauveteurs, secoué de sanglots silencieux, comme un enfant perdu.

— Ça va aller, petit. C'est fini.

Il fit un oui confus de la tête, incapable de se rappeler ce qui s'était passé. Ils l'installèrent avec douceur dans la dernière ambulance, qui prit le chemin de l'hôpital. Des camionnettes de dépannage, retardées par les embouteillages qu'avait provoqués la fermeture du pont, remontaient vers le théâtre de l'accident.

— Nom d'une pipe, je hais les samedis soir ! souffla l'un des pompiers. Ça vous donne envie d'enfermer vos gosses à la maison à double tour.

Son collègue opina. Les dépanneuses luttaient pour séparer les deux masses sombres, inextricablement mêlées, afin de dégager la chaussée. Une équipe de télévision, dépêchée sur place, filmait la scène du désastre. Chacun s'étonnait que la Mercedes fût complètement détruite. Les experts n'avaient pas encore rendu leur verdict, mais elle avait dû heurter la Lincoln selon un angle bizarre qui l'avait presque désintégrée. Dans une voiture moins solide, les passagers seraient probablement tous morts.

Vêtue d'une robe noire sous un élégant manteau d'été couleur ivoire, la propriétaire de la Lincoln attendait sur la route. Si l'on exceptait son expression hallucinée et ses cheveux défaits, elle ne semblait aucunement avoir souffert de l'accident. Elle n'avait pas la moindre écorchure. Il n'y avait pas trace de sang sur ses habits, ce qui, comparé à l'état des jeunes gens de la Mercedes, paraissait incongru, presque inconcevable.

— On l'emmène aux urgences, elle aussi ? demanda un pompier à l'un des officiers de police.

— Elle refuse d'y aller. Apparemment, elle se porte bien. Naturellement, elle a reçu un choc émotionnel terrible et se rend responsable de la mort du garçon. Nous la reconduirons chez elle dans une minute.

Tous deux la regardèrent. La quarantaine, plutôt belle, des vêtements coûteux, une classe folle. Deux autres femmes l'entouraient ; quelqu'un lui avait tendu une bouteille d'eau minérale. Elle pleurait discrètement dans un mouchoir garni de dentelle en secouant la tête, comme submergée par une sensation d'irréalité.

— Comment ça s'est passé exactement ? interrogea un reporter, un micro à bout de bras.

Le pompier haussa les épaules. Il se méfiait de l'engouement morbide des médias pour les malheurs d'autrui. Il n'avait nulle envie de leur donner la moindre information en pâture... Une vie perdue... Deux peut-être, si la petite blonde coincée sur le siège avant rendait l'âme sur le chemin de l'hôpital. Savoir pourquoi et comment le drame s'était déroulé ne changeait rien à l'affaire. Les résultats étaient là, inéluctables et funestes.

— Je n'y étais pas, répliqua-t-il d'un ton évasif. On n'en sait rien encore.

Plus tard, il fit remarquer à un de ses collègues :

— D'après les traces des pneus on dirait que chaque voiture s'est reportée vers le centre en même temps.

— Bah, fit l'officier de police qui avait entendu ses propos, il suffit de regarder ailleurs une fraction de seconde et patatras ! Madame prétend qu'elle n'a pas dépassé la ligne de démarcation et il n'y a aucune raison de mettre en doute son témoignage... C'est Laura Hutchinson, ajouta-t-il à mi-voix.

Le second pompier leva un sourcil, impressionné.

— La femme du sénateur ?

— Exact.

— Oh, merde, elle l'a échappé belle ! Croyez-vous que les gosses étaient ivres ? ou drogués ?

— Possible... Ils le sauront à l'hôpital. D'après la position des deux voitures, il est impossible de savoir lequel des deux conducteurs était fautif.

Les dépanneuses avaient commencé à remorquer les débris de la Mercedes et la carcasse cabossée de la Lincoln. Le pont resterait fermé au trafic jusqu'au lendemain matin, le temps que les experts aient examiné chaque bout de ferraille. Les cameramen pliaient bagage. Il n'y avait plus rien à filmer. Protégée par un cordon de policiers, l'épouse du sénateur s'était refusée à tout commentaire.

Il était minuit et demi quand deux officiers l'escortèrent chez elle, à Clay Street. Son mari sillonnait l'Etat de Washington pour une campagne électorale et elle revenait d'une réception à Belvedere. Ses enfants dormaient. La gouvernante, qui vint ouvrir la porte de l'imposante demeure, fondit en larmes à la vue de sa maîtresse bouleversée, encadrée par les deux agents.

Laura Hutchinson les remercia avec chaleur. Non, elle ne souhaitait pas se rendre à l'hôpital. Elle préférait consulter son médecin de famille le lendemain.

— Je vous en prie, tenez-moi au courant.

Elle savait que le conducteur de la Mercedes était mort, mais elle ignorait qu'Allison avait peu de chances de survivre. Elle avait éclaté en sanglots, lorsqu'elle avait aperçu le corps sur la civière, recouvert du drap blanc. L'ayant suivie dans le vestibule, l'un des policiers lui suggéra de prendre un calmant ou, à défaut, une boisson alcoolisée.

— J'ai siroté du jus d'orange toute la soirée, dit-elle nerveusement. Je ne bois jamais quand je sors sans mon mari.

— Un tranquillisant vous aiderait à dormir. Désirez-vous que je vous en apporte un, madame Hutchinson ?

Après une légère hésitation, elle se dirigea vers le bar où elle se servit une rasade de cognac, dont elle avala une gorgée en grimaçant.

— Je vous remercie, monsieur l'agent, fit-elle, avec un vague sourire. Mon mari appréciera votre gentillesse, j'en suis persuadée. Merci encore.

— De rien, madame Hutchinson.

Il retrouva son coéquipier dans le jardin. Celui-ci se demandait s'ils n'auraient pas dû conduire la propriétaire de la Lincoln à l'hôpital pour lui faire subir un alcootest.

— Pour l'amour du ciel, Tom ! Elle est femme de sénateur et elle vient de déclarer qu'elle n'avait pas avalé une goutte d'alcool de la nuit. Sa parole me suffit.

L'autre policier haussa les épaules. Son collègue avait probablement raison. Il était absurde d'imaginer un chauffard sous les traits d'une épouse de sénateur.

— Du reste, sur mon conseil, elle est en train de soigner sa crise de nerfs au cognac, ce qui rend ton fameux test nul et non avenu. La pauvre femme avait besoin d'un remontant.

— Moi aussi, ricana l'autre. Tu aurais pu m'apporter un petit verre.

— Très drôle ! Tout comme ton idée d'obliger Mme Hutchinson à souffler dans un ballon. Et pourquoi ne pas relever ses empreintes digitales, pendant qu'on y est ?

— Voilà qui nous aurait valu les félicitations du sénateur.

Ils s'esclaffèrent, tandis que leur véhicule redescendait Clay Street. Peu après, ils roulaient dans les larges avenues de San Francisco. La nuit avait été longue, harassante. Et il n'était qu'une heure et demie du matin.

4

Les images désuètes d'un vieux film en noir et blanc défilaient sur l'écran de la télévision, et, sur la table de nuit, les aiguilles phosphorescentes de la pendulette indiquaient minuit moins dix... Page s'assit sur son séant. Allison avait vingt minutes de retard, calcula-t-elle, agacée.

A minuit, son agacement confinait à l'indignation.

Elle balaya la pièce du regard : à son côté, Andy dormait paisiblement Lizzie était assoupie au pied du lit. Un calme absolu régnait dans la demeure, un silence irritant qui la rendait nerveuse. Voyons... Allison avait promis de rentrer à vingt-trois heures trente précises, ce qui constituait déjà une entorse à leurs conventions. Ce retard supplémentaire était tout simplement inadmissible.

Elle se redressa, prête à appeler chez les Thorensen, puis elle se ravisa. S'ils étaient encore au cinéma, ils ne répondraient pas... A moins qu'ils soient tranquillement attablés à une terrasse de café, en train de déguster une pêche Melba... Elle pinça les lèvres en une moue de dépit. Visiblement, Allison avait omis de signaler au père de Chloé à quelle heure elle s'était engagée à revenir à la maison. Oh, mais elle ne perdait rien pour attendre !

Minuit et demi et toujours rien. Page était maintenant en proie à une colère froide... Vers une heure du matin, sa rage céda le pas à une sombre appréhension. Passant outre ses réticences, elle s'apprêtait à saisir le téléphone quand celui-ci se mit à sonner ; il était une heure cinq. Allison, sans aucun doute ! Elle imaginait parfaitement sa fille à l'autre bout de la ligne, se préparant à lui extorquer la permission de passer la nuit chez Chloé. Page décrocha d'un geste énergique.

— Tu peux toujours insister ! jeta-t-elle sèchement. C'est *non* !

— Allô ?

Une voix étrangère. Lointaine. Un inconnu... Qui pouvait essayer de la joindre à une heure aussi tardive ? Un mauvais plaisant peut-être. Ou un faux numéro.

— Je suis bien chez les Clarke ?

— Oui... Qui est à l'appareil ?

Soudain, la peur lui souffla son haleine glacée le long de la colonne vertébrale.

— Police routière, madame... Vous êtes bien madame Clarke ?

— Oui, fit-elle, la gorge serrée, de plus en plus inquiète.

— Désolé, madame Clarke. Votre fille a eu un accident de voiture.

— Oh, mon Dieu ! (Elle sentit ses muscles se contracter, alors qu'un effroi sans nom la submergeait.) Est-elle...

— Une ambulance l'a transportée à l'hôpital de Marin. Elle est grièvement blessée, madame Clarke.

Que voulait dire « grièvement blessée », au juste ? Les mots se bousculèrent dans sa tête, incompréhensibles et terrifiants : *grièvement blessée*... Etait-ce grave ? Et à quel point ? Comment se sentait-elle ? Avait-elle mal ? Allait-elle survivre ?

— Que s'est-il passé ?

La question avait fusé, accompagnée d'un cri rauque et pathétique.

— Une collision sur le Golden Gate. Ils ont été heurtés de plein fouet par un véhicule venant en sens inverse, alors qu'ils se dirigeaient vers Marin County.

— Vers Marin... Mais d'où ? C'est impossible.

Il devait s'agir d'une erreur, continua-t-elle. Elle n'y comprenait rien. Cela n'avait pas pu se passer. Allison ne pouvait pas être dans une voiture qui remontait le pont du Golden Gate. Allison n'était pas allée à San Francisco.

— Elle y était, pourtant, madame Clarke. Veuillez vous rendre le plus vite possible à l'hôpital.

— L'hôpital... Oui... Merci...

Elle raccrocha et composa frénétiquement le numéro des renseignements. Ayant obtenu le numéro de l'hôpital, elle demanda les urgences. Oui, Allison Clarke se trouvait en réanimation... Vivante mais inconsciente... Non, on n'en savait pas plus. Les médecins s'occupaient d'elle actuellement et... Non, aucun d'eux n'avait le temps de venir au téléphone... Allison Clarke était dans un état critique.

Grièvement blessée... Etat critique...

Un irrépressible flot de larmes lui brouilla la vue, tandis que d'une main tremblante elle composait le numéro de sa voisine. Il fallait laisser quelqu'un auprès d'Andy... s'habiller... prendre la voiture... aller là-bas... Elle compta machinalement quatre sonneries, suffoquée par des sanglots secs et muets, en priant pour qu'Allison soit encore en vie lorsqu'elle se rendrait à son chevet.

— Oui ? fit une voix ensommeillée dans l'écouteur.

— Jane ? Tu peux venir ?

Elle avait réussi à articuler ces quelques mots avec énormément de difficulté, comme si ses poumons s'étaient vidés d'un seul coup de leur air. « Pourvu que je ne m'évanouisse pas... Pourvu qu'Allison ne meure pas... oh, mon Dieu, mon Dieu, mon Dieu ! »

— Page, qu'y a-t-il ? s'alarma Jane Gilson. (La note de panique qu'elle avait décelée dans la voix de son amie ne ressemblait guère à Page.) Tu es malade ? Quelqu'un s'est introduit chez toi ? Un cambrioleur ?

— Non, Jane, c'est Allie... Un accident... une collision de face... elle a été transportée à l'hôpital... dans un état... (que lui avait-on dit déjà ?)... un état critique. Brad est absent. Je ne peux pas laisser Andy seul.

— Oh, Seigneur ! Je serai là dans une minute.

Ayant raccroché avec brutalité, Page se rua vers la penderie d'où elle tira les premiers vêtements qui lui tombèrent sous la main. Un jean ; un vieux sweater de jardinage délavé, plein de trous et de taches ; une paire de mocassins. L'idée de passer un peigne dans ses cheveux emmêlés ne lui traversa évidemment pas l'esprit. Elle courut dans le bureau où Brad laissait toujours en évidence sur un bloc-notes le nom et le numéro de son hôtel lorsqu'il partait en voyage. Elle l'appellerait de l'hôpital, après avoir vu Allison, au cas où son état se serait amélioré. Le bloc était à sa place habituelle... Sans un mot dessus. La lumière de la lampe éclairait une page d'un blanc immaculé. Pour la première fois depuis seize ans, il avait oublié d'y inscrire son adresse... Comme si la fatalité s'était amusée à leur jouer un mauvais tour. Page ne s'accorda pas le luxe de s'en offusquer. Elle verrait plus tard... Plus tard, elle trouverait une solution... N'importe lequel des collègues de bureau de Brad saurait lui fournir le renseignement qu'elle cherchait. Pour le moment une seule chose comptait : courir à l'hôpital, auprès de sa fille chérie.

La sonnette de l'entrée carillonna au moment où elle attrapait son sac. Elle se précipita pour ouvrir et le battant laissa apparaître une Jane Gilson bouleversée, dont les bras se refermèrent autour de son amie avec affection. Elle avait connu les Clarke au lendemain de leur emménagement à Ross : à l'époque, Allison avait sept ans, et elle avait vu naître Andy.

— Ma chérie, calme-toi. Ne perds pas espoir. De loin, les choses semblent toujours pires. Ne cède pas à l'affolement, Page. Allie s'en sortira, j'en suis sûre.

Elle l'aurait conduite elle-même à l'hôpital, si son mari n'avait pas emmené leurs enfants en camping pour les vacances de printemps : il aurait pu, alors, garder Andy. Ce dernier dormait toujours à poings fermés dans le lit de sa mère, ignorant le drame qui se déroulait.

— Qu'est-ce que je lui dis s'il se réveille avant ton retour ?

— Dis-lui qu'Allison est tombée malade, et que j'ai dû aller lui rendre visite à l'hôpital. Je te tiendrai au courant, dès que j'en saurai plus... Et, Jane, si Brad se manifeste, pour l'amour du ciel, demande-lui son numéro.

— Je n'y manquerai pas. Vas-y, maintenant. Sois prudente sur la route.

Page sortit dans l'air moite de la nuit, les cheveux en bataille, son sac sous le bras et s'engouffra dans sa voiture qu'elle lança sur la route à vive allure. Huit kilomètres la séparaient de l'hôpital. Durant le trajet, elle s'efforça de recouvrer son calme, de se rassurer. Elle s'obligea à respirer lentement. « Mon Dieu, veillez sur Allison. » Elle avait encore du mal à réaliser ce qui était arrivé.

Elle se gara n'importe comment et s'élança en courant vers le bâtiment, oubliant ses clés sur le contact. Brillamment éclairé par des tubes de néon, le service des urgences grouillait de monde : aides-soignants courant dans tous les sens, chariots parqués dans un couloir, patients attendant des soins, une femme sur le point d'accoucher, pesamment appuyée contre son mari. Mais Page ne voyait rien, n'entendait rien. Elle s'approcha d'un pas pressé du standard et se présenta à la réceptionniste.

— Je voudrais voir Mlle Clarke, s'il vous plaît.

A l'annonce de son nom, une ombre était passée sur les traits de la femme, qui leva sur l'arrivante un regard doux, empreint de compassion.

— Vous êtes sa mère ?

Tremblante comme une feuille, Page acquiesça, le visage mortellement pâle.

— Est-elle... est-elle...

— Elle est vivante, rassurez-vous, déclara la réceptionniste en contournant son bureau pour passer un bras solide autour des épaules de Page. Malheureusement, elle est très mal en point, madame Clarke... Un sévère traumatisme crânien, je crois. L'équipe de neurochirurgie est en train de délibérer sur son cas et nous attendons le patron d'un instant à l'autre.

Page s'était effondrée sur un siège. En un instant, son existence avait basculé dans un terrible cauchemar.

— Voulez-vous un peu de café ?

Page secoua la tête en tentant de conserver sa dignité, mais c'était au-dessus de ses forces : un torrent de larmes lui brûla les joues, alors qu'elle s'efforçait de donner un sens aux paroles de son interlocutrice. La ronde infernale des mots inconnus, effroyables, recommença.

Neurochirurgiens... patron... très mal en point... traumatisme crânien...

Mais pourquoi ? Comment ? Comment était-ce arrivé ?

— Ça va, madame Clarke ?

Non, bien sûr, ça n'allait pas. Page se moucha. Elle aurait voulu remonter le temps. Et dire que le retard d'Allison l'avait mise dans tous ses états ! Dire qu'elle fulminait pendant que sa petite fille gisait, inconsciente, dans une voiture accidentée... *heurtée de plein fouet... une collision de face*, avait dit la voix au téléphone.

— Y a-t-il eu d'autres blessés ? parvint-elle à articuler d'une voix faible.

— Le conducteur a été tué. Une autre jeune fille a été également grièvement blessée.

— Mon Dieu !

Tué ? Trygve Thorensen avait été tué ? Au nom du ciel comment cette horreur avait-elle pu se produire ?

Un homme émergea d'une des nombreuses salles d'attente. Une figure familière. Son étrange ressemblance avec Trygve Thorensen plongea Page dans un abîme de perplexité. Il la regardait sans vraiment la voir et c'est elle qui réalisa subitement que c'était bien lui. Trygve, dont on venait de lui annoncer la mort ! A quoi tout cela rimait-il ? Était-ce un mirage créé par son esprit perturbé ? une hallucination ? Etait-elle en train de rêver ? Hélas, le cauchemar revêtait tous les aspects de la réalité. La standardiste s'était éloignée discrètement. Planté devant Page, Trygve la considérait tristement, le front barré de rides profondes, les yeux brillants de larmes.

— Page, je suis désolé. J'aurais dû m'en douter. Voir venir le désastre. Je n'ai pas fait attention. Ce que j'ai pu être stupide !

Il avait avancé la main pour étreindre celle de la jeune femme, qui lui lança un regard scandalisé. Il n'avait pas fait attention et maintenant leurs enfants luttaient contre la mort. Comment osait-il débiter une ânerie pareille ?

— Je ne comprends pas, chuchota-t-elle.

Il s'était laissé tomber lourdement sur le fauteuil voisin.

— Moi, je commence à comprendre. Quand je l'ai vue sortir affublée comme une pin-up, j'aurais dû avoir la puce à l'oreille... Quel crétin ! J'étais en train d'aider Bjorn à répéter ses leçons et je l'ai laissée filer. Elle m'avait dit qu'elle sortait avec vous et je l'ai crue. Bon sang, je l'ai crue !

— Avec *moi* ? Vous voulez dire que vous n'étiez pas au volant de cette voiture ?

Soudain, elle se rendit à l'évidence. Trygve n'avait jamais invité les deux jeunes filles. Mais alors avec qui avaient-elles passé la soirée ? Qui était le conducteur ?

— Dans la version d'Allison, elles devaient sortir avec vous. Je n'ai pas conçu le moindre soupçon.

Les pièces du puzzle s'emboîtèrent brusquement les unes dans les autres : le sweater de cachemire rose, la jupette blanche, le fait qu'Allison était partie à pied chez Chloé.

— Quelle idiote je fais !

— Je suppose que nous avons péché par excès de crédulité. (Il la regarda à travers ses larmes et elle se remit à pleurer.) Chloé a des fractures multiples aux jambes, une hanche broyée, le bassin brisé, une hémorragie interne. Ils sont en train de l'opérer de la rate. Le foie a peut-être été touché... Ils lui poseront une prothèse à la hanche. Il est probable qu'elle ne marchera plus jamais. Elle qui rêvait tant de cette fichue école de ballet. Nom d'un chien, comment est-ce arrivé ?

Page le regardait, interloquée. Son esprit se refusait à enregistrer ce qu'elle venait d'entendre : Chloé qui ne remarcherait plus, et Allison qui luttait contre la mort.

— Avez-vous vu Allison ?

Elle désirait désespérément voir sa fille, mais selon la réceptionniste, il fallait patienter. Attendre que les neurochirurgiens aient donné leur diagnostic. « Mon Dieu, faites qu'elle ne meure pas. Faites que je sois près d'elle si jamais... si jamais... »

— Ils ne m'ont pas laissé la voir, répondit Trygve sobrement. Chloé est maintenant en salle de chirurgie. Ils pensent que l'opération durera entre six et huit heures, peut-être davantage. La nuit sera longue.

Cela dépendait pour qui. Peut-être pas pour Allison.

— J'ai su que votre fille avait un traumatisme crânien, reprit-il doucement.

— On m'a dit la même chose. Qu'est-ce que ça veut dire, exactement ? Que le cerveau a été touché ? Qu'elle va mourir ? Est-ce qu'elle va se remettre ? Elle est entre les mains des neurochirurgiens, ajouta-t-elle sans pouvoir cesser de sangloter.

— Dites-vous qu'elle s'en sortira. Nous n'avons pas d'autre choix pour le moment.

— Et si elle ne s'en sort pas ?

Dans son malheur, la providence avait permis qu'elle puisse parler à quelqu'un. Quelqu'un qui se débattait comme elle dans les affres de l'incertitude, à ceci près que Chloé ne semblait pas en danger de mort.

— Tâchez de ne pas vous poser trop de questions, dit-il. Remarquez, je suis le premier à ne pas suivre ce conseil. Je n'arrête pas de me demander quel sera l'avenir de Chloé. Restera-t-elle paralysée ? Pourra-t-elle remarcher, danser, courir ? Avoir des enfants ? Il y a encore quelques minutes, je me suis surpris à imaginer l'installation de rampes d'accès pour son fauteuil roulant... Mon Dieu, Page, forcez-vous à la patience. Nous ne savons encore rien. Tout va se jouer dans les prochaines heures.

Elle se tamponna les yeux avec un mouchoir en papier. Tout à l'heure, elle avait vainement essayé de trouver les mots avec lesquels elle annoncerait à Brad le décès d'Allison. Elle s'était reprise ensuite, chassant ces idées morbides. Une telle mort serait injuste.

— Savez-vous qui conduisait ? demanda-t-elle.

La standardiste avait dit qu'il était mort.

— Un certain Phillip Chapman. Dix-sept ans. Je n'en sais pas plus. Chloé était trop affaiblie pour répondre à mes questions.

— Le nom me dit quelque chose. J'ai dû rencontrer les parents quelque part. A votre avis, comment l'ont-elles connu ?

— A l'école, au sein d'une de leurs équipes sportives ou au club de tennis, qui sait ? Elles grandissent, vous savez. Je n'ai jamais eu à affronter de tels problèmes avec mes garçons. Pas avec Nick, en tout cas. Les flirts n'entrent guère dans les préoccupations du pauvre Bjorn... Les filles sont plus secrètes. Plus audacieuses aussi. Et plus entreprenantes. Du moins, les nôtres.

Il avait esquissé un sourire désabusé que Page, perdue dans ses pensées, ne vit pas. Et si Allison ne grandissait pas ? N'avait plus jamais de rendez-vous ? Ni petit ami, ni mari, ni bébé ? Quinze brèves années d'existence, puis plus rien ! De nouvelles larmes inondèrent ses joues.

Trygve lui prit la main.

— Je vous en prie, Page, ne pleurez pas. Ne cédez pas à la panique.

— Comment voulez-vous que je reste calme ? murmura-t-elle en retirant sa main, tandis que ses larmes se muaient en sanglots. Je ne sais même pas si elle vivra... si elle ne finira pas comme ce malheureux garçon qui conduisait. (Elle tourna son regard noyé de larmes vers son voisin. Une pensée soudaine lui effleura l'esprit :) Avaient-ils bu ?

— Je n'en sais rien, répliqua-t-il avec franchise. Je suppose qu'ils ont pris un verre ou deux. Les analyses de sang le diront.

Un homme s'approcha. Il les avait longuement observés et un peu plus tôt, Trygve l'avait vu discuter avec un agent de police et une infirmière. Un reporter de la télévision, si l'on se fiait au badge épinglé à sa chemise.

— Madame Clarke ? attaqua-t-il sans préambule, à l'affût de ses réactions, en brandissant un petit magnétophone.

— Oui... monsieur ?

Qui était-ce ? Un médecin ? Elle le dévisagea d'un air apeuré tandis que Trygve affichait un air suspicieux.

— Comment va Allison ? poursuivit l'arrivant, comme s'il connaissait personnellement la jeune fille, dont il tenait en fait le nom de la réceptionniste.

— Je... ne sais pas... Je croyais que vous saviez

mieux que moi, bredouilla Page (puis, ayant remarqué le badge où figuraient son nom, sa photo, le sigle de la chaîne qui l'employait :) que me voulez-vous ?

— Comment vous sentez-vous ? Comment va Allie ? Est-ce qu'elle fréquentait depuis longtemps Phillip Chapman ? Je veux dire était-elle sa petite amie attitrée ? Quelle sorte de type était-il ? Genre futur lauréat ou petit voyou ?

— Ecoutez, monsieur, ce n'est guère le moment d'importuner Mme Clarke, l'interrompit brutalement Trygve.

Il s'était levé brutalement, une expression hostile sur le visage, qui ne sembla guère impressionner le jeune reporter.

— Saviez-vous que la femme du sénateur Hutchinson conduisait l'autre voiture ? Elle s'en est tirée sans une égratignure, ajouta-t-il d'un ton provocant. Quel est votre sentiment, madame Clarke ? Etes-vous révoltée ? Furieuse ?

Page s'était redressée, les yeux écarquillés. Le but poursuivi par cet arrogant individu lui échappait. A quoi lui servirait de connaître le nom de l'autre personne impliquée dans l'accident ? Son regard, suppliant, dériva vers Trygve et elle le vit serrer les poings.

— A votre avis, madame Clarke, les jeunes gens étaient-ils éméchés ? Phillip Chapman sortait régulièrement avec votre fille ?

Elle le foudroya d'un regard noir.

— Monsieur, je n'ai rien à vous dire. Ma fille est peut-être mourante. Le reste ne vous regarde pas. Je vous prie de me laisser tranquille.

De longs sanglots la secouèrent et elle se rassit en enfouissant son visage entre ses mains. Trygve s'interposa entre l'intrus et la jeune femme.

— Vous êtes sourd ? Fichez-lui la paix. Vous n'avez pas le droit d'importuner les gens.

— J'ai tous les droits ! Comme le public a le droit de

connaître la vérité. Si les gosses étaient ronds comme des billes, par exemple. Idem pour la dame du sénateur.

— Qu'est-ce que ça change ? s'emporta Trygve.

La prétendue liberté de la presse n'avait aucun rapport avec ces ragots destinés à alimenter la curiosité malsaine de certains téléspectateurs.

— Avez-vous demandé que Mme Hutchinson subisse un alcootest, madame Clarke ?

Il était revenu à la charge. Page le regarda d'un air absent. Pourquoi venait-on la tourmenter ? Seule Allie occupait ses pensées.

— Je suis sûre que la police a fait le nécessaire. Partez maintenant, je vous en supplie. (Et comme il ne bougeait pas :) Que cherchez-vous exactement ?

— La vérité, madame. Rien que la vérité. J'espère que votre fille s'en sortira, conclut-il sans une ombre d'émotion.

Enfin, il s'éloigna, suivi de son cameraman. Les deux hommes traînèrent pourtant encore une heure dans la salle d'attente, sans toutefois oser importuner Page.

Un garçon aux cheveux poil-de-carotte s'avança vers le couple. Celui-ci, encore sous le choc des insinuations du journaliste, ne l'avait pas remarqué. Page ne l'avait jamais vu. Il sembla vaguement familier à Trygve.

— Monsieur Thorensen ?

Sa figure était d'une pâleur de cire.

— Oui ? Qu'y a-t-il encore ?

Trygve l'avait dévisagé sans chaleur aucune, hanté par la vision de Chloé sur le billard.

— Je suis Jamie Applegate, monsieur. J'étais avec Chloé au moment de... de l'accident.

Sa lèvre inférieure tremblotait. Il avait eu toutes les peines du monde à terminer sa phrase. Trygve se releva, l'œil farouche et, machinalement, le garçon se recula. Il avait eu une légère commotion cérébrale, une série de points de suture ornait son arcade sourcilière, mais l'horreur qui s'était abattue sur ses amis l'avait épargné.

— Qui es-tu ? demanda Trygve d'une voix glaciale.

— Un ami de Chloé, monsieur. Je... nous avions tous dîné ensemble et...

— Etiez-vous ivres ?

Jamie secoua vigoureusement la tête. Il avait passé très honorablement l'alcootest.

— Oh, non monsieur. Nous avons dîné au Luigi's. J'ai bu un verre de vin mais je ne conduisais pas. Phillip n'a pas fini le sien. Ensuite, nous sommes partis déguster un capuccino à Union Street.

— La loi de ce pays interdit aux mineurs la moindre boisson alcoolisée. Un demi-verre de vin constitue déjà un délit.

— Oui, monsieur. Vous avez raison, monsieur. Seulement aucun de nous n'était saoul. J'ignore ce qui s'est passé. Je n'ai même pas eu le temps de voir arriver l'autre voiture. Chloé et moi nous étions à l'arrière, sur le chemin du retour. Je ne me souviens plus du reste. Je me suis retrouvé ici sans savoir pourquoi. Un agent de police m'a tout raconté... Phillip était un excellent conducteur, monsieur. Il nous a ordonné de boucler nos ceintures de sécurité. Et il était parfaitement sobre.

Ses nerfs lâchèrent et il se mit à pleurer. Son meilleur ami était mort, alors que lui avait survécu.

— L'accident serait donc de la faute de l'autre conducteur ? demanda Trygve, radouci par le chagrin de Jamie.

— Je ne sais pas, monsieur. Je ne sais rien, à part que Chloé et Allison et Phillip... Je suis désolé... désolé...

Trygve lui passa un bras autour de ses épaules minces.

— Allons, mon garçon, calme-toi. Tu as eu de la chance, ce soir. C'est la vie. A chacun son destin.

Qui pouvait comprendre la fatalité ? Elle vous tombait dessus, fauchant une vie au passage, avant de se fondre dans les ténèbres. Elle frappait à la vitesse de l'éclair.

— Mais ce n'est pas juste. Pourquoi suis-je passé au travers alors qu'eux... eux...

— On n'en sait rien, mon petit. On ne le saura jamais.

Jamie Applegate secoua misérablement la tête, écrasé par un énorme sentiment de culpabilité. Phillip avait été tué. Chloé et Allison grièvement blessées. Pourquoi n'avait-il eu que cette bosse ridicule sur la tête ? Pourquoi n'avait-il pas pris la place de Phillip ?

— Quelqu'un te ramènera chez toi ? s'enquit Trygve, touché par le désespoir du garçon.

— Mon père sera là d'une minute à l'autre. Je vous ai vu assis là et j'ai voulu vous dire combien... combien...

Les yeux pleins de larmes, il implorait Page du regard ; de nouveaux sanglots le secouèrent.

— Allons... allons... murmura-t-elle en lui pressant la main entre les siennes.

Il se pencha pour l'entourer de ses bras et leurs larmes se mêlèrent lorsqu'elle l'embrassa. Le père de Jamie franchit le hall des urgences. Il accabla son fils de reproches tandis que ce dernier pleurait sans relâche. Bill Applegate semblait bouleversé mais à la colère se substitua rapidement le soulagement de revoir Jamie vivant. A son tour il fondit en larmes quand il apprit que Phillip Chapman avait trouvé la mort sur la route. Silencieusement, il remercia le Tout-Puissant de lui avoir rendu son enfant intact. Bill Applegate était un membre respecté de la petite communauté de Ross. Trygve l'avait souvent croisé lors de fêtes de l'école. Il discuta un moment avec Page et Trygve, s'excusa de la part de son fils du mensonge qui s'était achevé dans le drame. Hélas, rien ne pouvait consoler les parents des victimes. Bill Applegate les pria de le tenir au courant.

Avant de s'en aller, il demanda à son fils s'ils avaient bu. Une nouvelle fois, le garçon répondit par la négative. Pour une obscure raison, ils furent tous convaincus qu'il disait la vérité.

— Il m'a fait pitié, dit Trygve après le départ des Applegate. Il n'y a pas cinq minutes, j'en voulais à l'humanité entière.

Il était encore furieux contre Phillip, qui avait bêtement perdu la vie, contre Chloé qui lui avait menti et contre la conductrice de l'autre véhicule. Il semblait pratiquement impossible de déterminer laquelle des deux voitures avait provoqué la catastrophe. Aux dires des agents de la police routière, la collision avait été si violente que les experts auraient les plus grandes difficultés à décider, d'après l'examen minutieux des traces de pneus, qui avait franchi en premier la ligne de démarcation fatale. Le laboratoire qui avait analysé le sang de Phillip avait découvert une infime quantité d'alcool, nettement insuffisante en tout cas pour l'accuser d'ivresse au volant. Quant à l'épouse du sénateur, elle avait semblé si sobre aux yeux des témoins, que les officiers de police l'avaient dispensée de cette pénible formalité. Aussi les policiers en étaient-ils venus à la conclusion suivante : distrait par quelque chose, probablement par Allison, le jeune Chapman avait perdu pendant une fraction de seconde le contrôle de son véhicule. En ce cas, la responsabilité de l'accident lui revenait, bien que ce ne fût pas une certitude.

Silencieuse, immobile, Page songeait à Allison. Le désir de courir auprès d'elle la dévorait. Mais il lui fallut attendre une heure de plus, avant que la réceptionniste ne lui fasse signe de nouveau. L'équipe des neurochirurgiens l'attendait, déclara-t-elle.

— Puis-je voir ma fille ?

— Pas tout de suite, madame Clarke. Les médecins voudraient d'abord vous expliquer la situation.

Elle se leva comme une somnambule, sous le regard

inquiet de Trygve. Jusqu'alors, leurs relations s'étaient résumées en une série de rencontres fortuites au lycée, lors de manifestations et autres pique-niques auxquels leurs filles participaient. Pour Trygve, Page était « la maman d'Allison » et rien de plus, mais à travers les récits de Chloé, il avait conçu une immense estime à son égard. L'amitié de leurs enfants constituait l'unique lien entre eux.

— Voulez-vous que je vous accompagne ?

Elle accepta d'un signe de tête, après une brève hésitation, terrifiée à l'avance par le verdict des médecins. Une funeste appréhension tempérait son envie de voir sa fille.

— Cela ne vous dérange pas ?

— Bien sûr que non.

Ils s'étaient mis à courir, longeant le corridor au bout duquel se trouvait la salle de réunion des chirurgiens. Leur chevelure blonde leur donnait un air de famille. Page se hâtait, le cœur serré, débordante de gratitude envers l'homme à son côté. Plus que jamais, elle appréciait sa gentillesse et ses bonnes manières. De sa vie elle ne s'était sentie aussi à l'aise avec quelqu'un. Mais ils vivaient la même chose, songea-t-elle tout en forçant l'allure... Compagnons de misère !

La porte close de la salle de conférence dégageait quelque chose de menaçant. La porte s'ouvrit sur trois hommes en blouse et coiffe de chirurgie en tissu vert, assis autour d'une table ovale, leur masque stérile pendant sur leur poitrine. Avec un frisson, Page remarqua des taches de sang sur l'une des blouses.

— Comment va-t-elle ? interrogea-t-elle dès qu'elle pénétra dans la pièce.

— Elle est vivante, madame Clarke, grâce à sa constitution robuste. Le choc qu'elle a subi aurait sûrement porté un coup fatal à une personne moins jeune et moins vigoureuse. Voilà qui est bon signe, du moins nous l'espérons. Nous avons constaté deux gros problèmes. Le premier est vraisemblablement dû à l'impact. Son cerveau a été comprimé contre sa boîte crânienne ou, plus simplement, salement secoué... Il s'agit d'une sorte de rotation qui a occasionné la rupture de fibres nerveuses, d'artères et de vaisseaux sanguins, entraînant de nombreuses lésions dont il est difficile de mesurer l'ampleur... Le second concerne une plaie ouverte due à une fracture du crâne provoquée sans doute par un objet tranchant qui a transpercé l'os juste après l'impact. Le cerveau est exposé à cet endroit.

Page avala sa salive. Un petit gémissement d'épouvante lui avait échappé. Sans qu'elle s'en rendît compte, sa main avait étreint celle de Trygve. « Ne pas s'évanouir... ne pas vomir... se concentrer sur le discours du chirurgien en chef. »

— Examinons maintenant nos possibilités, reprit ce dernier. (Il détestait les commentaires qu'il était forcé de fournir aux parents affolés, mais ces gens avaient le droit de savoir. Il avait présumé que Trygve était le père d'Allison.) Il y a une chance que les tissus du cerveau soient restés intacts ou alors ne soient que très légèrement touchés. C'est le premier traumatisme qui nous cause les plus vives inquiétudes, comme les complications susceptibles de se présenter par la suite. Une importante perte de sang a considérablement affaibli votre fille. Par ailleurs, le cerveau n'a pas été correctement oxygéné pendant un moment. On ignore exactement combien de temps cela a duré, mais cela pourrait s'avérer aussi bien catastrophique que d'une importance mineure. Nous en saurons plus quand nous aurons ouvert... Un travail de réparation des orbites est également nécessaire, car nous craignons de futurs troubles de la vision pouvant aller jusqu'à la cécité... Des problèmes secondaires ont aussi retenu notre attention ; le risque d'infection, bien sûr, assez fréquent dans ce genre d'accident. Elle souffre visiblement d'une insuffisance pulmonaire et afin de pallier cette difficulté, nous l'avons placée sous respirateur, dès son arrivée en salle de réanimation. Entre-temps, nous avons pratiqué une scanographie, grâce à laquelle nous sommes en possession d'informations de première importance.

Il s'interrompit pour examiner Page. La jeune femme, toute droite sur sa chaise, le regardait comme si ce qu'il venait de dire était du charabia. Elle avait l'air totalement absente, et quant au père de la patiente, il ne paraissait guère plus lucide. Le chirurgien se tourna vers lui.

— Avez-vous compris, monsieur Clarke ? s'enquit-il d'un ton calme.

— Je ne suis pas monsieur Clarke, parvint à articuler Trygve, bouleversé. Je suis un ami de la famille.

— Je vois.

La déception se peignit sur le visage du praticien qui, de nouveau, dut s'adresser à Page.

— Et vous, madame Clarke ?

Décélération, fracture du crâne, rupture de fibres nerveuses, plaie ouverte, cerveau exposé.

— Je n'en suis pas sûre. D'après vous, ma fille a subi deux traumatismes majeurs, une dé... célération du cerveau, plus une fracture du crâne. Ces blessures pourraient aussi bien entraîner sa mort, des lésions permanentes ou une cécité. Ai-je bien résumé la situation, docteur ?

— Plus ou moins. Je ne vous cacherai pas qu'après l'intervention chirurgicale, des complications sont à craindre telles que la formation d'un œdème cérébral, de caillots de sang, des hématomes divers. Ce genre de symptôme survient habituellement vingt-quatre heures après le choc opératoire, il serait donc malvenu de prédire quoi que ce soit pour l'instant.

Une fois de plus, Page vacilla sous le poids des mots terrifiants. *Œdème, caillots, hématomes.*

— Docteur, a-t-elle une chance de récupérer toutes

ses facultés après cela ? Sera-t-elle la même ? Je veux dire... normale ?

— Peut-être, compte tenu qu'il existe différents degrés de normalité. Elle risque des troubles moteurs, plus ou moins considérables, momentanés ou définitifs. Son processus intellectuel pourrait se trouver altéré, ainsi que sa personnalité. Mais avec beaucoup de chance, elle pourrait redevenir normale, oui, pourquoi pas ?

Il n'avait pas l'air de croire aux miracles.

— Pensez-vous qu'une guérison totale soit envisageable ?

— Franchement, non. Je n'ai pas l'impression qu'elle puisse échapper à des séquelles, mais j'ai bon espoir que celles-ci seront relativement mineures... Si la chance est de notre côté, répéta-t-il. Je n'ai pas l'intention de vous bercer d'illusions, madame Clarke. Vous m'avez posé une question, et je vous ai répondu que dans le meilleur des cas, oui, la guérison est possible. Cela ne signifie pas que nous aurons gain de cause.

— Et dans le pire des cas ?

— Elle ne survivra pas, ou alors restera sévèrement handicapée.

— Ce qui veut dire ?

— Coma permanent ou cerveau sérieusement endommagé si elle reprend conscience. En d'autres termes, elle sera condamnée à une existence végétative mais tout dépend de l'ampleur de l'œdème cérébral, s'il apparaît, et de notre capacité de le contrôler. Nous avons besoin de toutes nos compétences, madame Clarke, et votre fille aussi. Nous aimerions opérer immédiatement, si vous voulez bien signer les papiers.

— Je... euh... n'ai pas réussi à joindre son père, balbutia-t-elle en ravalant la grosse boule qui lui obstruait la gorge. J'essaierai de le contacter le plus vite possible.

Sa voix se fêla lamentablement, alors que Trygve, impuissant, l'enveloppait d'un regard compatissant.

— Allison ne peut pas attendre, madame Clarke. D'après les résultats du scanner, il n'y a pas une minute à perdre.

— Et si nous attendions encore un jour ?

Brad avait son mot à dire. C'était sa fille aussi, après tout. Prendre une telle décision sans le consulter la terrorisait.

Le chirurgien planta ses yeux dans ceux de Page.

— Je ne crois pas qu'elle vivrait plus de deux heures, madame Clarke. Et si elle parvenait à survivre, toutes ses fonctions vitales seraient irrémédiablement atteintes, sans oublier qu'elle perdrait probablement la vue.

Et s'il avait tort ? Page songea vaguement aux théories du fameux « deuxième avis médical ».

— Vous ne me laissez pas le choix, docteur, souffla-t-elle d'une voix malheureuse.

— Il n'y en a pas. Votre mari comprendra, j'en suis persuadé. Nous tenterons tout ce qui est en notre pouvoir pour la sauver, mais il faut agir vite.

Elle hocha la tête, rongée par une affreuse incertitude. La vie d'Allison dépendait du talent médical de ces inconnus. Devait-elle leur faire confiance ? Elle ferma les yeux : *plus que deux heures à vivre... coma prolongé...* Quelle sorte de victoire remporteraient-ils sur la mort ? La voix du praticien la ramena sur terre.

— Signerez-vous les formulaires de consentement maintenant ?

Elle ne put qu'acquiescer.

— Quand comptez-vous l'opérer ?

— Dans une demi-heure environ.

— Pourrais-je la voir avant ?

— Oui, bien sûr.

Elle se raidit, pétrifiée par l'angoisse. Et si c'était la dernière fois qu'elle voyait Allison vivante ? Oh, Seigneur, pourquoi ne l'avait-elle pas retenue à la maison hier soir ? Pourquoi ne lui avait-elle pas dit plus souvent combien elle l'aimait ? Sans s'en apercevoir, elle s'était remise à pleurer. Le médecin lui tapota paternellement l'épaule.

— Nous ferons de notre mieux, madame Clarke. Je vous en donne ma parole. (Il s'était retourné vers ses deux assistants qui n'avaient pas participé à la discussion.) Je vous présente l'une des équipes de neurochirurgie les plus compétentes du pays. Faites-nous confiance.

Elle inclina la tête, incapable de dire un mot, et il se proposa de la conduire vers sa fille.

— Elle est totalement inconsciente et porte des blessures superficielles sur le visage et le corps. Elles cicatriseront assez vite... Ce qui n'est pas le cas de la contusion cérébrale.

Malgré les explications du praticien, rien n'avait préparé Page à affronter le spectacle qui s'offrit à ses yeux quand elle pénétra dans la pièce. Surveillée par un interne et deux infirmières, une forme était allongée sur un lit, inanimée. Un tube sortait de la gorge, là où les médecins avaient pratiqué une trachéotomie. Elle avait un autre tube dans le nez, un tuyau de transfusion dans la saignée du bras, une perfusion sur la cuisse. Et partout, des machines, des écrans, des moniteurs. Au milieu de ce décor hallucinant qui évoquait le tableau de bord de quelque vaisseau spatial dans un mauvais film de science-fiction, sa jolie petite Allison gisait immobile, comme morte, le visage livide, défiguré. Une bande de gaze stérile recouvrait ses longs cheveux soyeux qui seraient bientôt sacrifiés, pour l'opération... Elle était méconnaissable. Mais Page l'avait reconnue instantanément. Elle aurait reconnu son enfant n'importe où, dans n'importe quelle condition. Elle s'approcha de la silhouette figée, puis se pencha pour lui murmurer à l'oreille :

— Bonjour, ma chérie. Je t'aime, bébé, tout ira bien. Nous t'aimons tous, Allie, nous t'aimons tant.

Elle répéta inlassablement ces phrases, encore et encore, comme une incantation, en espérant que, du fond de son coma, Allison entendrait sa voix. Elle caressa tout doucement le bras inerte, puis la joue droite qui semblait moins abîmée que le reste du visage. Son regard brillant de larmes erra sur la petite figure blême. Sans les bip-bip rythmés des moniteurs, elle l'aurait crue morte.

— Ma chérie, nous t'aimons tous... tu dois guérir... pour nous tous. Pour papa, pour moi, pour Andy.

Une des infirmières la pria de sortir, afin de préparer Allison pour la chirurgie.

— Qu'allez-vous lui faire ?

L'infirmière lui expliqua qu'ils allaient commencer le traitement pré-opératoire, lui raser le crâne, lui poser un cathéter. Allison ne sentirait rien, bien sûr.

— Pourrais-je avoir une... une mèche de ses cheveux ? s'entendit-elle demander.

— Oui, bien sûr. Nous prendrons bien soin d'elle, madame Clarke, je vous le promets.

Page se pencha pour embrasser sa fille.

— Je t'aimerai pour toujours, mon amour... Pour toujours.

C'étaient les mots qu'elle lui murmurait quand elle était toute petite. Peut-être que quelque part, au fin fond de son inconscient, Allie s'en souvenait.

Elle dut se faire violence pour s'arracher à son chevet et sortit de la pièce, aveuglée par les larmes. La peur de ne plus revoir sa fille vivante lui broyait le cœur. « Je n'avais pas le choix, pas le choix, pas le choix », se répéta-t-elle mentalement.

La voyant arriver dans le hall, Trygve se redressa, mû par un élan de compassion. Le supplice moral qu'elle venait d'endurer avait marqué ses traits d'une terrible empreinte. Elle était hagarde. Lui-même avait jeté un bref coup d'œil dans la chambre d'Allison. Il en était ressorti consterné. L'état de Chloé semblait presque supportable comparé à celui de son amie. D'après le discours du chirurgien, la fille de Page avait peu de chances de survivre.

— Je suis navré, chuchota-t-il, avant de l'attirer dans ses bras où elle fut submergée par un amer torrent de larmes.

Ils restèrent enlacés un long moment, tels deux naufragés sur un radeau de fortune. Ils étaient en train de vivre la nuit la plus longue, la plus affreuse de toute leur existence. Chloé avait été transportée un peu plus tôt au bloc opératoire et Trygve savait que d'interminables heures d'attente s'étiraient devant lui. La réceptionniste apporta les papiers que Page signa sans un mot. Trygve l'invita à la cafétéria.

— Non, merci. Je ne pourrais rien avaler.

— Prenez juste un verre d'eau. Vous avez besoin de vous changer les idées, de voir autre chose. La nuit sera dure, Page.

Il était quatre heures du matin. Le chirurgien avait averti Page que l'opération ne se terminerait pas avant douze ou quatorze heures.

— Pourquoi n'allez-vous pas vous reposer chez vous ? suggéra Trygve.

En quelques heures, ils s'étaient rapprochés, bien plus que durant les huit dernières années. La jeune femme secoua la tête d'un air farouche.

— Je n'irai nulle part.

Il la comprenait. Lui non plus ne voulait pas quitter Chloé. Son fils aîné, Nick, veillait sur Bjorn à la maison. Il les avait déjà appelés deux fois, afin de s'assurer que tout allait bien de ce côté-là.

— Avec qui avez-vous laissé Andy ? demanda-t-il, tandis qu'ils sirotaient un infâme breuvage qui tenait lieu de café à la cafétéria où Page avait finalement accepté de le suivre.

— Avec Jane Gilson, notre voisine. Andy l'aime bien. Elle sera près de lui, quand il se réveillera et... de toute façon, je ne peux pas partir d'ici. C'est au-dessus de mes forces. Mais il faut que j'arrive à contacter Brad. Pour la première fois depuis seize ans, il a oublié de me laisser son numéro de téléphone.

— Ça me rappelle le jour où Dana est partie skier avec des amis. Elle avait oublié, elle aussi, de me laisser un numéro où je pourrais la joindre. Ça a été le pire week-end de ma vie. Bjorn s'est perdu, Nick s'est cassé le bras, et Chloé a attrapé une pneumonie.

Page eut un pâle sourire qui, aussitôt, s'effaça.

— Je tremble à l'idée d'annoncer la nouvelle à Brad. Il est si proche d'Allie. Je crains qu'il ne réagisse excessivement mal.

— Vous aviserez en temps et en heure. Pensez à ce pauvre gosse qui a été tué. Au désespoir de ses parents.

Les Chapman arrivèrent épuisés à l'hôpital à six heures du matin. Ils avaient la soixantaine et formaient un couple élégant. Mme Chapman avait des cheveux blancs bien coiffés, M. Chapman ressemblait à un banquier. Ils avaient quitté Carmel dès qu'ils avaient appris la nouvelle et avaient roulé toute la nuit. Phillip était leur seul enfant. Ils l'avaient eu sur le tard... Raison pour laquelle ils s'étaient opposés à son inscription à Yale. Ils ne supportaient pas l'idée de le savoir si loin.

Et voilà qu'un homme en blouse blanche leur expliquait que leur fils adoré les avait définitivement quittés. Tête baissée, Mme Chapman pleurait doucement. Son mari l'avait enlacée d'un bras protecteur. Il avait sangloté sans retenue quand il avait su que Phillip était mort, tué sur le coup, les cervicales brisées net.

— Les analyses ont révélé une petite quantité d'alcool dans son sang. Pas suffisamment cependant pour le considérer comme ivre au moment de l'accident, bien que ses réflexes aient pu en être amoindris.

Le docteur ne l'avait pas ouvertement mis en cause,

mais l'allusion n'avait pas échappé aux parents désolés. Mme Hutchinson, la conductrice de l'autre véhicule, avait eu une crise de nerfs, poursuivit-il, ce qui ne parut pas émouvoir les Chapman. Le nom de cette femme leur importait peu. Leur fils était mort, et c'était la seule chose qui comptait. Ils se moquaient du reste. Les experts n'avaient tiré aucune conclusion quant à qui incombait la responsabilité de l'accident... Le chagrin de la mère de Phillip se mua soudain en colère. Elle redressa la tête et, le menton haut, elle dévisagea son interlocuteur d'un œil implacable, semblable à la lionne se préparant à défendre son petit.

— Est-ce que Mme Hutchinson a passé l'alcootest, monsieur ?

On lui répondit par la négative. Aux policiers chargés de l'affaire, la femme du sénateur avait fait l'effet d'une personne sobre, au-dessus de tout soupçon. Mme Chapman lança un regard consterné à son mari. Furieux, il prit la relève. Avocat de renom, Tom Chapman exprima son indignation devant ce qu'il n'hésita pas à qualifier de bavure policière. Le fameux test portait atteinte à la réputation de son fils, alors que, sur leur intime conviction, sans preuve aucune, les représentants de l'ordre avaient omis d'appliquer la loi à la conductrice de la Lincoln.

— Qu'est-ce que vous essayez d'insinuer ? gronda-t-il. Que mon fils est responsable de l'accident parce qu'il n'avait que dix-sept ans et avait ingurgité un demi-verre de vin ? Alors qu'une femme adulte, revenant d'une réception où elle a pu s'enivrer en toute quiétude, a été jugée « au-dessus de tout soupçon » sur sa bonne mine, sous prétexte qu'elle est mariée à un homme politique ?

Tremblant d'une rage qui ne demandait qu'à exploser, Tom Chapman agita un doigt vindicatif sous le nez du docteur.

— Je vous interdis de traiter mon fils d'ivrogne,

rugit-il, si vous ne voulez pas vous retrouver avec une plainte pour diffamation sur le dos. D'après le test, son alcoolémie était loin du taux légal. Je connais mon garçon, monsieur. Il ne boit pas. Ou alors très peu. Certainement pas quand il conduit...

La voix de Tom Chapman avait déraillé. Sa colère tomba d'un seul coup, alors que l'intolérable douleur d'avoir perdu Phillip refaisait surface. Il avait voulu jeter le blâme sur quelqu'un, comme pour venger son fils mort et adoucir sa propre peine... Et il s'était soudain rendu compte qu'il n'existait pas de remède à son chagrin. A présent, ses reproches se retournaient contre lui. Pourquoi étaient-ils partis à Carmel ? Pourquoi l'avaient-ils laissé tout seul ? Phillip n'était qu'un adolescent, après tout, presque un enfant... la preuve ! Des larmes lui brûlèrent les yeux et il regarda sa femme dont le regard reflétait le même désespoir. Faire un esclandre l'avait aidé à surmonter son deuil pendant un bref instant mais, revenue en force, l'atroce souffrance le transperçait comme un glaive. Peu après, dans la salle des urgences, il prit sa femme dans ses bras et tous deux sanglotèrent longuement.

En pleurs, ils s'étaient assis dans un coin d'une des nombreuses salles d'attente. Un flash les fit sursauter. Un photographe les avait reconnus. Tom fit mine de se redresser, comme pour empoigner l'intrus, et retomba lourdement sur sa chaise... Il ne permettrait plus à sa détresse de l'emporter sur sa dignité. Il avait compris, tout comme sa femme, que leur douleur s'étalerait le lendemain à la une des journaux, parce que la conductrice de la Lincoln était une célébrité locale. Un scoop bien trop tentant pour les reporters. Harassé, Tom ferma les yeux, croyant apercevoir dans un tourbillon les manchettes des journaux, les titres des actualités télévisées. La femme du sénateur avait-elle provoqué l'accident mortel ? Etait-elle une innocente victime des circonstances ? Alors, à qui la faute ? Au jeune Chapman ? Etait-il ivre ? irresponsable ? simplement trop jeune ? Certains journalistes ne manqueraient pas de fouiner dans le passé de Laura Hutchinson à la recherche de quelque faille. Et, naturellement, l'inévitable question de la drogue se poserait à propos des occupants de la Mercedes. La disparition d'un garçon de dix-sept ans, le deuil cruel de ses parents, le fait qu'une jeune fille soit estropiée et qu'une autre ait frôlé la mort, serviraient d'appâts à la presse à sensation.

Ils quittèrent l'hôpital un peu plus tard, il était inutile de rester dans ce lieu de douleur. Une partie de leur âme était restée dans la chambre froide où la dépouille de Phillip reposait sur un chariot. Mary et Tom Chapman avaient contemplé en silence la figure de leur unique enfant sur laquelle la mort avait apposé son masque livide. De nouveaux sanglots avaient secoué Tom, tandis que Mary se penchait sur le front glacé pour y déposer un ultime baiser. Du bout des doigts, elle avait caressé le visage de son fils avec une douceur infinie. Elle se remémora sa naissance, dix-sept ans plus tôt, lorsqu'elle l'avait tenu dans ses bras, submergée par la joie d'être sa mère. Le temps n'effacerait jamais ce souvenir. La mort lui avait arraché Phillip brutalement. Elle ne le reverrait plus. Elle n'entendrait plus son rire, ne le suivrait plus du regard quand il traversait la pelouse à grandes enjambées. La porte d'entrée ne claquerait plus sur son passage, elle ne rirait plus à ses plaisanteries, ne recevrait plus ses bouquets de fleurs pour la fête des mères... Elle ne le verrait pas devenir adulte. Sa dernière image se grava à jamais dans sa mémoire, figure blafarde et figée.

Les photographes les guettaient à la sortie et ils eurent toutes les peines du monde à se frayer un passage jusqu'à leur voiture. Sur le chemin du retour, Tom Chapman déclara qu'il comptait se battre pour préserver la mémoire de leur fils. Il ne laisserait personne utiliser Phillip à seule fin de protéger l'épouse du sénateur ou le siège de celui-ci lors des prochaines élections. Mary ne l'entendait pas... Son esprit reproduisait inlassablement le visage livide de Phillip, quand elle l'avait embrassé pour la dernière fois.

La nuit pâlissait... Assis côte à côte dans une salle d'attente presque déserte, Page et Trygve s'étaient retranchés dans l'attente. Leurs filles se trouvaient toujours en chirurgie et tous deux avaient l'impression qu'une éternité s'était écoulée... Enfin, le soleil pointa par-dessus les collines verdoyantes de Marin County. Les ténèbres reculèrent devant la lumière, ce qui aurait pu passer pour un bon augure. Mais qui pouvait le dire ? La nouvelle journée printanière s'annonçait aussi splendide que la précédente. Pas pour tout le monde. Dans le cœur de Page régnait l'hiver, avec sa sinistre cohorte de neige, de brouillard et de glace.

— Je repense à ce que le Dr Hammerman a dit au sujet d'Allison, dit-elle dans un murmure. Coma profond ou sévères infirmités physiques ou mentales. Seigneur ! Comment peut-on vivre avec ça ? (Se souvenant soudain de Bjorn, elle réprima un sursaut.) Oh, Trygve, je vous demande pardon.

— Ne vous excusez pas. Je comprends votre désarroi. Je ressens la même chose à propos de Chloé et ses jambes. J'ai éprouvé le même effroi quand j'ai su que Bjorn était atteint de mongolisme.

Elle le regarda : cheveux ébouriffés, chemise étriquée sur un jean délavé, une paire de tennis usés aux pieds et pas de chaussettes. Elle abaissa les yeux sur son propre sweater de jardinage et elle se souvint qu'elle ne s'était pas donné la peine de se coiffer.

— Nous formons un curieux tandem, tous les deux, vous ne trouvez pas ? dit-elle avec un sourire. En fait, vous avez l'air plus soigné que moi. J'ai quitté la maison si vite ! Encore heureux que je ne sois pas sortie en chemise de nuit.

Il lui sourit pour la première fois, et son visage prit alors une expression juvénile, encore adoucie par les grands yeux bleus aux cils épais.

— Le pantalon appartient à Nick, la chemise à Bjorn. Dieu seul sait à qui sont les chaussures. Pas à moi en tout cas. Je les ai trouvées dans le garage, sinon je serais venu pieds nus.

Elle hocha la tête. Ils avaient eu la même réaction en apprenant l'atroce nouvelle. Elle se dit qu'il fallait absolument joindre Brad. Un cauchemar de plus. Si seulement elle pouvait lui annoncer qu'Allison était vivante, qu'il y avait eu une amélioration, si légère fût-elle, une lueur d'espoir...

La voix de Trygve interrompit le flux de ses pensées.

— Quand le médecin nous a expliqué le handicap de Bjorn, ça a été affreux. Dana s'est mise à détester tout le monde, y compris moi. Et Bjorn, bien sûr. Elle refusait d'admettre qu'elle n'avait pas mis au monde un bébé parfaitement sain. Pour elle, ce bébé était une véritable calamité, et puis elle a décidé de le confier à une institution spécialisée.

— Pourquoi ne l'avez-vous pas fait ?

« Brad n'aurait sans doute pas accepté de vivre avec un enfant anormal », pensa-t-elle.

— Parce que je n'y crois pas. Peut-être à cause de mon éducation norvégienne. On ne résout pas un problème simplement en lui tournant le dos. Les vieillards, les handicapés mentaux, les infirmes font partie de la vie. Le monde n'est pas parfait. Chacun mérite sa place au soleil. Dana ayant rejeté Bjorn, j'ai décidé de l'aider. Nous nous sommes débrouillés pas mal, vous savez. Il est moins handicapé que d'autres... Il est limité, c'est vrai, mais pas dépourvu de capacités. C'est un excellent charpentier, par exemple. Il est créatif, affectueux, loyal, il ne manque pas d'humour et en plus, il est bon cuisinier. Son sens des responsabilités s'est développé à un point tel qu'actuellement, je lui apprends à conduire. Bjorn ne sera jamais comme Nick, ou comme vous et moi. Il n'ira pas à l'université, ne dirigera jamais une banque, ne deviendra pas médecin. Il sera lui-même, avec ses propres joies, ses propres peines. Il mènera sa vie selon ses capacités, du moins je l'espère.

— Vous lui avez énormément apporté, fit remarquer Page. Il a eu de la chance de vous avoir.

« Brad aussi avait eu de la chance », songea-t-il. Il estimait que Page était une femme remarquable. Elle venait d'encaisser un coup qui aurait anéanti plus d'une personne de sa connaissance. Et elle avait encore le courage de penser aux autres : son fils, son mari, les Chapman.

— Il le mérite, répondit-il. Bjorn est un gosse épatant. J'ignore comment il aurait évolué dans une institution. En tout cas, chez nous il a sa place. C'est lui qui fait les courses et il en tire une grande fierté. Il arrive même que je puisse compter sur lui davantage que sur mes autres enfants.

— Vous ne regrettez jamais qu'il ne soit pas plus... plus doué ?

— Il est aussi doué qu'il peut l'être dans son cas. Il a fourni des efforts surhumains pour progresser et je suis fier de lui.

— Je n'arrête pas de me demander comment je parviendrai à m'habituer au nouvel état d'Allison, murmura Page, songeuse. A moins de ne pas tenir compte du passé. De tout recommencer à zéro. Et de se contenter des progrès qu'elle fera, même s'ils sont infimes. Mais, mon Dieu, comment oublier ce qu'elle a été ? Comment se contenter de si peu ?

— Je ne sais pas... Commencez par vous réjouir du fait qu'elle soit toujours en vie.

Page inclina la tête, réalisant soudain combien il avait raison... Il était presque huit heures du matin à la pendule murale lorsqu'elle décida d'appeler un des collaborateurs de Brad, afin d'essayer de le joindre. Elle s'excusa auprès de Dan Ballantine de le déranger si tôt, puis lui expliqua brièvement la raison de son appel.

— Brad doit jouer au golf avec le P-D G d'une grosse entreprise de Cleveland aujourd'hui. Un de vos clients... Je vous en prie, Dan, tâchez de le joindre par l'intermédiaire de cet homme.

Son correspondant le lui promit. Il laisserait au secrétariat du P-D G le numéro de l'hôpital à l'intention de Brad, sans trop de détails, afin de ne pas l'affoler.

— Je suis navré pour Allie, Page. J'espère que tout se passera bien.

— Moi aussi. Merci pour votre aide.

Dan la rappela au standard des urgences une heure plus tard environ. Il avait eu au téléphone le président de la compagnie avec laquelle ils étaient en affaires à Cleveland. Ce dernier avait bien rendez-vous avec M. Clarke, mais seulement le lendemain, avait-il dit. Ils n'avaient jamais projeté de partie de golf le dimanche dans la journée.

— C'est bizarre. Brad a dit... oh, ça ne fait rien, j'ai dû mal comprendre. Eh bien, je n'ai plus qu'à attendre son coup de fil, dit-elle d'une voix lasse.

Elle n'avait ni la force ni le courage de se poser des questions. C'était sans doute un malentendu, un rendez-vous annulé à la dernière heure. Elle retourna dans la salle d'attente, et s'assit près de Trygve, sur une chaise inconfortable.

— Ils n'ont pas pu le contacter. Il est probable qu'il appellera à la maison et Jane le renverra ici. Pauvre Brad ! J'en suis malade pour lui.

Trygve lui adressa un sourire compréhensif. Il avait les traits tirés, une barbe naissante lui hérissait les joues.

— J'ai appelé Dana à Londres, pendant que vous étiez au téléphone. Elle rentrait d'une excursion à Venise. Elle a commencé par verser quelques larmes, après quoi elle m'a accablé de reproches, comme d'habitude. Tout est ma faute ! J'aurais dû savoir avec qui Chloé sortait, mieux surveiller ses allées et venues, lui imposer une discipline plus stricte. Peut-être a-t-elle raison. L'ennui, c'est que les adolescents ont soif d'indépendance. On ne peut pas jouer les cerbères vingt-quatre heures sur vingt-quatre. D'ailleurs, la plupart du temps, elle méritait ma confiance. Jusqu'à hier soir...

— Comme Allie. C'est de leur âge, je suppose. Elles n'ont de cesse de voler de leurs propres ailes.

Sauf qu'elles avaient payé cher leurs désirs d'indépendance.

— D'après Dana, tout est arrivé par ma faute.

— Et vous le pensez aussi ? demanda-t-elle tranquillement.

— Pas vraiment. Je ne sais pas... Je me le demande... Elle pourrait avoir raison.

— Elle a tort et vous le savez. Il s'agit d'un malheureux concours de circonstances. A moins qu'on n'incrimine la conductrice de l'autre voiture...

Curieusement, rejeter la faute sur Laura Hutchinson leur procurait une obscure satisfaction. Comme si l'innocence de Phillip pût changer quelque chose à l'incident tragique qui lui avait coûté la vie.

Le chirurgien orthopédiste passa la tête par la porte entrebâillée de la salle d'attente et Trygve bondit sur ses pieds.

— Bonnes nouvelles, monsieur Thorensen, l'opération s'est bien déroulée.

Chloé avait perdu beaucoup de sang, poursuivit-il. Son invalidité la ferait souffrir pendant un certain temps mais elle réussirait sans doute à récupérer l'usage de ses jambes. Le bassin avait été réparé, la prothèse de hanche mise en place, elle avait des broches dans les deux jambes, que l'on retirerait d'ici un ou deux ans. Naturellement, sa carrière de danseuse était terminée.

Pourtant, grâce à des exercices de rééducation, elle remarcherait, danserait même à l'occasion, aurait peut-être des enfants. Tout dépendait des semaines à venir. Trygve sentit des larmes de gratitude lui mouiller les joues, pendant que le chirurgien lui parlait.

Chloé se trouvait en salle de réveil où elle resterait jusqu'à midi. Ensuite, elle serait transportée dans l'unité des soins intensifs avant d'être installée dans une chambre individuelle. Le chirurgien évoqua la possibilité d'une ou deux transfusions, plus tard dans la journée, puis demanda à Trygve si lui ou un de ses fils avaient le même groupe sanguin que la patiente.

— Tous ! répondit Trygve, à la grande joie du praticien.

— Monsieur Thorensen, allez donc vous reposer quelques heures chez vous. Votre fille va bien, maintenant. Quand vous reviendrez cet après-midi, elle sera en réanimation. Votre mauvaise mine pourrait l'inquiéter.

Trygve ébaucha un sourire. Il mourait d'envie de faire une bonne sieste mais détestait l'idée de laisser Page toute seule. Allison n'était pas encore sortie de la salle d'opération... Il décida de rester, et alla s'étendre sur un canapé au confort tout relatif, au fond de la salle d'attente. Page aurait agi de même pour lui, il n'en doutait pas.

Combien d'heures s'écoulèrent ? La notion du temps avait acquis cette espèce d'irréalité propre aux rêves. Midi vint et passa. Chloé quitta la salle de réveil pour le service des soins intensifs. Elle se remettait tout doucement de l'anesthésie, mais elle reconnut son père, comme à travers une nappe de brouillard. Ses douleurs avaient disparu, bien que d'innombrables tuyaux la relient à différents appareils.

— Comment va-t-elle ? demanda Page à l'instant où elle l'aperçut.

Elle avait appelé chez elle pendant qu'il était auprès de sa fille. Jane avait décroché, fidèle au poste, puis la voix d'Andy avait retenti sur la ligne. Le petit garçon s'inquiétait du départ de sa mère, tout autant que de la prétendue maladie de sa sœur. Il était encore trop jeune pour qu'on lui dise la vérité, estima Page. Du moins pas tant qu'elle n'avait pas parlé à Brad... Brad, qui n'avait pas encore donné signe de vie. Selon Jane, il ne tarderait plus à se manifester.

— Complètement dans les vapes, sourit Trygve. Elle a l'air d'aller, si l'on fait abstraction de toutes ces machines diaboliques auxquelles elle est branchée. La pauvre petite est exsangue mais elle a échappé au pire. Rien que pour ça, nous devrions en être reconnaissants.

— La reconnaissance ! fit Page, circonspecte. Encore un grand mot ! A cette heure-ci, hier, Allie était une fille de quinze ans en pleine santé, qui me tarabustait pour m'emprunter mon sweater de cachemire rose. Aujourd'hui, elle est sur une table d'opération en train de livrer une bataille contre la mort et je suis supposée éprouver de la gratitude, sous prétexte qu'elle n'est pas totalement morte... Vous voyez ce que je veux dire ?

Il comprenait parfaitement. Les gens ne cessaient de lui dire la même chose à propos de Bjorn. Il avait bien de la chance, son garçon était moins attardé que d'autres... Comme si la souffrance d'autrui pouvait le consoler de la sienne. Et quand on lui disait qu'il y avait pire, il avait envie de hurler qu'il y avait mieux et que son fils aurait pu naître normal.

Il finit par rentrer chez lui aux alentours de quinze heures, juste pour prendre une douche, se changer et rassurer les garçons. Durant son absence, la nervosité de Bjorn n'avait cessé d'augmenter. Son angoisse s'apaiserait peut-être s'il voyait sa sœur, car il n'arrivait à appréhender que les situations concrètes. Le fait que les gens qu'il aimait pouvaient mourir le terrorisait littéralement ; la notion même de la mort, trop abstraite, perturbait l'esprit du petit garçon qu'il était resté, malgré ses dix-huit ans.

— N'hésitez pas à m'appeler en cas de besoin, avait dit Trygve avant de s'en aller.

Page avait continué à monter la garde dans la salle d'attente qu'emplissaient peu à peu des brouhahas de voix. Elle avait songé à appeler sa mère mais avait changé d'avis. Elle ne s'en sentait pas le courage. Ni la force. Et Brad qui ne savait rien encore ! « Qu'il m'appelle, mon Dieu, qu'il m'appelle ! »

Elle n'eut aucune nouvelle d'Allison jusqu'à seize heures. La porte vitrée s'entrouvrit sur un aide-soignant qui lui fit signe d'approcher. Elle bondit. Sa fille avait bien supporté l'opération, déclara-t-il. Son état demeurait stationnaire, ce qui était prévisible, et elle avait besoin d'une transfusion.

— Nous sommes du même groupe sanguin, lui dit Page.

Elle le suivit dans une petite pièce mal éclairée où il lui prit un demi-litre de sang... Ce fut juste après que le coup de fil tant attendu arriva au standard des urgences. Brad, enfin ! Page prit la communication dans l'une des cabines qui s'alignaient au fond du hall.

— Bon Dieu, Page, où es-tu ? Jane m'a dit de te contacter à ce numéro. Quelqu'un a décroché en disant « hôpital général de Marin, j'écoute ».

— Oui, Brad, je suis à l'hôpital. (Elle lutta vaillamment contre sa fatigue, cherchant désespérément les mots adéquats.) Ecoute, mon chéri...

Des larmes noyèrent sa voix.

— Page, tu vas bien ? Que se passe-t-il ?

Pendant un bref instant, il s'était demandé si elle n'était pas enceinte... si elle n'était pas tombée de l'escabeau, comme l'autre fois...

— Chéri, Allie a eu un accident.

La question fusa aussitôt !

— Elle va bien ?

— Non, malheureusement. Elle a été blessée dans un accident de voiture hier soir. Je suis désolée de te l'annoncer aussi brutalement. J'ai tenté l'impossible pour te joindre à Cleveland mais tu avais annulé ta partie de golf.

— Ah... oui, bien sûr... j'ai eu à faire... Qui as-tu appelé ?

— Dan Ballantine. Il a téléphoné à ton client de Cleveland pour lui laisser un message à ton intention. Tu ne m'as pas laissé le nom et le numéro de ton hôtel.

— J'ai oublié ! répondit-il d'une voix dans laquelle pointait un soupçon d'irritation. Mais parle-moi d'Allie. Comment va-t-elle ? Que veux-tu dire par accident de voiture ? Qui conduisait ? Thorensen ?

— Non... En fait, elle et Chloé sont sorties avec deux garçons. Ils sont entrés en collision avec une Lincoln. (Sa voix dérailla et elle dut déployer un effort titanesque pour poursuivre :) Elle a eu une fracture du crâne, Brad. Plus une sévère contusion cérébrale. Elle a été hospitalisée dans un état critique. Actuellement. elle est encore en chirurgie.

— Quoi ? Tu les as laissés l'opérer sans me demander mon avis ? Nom d'un chien, Page, qu'est-ce qui t'a pris ?

— Je n'avais pas le choix. D'après le chirurgien, c'était une question de vie ou de mort.

— Balivernes ! Tu avais le droit d'exiger un deuxième diagnostic. Tu nous le devais, à Allie et à moi.

Il semblait incapable de se raisonner, de réagir autrement que par la colère.

— Je n'avais pas le temps. Je ne pouvais que prier, espérer un miracle. Elle était entre les mains de Dieu... et des chirurgiens.

— Et maintenant ? Comment va-t-elle ?

— Je te l'ai dit. Elle est toujours au bloc opératoire. Ça fait plus de douze heures.

— Oh mon Dieu, marmonna-t-il d'une voix indistincte. Comment est-ce arrivé ? Qui conduisait la voiture ?

— Un garçon du nom de Phillip Chapman.

— En état d'ivresse, je suppose. Je vais lui casser la figure, à ce petit saligaud.

Sa voix chevrotait à l'autre bout de la ligne.

— Oh, Brad, il est mort. Ils étaient quatre dans la voiture. L'un d'eux s'en est sorti avec une légère commotion. Chloé a été grièvement blessée, elle aussi, mais je crois qu'elle s'en remettra. Et Allie... on n'en sait rien encore. Tu devrais rentrer, mon chéri, nous avons besoin de toi.

— Je serai là dans une heure.

Page se sentit rassurée. Elle savait bien que Brad ne serait pas là d'ici une heure. Cleveland était bien trop loin, même s'il trouvait une place dans le prochain vol. Mais il venait. Un soupir de soulagement souleva la poitrine de Page. Elle avait désespérément besoin de sa présence. Le ciel lui avait envoyé Trygve durant cette rude épreuve, mais Brad était son mari.

— J'arrive dès que possible, dit-il d'une voix oppressée.

— Je t'aime, chuchota-t-elle. Je suis contente que tu reviennes.

— Moi aussi, dit-il, et il raccrocha.

Brad poussa la porte des urgences à dix-huit heures, une heure exactement après leur entretien téléphonique. Page venait d'apprendre qu'Allison avait survécu à l'opération et que les heures suivantes seraient décisives.

— Elle est toujours dans un état critique.

Aucun autre commentaire n'avait franchi les lèvres du chirurgien. Il fallait se contenter de savoir qu'elle était toujours en vie. « Enfin, une bonne nouvelle pour Brad », avait-elle obscurément songé sans parvenir à comprendre, toutefois, par quel miracle il était revenu aussi vite. Immédiatement il exigea de rencontrer le chirurgien qu'il bombarda de questions. En dépit de son insistance, le praticien ne l'autorisa pas à voir Allison, qui resterait en salle de réveil jusqu'au lendemain matin.

— Comment as-tu accompli cet exploit ? s'enquit Page peu après, par-dessus le gobelet contenant un café insipide. Comment es-tu revenu aussi vite de Cleveland ?

Ils avaient pris place dans une salle d'attente pleine de monde. Il haussa les épaules en sirotant une gorgée de son breuvage tiède. Leurs yeux se rencontrèrent et une sensation singulière envahit la jeune femme.

— Brad, où étais-tu ?

Plusieurs heures de vol séparaient Cleveland de l'aéroport de San Francisco, sans parler du trajet en voiture jusqu'à l'hôpital.

— Qu'est-ce que ça change ? Il n'y a qu'Allison qui compte.

Le regard de Page chercha fébrilement celui de son mari, qui se dérobait.

— Je ne suis pas d'accord. Nous sommes importants aussi. Où étais-tu ? répéta-t-elle d'une voix aiguë, discordante. Je t'ai posé une question.

Il finit par soutenir son regard. Il y avait dans ses prunelles sombres une drôle d'expression qu'elle ne lui avait jamais vue auparavant.

— Et j'ai choisi de ne pas te répondre, cela te suffit ? Je suis revenu aussi vite que j'ai pu, point final.

Une main glacée empoigna le cœur de Page. « Ce n'est pas juste ! » Perdre deux êtres chers dans la même journée relevait de l'absurde.

— Tu n'étais pas à Cleveland ! assena-t-elle.

Il détourna la tête, sans un mot.

5

Les visites en salle de réveil étant interdites, Brad jugea sa présence à l'hôpital inutile.

— A tout à l'heure, dit-il tranquillement à Page, avant de s'éclipser, comme s'il ne s'était rien passé.

Elle était sur le point de partir à son tour, lorsque Trygve arriva. Ses deux fils l'accompagnaient.

— Brad est rentré de Cleveland, annonça-t-elle, en se gardant bien de mentionner le reste.

Il la regarda en fronçant les sourcils, alors qu'elle saluait aimablement les deux garçons. Il lui trouva une mine de papier mâché. Elle avait décidé de retourner chez elle pendant deux ou trois heures mais elle comptait repasser dans la soirée, ajouta-t-elle.

— Tâchez de vous reposer un peu, suggéra-t-il. Vous en avez besoin.

— J'essaierai.

Elle lui adressa un petit sourire, mais l'angoisse lui tirait les traits et ses yeux ressemblaient à deux gouffres pleins de tristesse.

— Prenez soin de vous, cria-t-il, alors qu'elle s'éloignait.

Lorsqu'elle arriva à la maison, Jane Gilson était partie. Brad avait entrepris de raconter à Andy les mésaventures de sa grande sœur. Celle-ci s'était blessée à la tête, lui expliqua-t-il, et elle avait subi une intervention chirurgicale avec succès. Elle recouvrirait très vite la santé, serait bientôt de retour parmi eux et tout redeviendrait comme avant.

Rassuré, le petit garçon alla jouer dans le jardin, suivi de Lizzie. Par la porte-fenêtre du salon, Page pouvait le voir courir sur la pelouse vert pomme, la chienne sur ses talons.

— Je crains que tu ne lui aies brossé un tableau trop optimiste de la situation, observa-t-elle à l'adresse de son mari, sans se retourner.

Une pléthore de questions se bousculaient dans son esprit mais elle avait pris la résolution de ne pas en parler avant que leur fils soit couché.

— Qu'est-ce que j'ai dit encore ? protesta Brad d'une voix tendue.

Son visage accusait une immense fatigue. A son inquiétude pour Allison se mêlait une frayeur nouvelle. Il savait que l'accident allait entraîner dans son ménage une crise susceptible de ravager plus de seize ans de vie commune.

— Qu'elle allait récupérer, dit Page lentement en lui faisant face. Nous n'en savons rien.

— Hammerman m'a dit qu'elle avait une bonne chance de s'en sortir.

— Oui, mais dans quel état ? Dans le coma ? comme un légume ? ou sévèrement handicapée ? Tu n'avais pas le droit de dénaturer ses propos à seule fin de donner à Andy de faux espoirs.

— Et que voulais-tu que je fasse ? Que je lui montre les radios de son crâne, peut-être ? Pour l'amour du ciel ! Page, Andy n'est encore qu'un enfant. Laisse-le souffler un peu. Tu sais combien il aime Allie.

— Je l'aime aussi, comme Andy... et toi... pourtant je refuse de le bercer de fausses illusions. Et si elle meurt ce soir ? Si elle ne survit pas au choc opératoire ? Nous lui dirons quoi, alors ?

— Je... je ne sais pas. Nous aviserons, murmura-t-il, désarçonné par la dureté des propos de sa femme.

— Et *nous* ? ne put-elle s'empêcher d'ajouter, des larmes traçant des sillons brillants sur ses joues pâles. Quand aurons-nous une explication ? Que se passe-t-il, Brad ?

— Pas maintenant, je t'en supplie ! Sans l'accident d'Allie, tu n'aurais jamais rien su. D'ailleurs, tu as eu tort de demander à Dan de m'appeler à Cleveland.

— Pourquoi donc ?

Elle le fusilla d'un regard outré. Leur fille avait failli mourir et il lui reprochait d'avoir essayé de le prévenir.

— Parce que maintenant, il a tout compris et il n'a pas à se mêler de mes affaires.

— Tout compris, quoi ? Et moi, que dois-je comprendre ? Que j'ai été stupide ? Combien de fois m'as-tu menti ?

Elle ignorait où il était allé. En tout cas, elle savait que ce n'était pas à Cleveland.

— Là n'est pas la question.

Il avait adopté une expression ennuyée, presque désinvolte, mais elle n'avait pas l'intention de lui laisser une seconde de répit.

— Si, justement ! hurla-t-elle. Je t'ai pris la main dans le sac ce week-end. J'ai le droit de savoir où tu étais et avec qui. Il s'agit de ma vie aussi, au cas où tu l'aurais oublié. Tu n'es pas libre de t'amuser derrière mon dos en me racontant des histoires à dormir debout. Eh bien, j'attends ! Que se passe-t-il exactement ?

Il haussa les épaules avec lassitude.

— Tu as très bien compris ! Faut-il que je te fasse un dessin ?

Elle blêmit, et le regarda fixement, les yeux agrandis de stupeur. Quelle était la somme de peine que pouvait contenir un cœur avant d'exploser en mille morceaux ? Elle aurait souhaité qu'il nie tout farouchement, qu'il proclame son innocence, au lieu de lui révéler crûment la vérité. Une vérité que, au fond, elle n'avait nulle envie d'entendre.

— C'est nouveau ?

— Je ne compte pas entamer une discussion avec toi à ce sujet, Page.

— Non ? Moi si, en revanche. Nous avons commencé ce petit jeu amusant, ayons le courage d'aller jusqu'au bout. S'agit-il d'une personne importante pour toi ?

— Chérie, je t'en supplie ! Pourquoi parler de ça maintenant ?

— Parce que ça ne peut pas attendre. Je ne me contenterai pas d'explications nébuleuses. Puisque tu es passé aux aveux si facilement, dis-moi tout. Depuis quand dure cette petite fantaisie ? M'as-tu déjà trompée par le passé... et pour quelle raison ? (Elle l'enveloppa d'un regard empreint de détresse, sa voix ne fut plus qu'un murmure : Que nous est-il arrivé ? Pourquoi est-ce que je ne me suis aperçue de rien ?

Etait-elle aveugle au point d'ignorer que son mariage allait à la dérive ? Y avait-il eu des signes qu'elle n'avait pas su déchiffrer ? Elle n'aurait pas su le dire... Brad s'était laissé tomber pesamment sur le canapé, le visage crispé. Il avait toujours détesté les confrontations avec elle. Il aurait donné dix ans de sa vie pour éviter cette dispute. Pour esquiver ce regard accusateur qui le brûlait. Hélas, dorénavant, la chose semblait inévitable. Peut-être était-ce aussi bien... De toute façon elle l'aurait appris tôt ou tard.

— J'ai rencontré quelqu'un, il y a un moment. Je ne t'en ai pas parlé, croyant qu'il s'agissait d'un flirt sans lendemain.

— Mais il a duré. C'est sérieux ?

Il ne répondit pas, mais ses yeux l'avaient trahi. Le cœur de Page cessa de battre... Cette aventure n'avait rien d'une idylle éphémère. Ça sentait à plein nez la liaison régulière. Elle déglutit péniblement en se demandant si cette infidélité n'avait pas sonné le glas de leur mariage.

— C'est sérieux ? répéta-t-elle dans une glapissement rauque.

— Ça se pourrait. Je n'en sais rien encore.

La façon dont il avait courbé l'échine dénotait un profond désarroi... Elle revint à la charge sans merci.

— Depuis quand vois-tu cette personne ?

Depuis quand, dans sa crédulité imbécile, se prenait-elle pour une épouse heureuse en ménage ?

— Depuis huit mois environ. Tout a commencé pendant un voyage d'affaires. Elle travaille pour notre département créatif et nous sommes allés ensemble à New York, afin de présenter un projet de pub à un client.

— Comment est-elle ?

Une vague de nausée lui souleva l'estomac mais elle avait besoin de réponses claires et nettes. Huit mois. Bon sang, *huit mois* pendant lesquels elle n'avait pas conçu le moindre soupçon. Fallait-il être gourde !

— Stéphanie est très différente... de toi, je veux dire. Elle est indépendante, très libre, très spirituelle. Originaire de Los Angeles, elle a fait ses études à Stanford et elle s'est installée à San Francisco. Elle a vingt-six ans. Elle... nous nous sommes découvert un tas de points communs. Les mêmes goûts. Depuis le début, je n'ai pas cessé de me dire que je devais rompre avec elle. Seulement, voilà, je n'ai pas pu.

Il avait levé sur Page un regard éperdu, comme s'il quémandait sa compréhension, sa magnanimité, alors qu'il lui avait assené le coup de grâce.

Indépendante... libre... spirituelle...

D'autres questions s'accumulaient, qu'elle n'osa formuler. Elle aurait voulu savoir si l'autre femme était belle, si elle faisait bien l'amour, s'il l'aimait vraiment. Mais elle se contenta de dire :

— Est-ce que tu vas me quitter, Brad ?

— Je n'ai pris aucune décision. Je sais que je ne peux pas continuer comme ça. Mon Dieu, je me sens si confus... (Il passa nerveusement les doigts dans sa chevelure noire.) Si malheureux.

Page continuait de le fixer d'un regard incrédule, comme si elle avait du mal à croire à ce nouveau désastre. Ses pires cauchemars s'étaient réalisés. Allison gisait sur un lit d'hôpital, inconsciente, et Brad était tombé amoureux d'une autre femme.

— Où étais-je pendant tout ce temps, chuchota-t-elle, effarée. Pourquoi n'y ai-je vu que du feu ? Que nous arrive-t-il, Brad ? Où tout cela nous mènera-t-il ? Pourquoi es-tu toujours par monts et par vaux à jouer au golf, alors que je suis clouée ici, à jouer les chauffeurs de ramassage scolaire ? Nous nous sommes éloignés l'un de l'autre sans même que je m'en rende compte !

— Ce n'est pas ta faute, commença-t-il. Enfin, si, peut-être, dit-il après un instant de réflexion. Nous avons chacun notre part de responsabilité dans l'affaire. A force de nous laisser grignoter par la routine... Ne me demande plus rien, je t'en conjure. Je n'ai pas la réponse.

La réponse, il l'avait vainement cherchée huit mois durant.

— Cesseras-tu de la voir ? interrogea-t-elle ouvertement.

Il parut hésiter un instant, puis elle le vit secouer lentement la tête et elle eut l'impression que le sol se dérobait sous ses pieds.

— Qu'attends-tu de moi, au juste ? Que je ferme les yeux pendant que tu t'envoies en l'air avec Miss Créative ?

Une fureur sans nom l'avait envahie. Son désespoir le disputait à la colère. Les mains la démangeaient de gifler Brad. Un désir incontrôlable de le frapper à l'aveuglette, à coups de poing. De son côté, Brad s'était cantonné dans le mutisme. Il comprenait parfaitement le ressentiment de Page. Il s'en était terriblement voulu de la tromper, en particulier à chaque fois qu'elle l'enveloppait de sa tendresse, de son immense besoin d'affection. Les huit derniers mois n'avaient été qu'une longue descente aux enfers. Il se sentait affreusement coupable vis-à-vis de Page, sans trouver toutefois le courage de rompre avec Stéphanie. En fait, il n'était prêt à renoncer ni à l'une ni à l'autre. Il en avait conclu qu'il les aimait toutes les deux. Pas de la même manière, naturellement... Il chérissait tendrement Page, lui vouait un immense respect. A ses yeux, Page représentait une mère exceptionnelle, une épouse exemplaire. Une personne extraordinaire, une compagne hors du commun. Elle incarnait la femme que tout homme aurait voulu avoir. Or, elle n'éveillait plus son désir. Contrairement à Stéphanie. A la seule vue de celle-ci, ses sens s'enflammaient et rien ne semblait pouvoir éteindre le brasier dans lequel il se consumait.

— Qu'est-ce que tu me proposes ? reprit Page, les yeux pleins de larmes. Faut-il que je disparaisse, afin que vous puissiez filer librement le parfait amour ?

Une onde de pure panique la traversa soudain. Allait-il l'abandonner ? Déménager ? Et Andy ? Quelle serait la réaction d'Andy ? Et Allie ? La vision de sa fille sur son lit de douleur revint la hanter. Son esprit vacilla tout à coup et elle se sentit submergée par une angoisse folle.

— Qu'attends-tu de moi ? parvint-elle à murmurer à travers ses larmes.

— Je n'attends rien. Allison passe avant tout. Nous en reparlerons plus tard. On ne peut pas résoudre deux problèmes en même temps.

Une suggestion logique, qui arracha néanmoins à Page un ricanement amer.

— Ah oui ? Quand, alors ? Lorsque Allie se réveillera ou... après les obsèques ?

Le ton de sa voix frisait l'hystérie, mais il n'esquissa pas le moindre geste vers elle. Il s'en sentait incapable, trop désemparé pour tenter de la consoler. Un mot apaisant, un geste tendre ne feraient qu'envenimer la situation.

— Je ne sais pas quelle décision nous devrons prendre, Page. Voilà des semaines et des mois que j'y réfléchis, sans aucun résultat.

Il n'y avait pas d'issue. Il n'était pas prêt à quitter Page. Ni Stéphanie. Celle-ci ne l'avait jamais poussé à demander le divorce. Sachant qu'il ne pouvait plus se passer d'elle, elle avait adopté la stratégie de l'araignée. Brad serait bien obligé un jour de choisir. Continuer à vivre dans le mensonge ne faisait qu'alimenter sa culpabilité à l'égard de Page. Peu à peu, il s'était enlisé dans une situation inextricable. Maintenant que Page était au courant de sa liaison, leurs rapports ne tarderaient pas à se dégrader, il le savait. Il avait abusé de sa confiance pendant huit mois. Ses fameux voyages d'affaires avaient souvent servi d'alibi à ses escapades amoureuses. A présent, le piège s'était refermé sur lui. Il s'était bel et bien fichu dans le pétrin. Comment en sortir sans blesser Page, ses enfants ou Stéphanie ?

— Chérie, je t'en prie, accordons-nous une trêve. Attendons qu'Allison aille mieux, qu'elle soit au moins hors de danger.

— Et après ?

Elle prenait un malin plaisir à le tourmenter et à se faire du mal.

— Je n'en sais rien... rien encore...

— Eh bien, tâche de savoir. Et tiens-moi au courant du fruit de tes réflexions.

Elle le regardait, se rendant compte soudain qu'elle dévisageait un étranger. L'homme qu'elle avait aimé toute sa vie, auquel elle avait accordé toute sa confiance, la menait en bateau depuis presque un an. Une partie d'elle-même le haïssait... l'autre tremblait à l'idée de le perdre.

— Je suis désolé, dit-il après un silence. Le mot peut te sembler pathétique mais...

— Je dirais inadéquat, coupa-t-elle, cinglante. Tu me dois plus que des excuses, tu ne crois pas ?

Des larmes étincelaient dans ses yeux, tandis qu'ils se toisaient à travers la pièce. Les traits de Page reflétaient un mépris, une révolte et une souffrance qu'il ne lui avait jamais vus.

— J'ai toujours pensé que de nous deux tu étais la plus forte. Tu avais l'air si occupée... Je me suis même demandé si j'allais te manquer.

L'avait-elle lassé, à son insu ? Etait-elle fautive ? L'avait-elle incité par son attitude à ne plus faire attention à elle ?

— Je suppose que nous formons un beau couple de crétins, déclara-t-elle, d'une voix pleine de sarcasme. En tout cas, ma perspicacité laisse à désirer.

— Tu ne méritais pas ça, dit-il avec franchise.

Mais lui non plus, pensa-t-il aussitôt. Il avait le droit de vivre sa passion jusqu'au bout, au lieu de se traîner aux pieds de sa femme en implorant son pardon.

— Nous méritions tous les deux mieux que ça, rétorqua-t-elle avant de tourner les talons.

Elle pénétra dans la cuisine comme un automate. Avec des gestes de robot, elle enfourna dans le micro-ondes une pizza pour Andy, qu'elle appela cinq minutes plus tard... Impossible de maîtriser les tremblements de ses mains. Chaque fois que la sonnerie du téléphone retentissait, elle se précipitait pour répondre, rongée par une terreur effroyable, croyant à un appel de l'hôpital. Elle oscillait entre l'épouvante de perdre Allie et le dégoût que lui inspirait la duplicité de Brad.

— Comment ça va, champion ? demanda-t-elle à Andy, en lui servant son dîner.

Brad n'avait pas bougé du salon et elle avait la sensation que sa vie venait de finir.

— Ça va... Tu as l'air fatiguée, m'man.

La sollicitude de son petit garçon lui mit un peu de baume au cœur.

— Je suis épuisée, mon chéri. Allie est très malade.

— Papa a dit qu'elle guérira très vite.

L'Évangile selon saint Brad ! Et si elle ne guérissait pas ? Si elle... qu'avait-donc dit Brad à ce sujet ? Ah, oui, ils aviseraient...

— Espérons-le.

Les sourcils blonds d'Andy se joignirent.

— Pourquoi dis-tu ça, m'man ? Tu ne crois pas qu'elle va guérir ?

— Je l'espère, répondit-elle simplement.

Il avait terminé son repas et elle l'avait pris sur ses genoux, l'entourant de ses bras. Il était encore assez petit pour se blottir contre elle.

— Je t'aime, m'man.

— Je t'aime aussi, mon trésor, murmura-t-elle d'une voix douce, l'esprit obnubilé par Allie. Et par la trahison de Brad.

Elle mit Andy au lit après son bain du soir, lui lut un de ses contes préférés. Lorsqu'il s'endormit, elle se réfugia dans sa chambre... la chambre qu'elle avait partagée pendant seize ans avec son mari. Le store baissé, elle s'allongea, ferma les yeux, mais le sommeil la fuyait. Son esprit enfiévré cherchait un sens aux événements qui, depuis la veille, avaient mis fin à la période la plus insouciante de son existence. Un kaléidoscope d'images éclata sur l'écran de ses paupières : Allie, inconsciente ; Brad, assis dans le salon, l'air indécis. Un bruit de pas feutrés lui fit lever la tête. La silhouette de Brad se découpait dans le chambranle, en ombre chinoise sur le couloir éclairé.

— Veux-tu que je t'apporte quelque chose ?

Il ne savait plus quoi lui dire, comment l'aborder. On eût dit qu'ils n'étaient plus les mêmes personnes. Leur ancienne complicité s'était irrémédiablement évanouie.

— Tu as dîné ? interrogea-t-il.

— Non, merci.

Elle n'avait aucun appétit.

— Tu n'as besoin de rien ?

Elle fit non de la tête. Il lui était impossible de voir Brad sans penser aussitôt à l'autre femme et aux huit mois qu'il avait passés avec elle. Et avant cela ? Qui l'avait précédée ? Avait-il eu d'autres maîtresses ? Depuis quand la trompait-il ? Et pourquoi ? Parce qu'il ne se sentait plus attiré par elle ? Parce qu'il s'ennuyait à la maison ?

Cela tournait à l'obsession... Elle réalisa tout à coup qu'elle portait encore le vieux sweater de jardinage, son blue-jean élimé ; sa main remonta vers ses cheveux emmêlés. La compétition entre une jeune et bouillante publiciste de vingt-six ans, diplômée de Stanford et dégagée de toute responsabilité familiale ne laissait absolument aucune chance à Page. Tout était en sa défaveur.

— Où l'as-tu emmenée ce week-end ?

Elle faisait tout pour le pousser dans ses derniers retranchements.

— Quelle importance ?

L'irritation qui vibrait dans sa voix ranima la colère sous-jacente de Page.

— Aucune. Je me demandais où tu étais passé pendant que je te cherchais à Cleveland.

— Nous sommes allés à John Gardiner.

Ils fréquentaient assidûment ce luxueux club de tennis à Carmel Valley... Il avait regagné l'appartement de Stéphanie en ville, lorsqu'il avait appelé Page aux urgences. C'était la raison pour laquelle il était arrivé à l'hôpital aussi vite. Il avait attendu autant qu'il l'avait pu, afin de ne pas éveiller des soupçons, mais son impatience avait tout gâché. Il avait été incapable de tenir en place plus d'une demi-heure.

— Tu devrais manger un morceau, dit-il, désireux de changer de sujet.

Sa relation avec Stéphanie était la dernière chose au monde dont il avait envie de discuter avec Page.

— Je n'ai pas faim. Je prendrai un bain, puis je retournerai à l'hôpital.

Elle n'avait plus rien à faire à la maison. Et elle voulait être auprès d'Allie.

— Ils ne te laisseront pas la voir, tu sais.

— Cela m'est égal. Je préfère attendre là-bas.

— Et Andy ? s'enquit-il après un bref silence. Reviendras-tu avant demain matin ?

— Tu peux parfaitement t'en occuper. Tu n'as pas besoin de moi pour le conduire à l'école.

C'était donc ça ? A ses yeux, elle n'occupait plus que les fonctions de mère et de gouvernante ?

— D'accord, convint-il. Mais j'ai besoin de toi pour autre chose.

— Ah oui ? railla-t-elle. Comme quoi, par exemple ?

— Page... je t'aime.

Des mots... Des mots vides... perfides...

— Vraiment, Brad ? Je n'en ai pas l'impression. J'ai été ma propre dupe depuis pas mal de temps. Toi aussi, sans doute. Finalement, ce n'est pas plus mal que nous l'ayons découvert maintenant.

Une découverte qui ne lui avait procuré que de la souffrance. Une sorte de blessure profonde, qui ne cicatriserait jamais.

— Désolé, murmura-t-il, sans un geste vers elle.

Un fossé vertigineux les séparait.

— Moi aussi.

Elle s'était levée pour passer dans la salle de bains, où elle ouvrit les robinets de la baignoire en grand, après avoir refermé la porte. Une fois dans l'eau, elle laissa libre cours à ses larmes.

Brad... Allie... Elle se demanda, affolée, ce que la fin du week-end lui réservait.

6

Page passa la nuit du dimanche pelotonnée sur une chaise inconfortable dans une salle d'attente vide. C'est à peine si elle dormit, alors que les heures s'égrenaient avec une lenteur exaspérante. Tout son être était tendu vers Allison. Les différents bruits de l'hôpital, désormais familiers, les écœurantes odeurs des désinfectants, la crainte permanente que l'on vienne lui annoncer une mauvaise nouvelle la tinrent éveillée.

A six heures du matin, on l'autorisa enfin à voir sa fille.

Une jeune et jolie infirmière la guida vers la salle de réveil, à travers un dédale de couloirs. Durant le trajet, l'infirmière fit l'éloge d'Allison : sa beauté, sa minceur, sa chevelure admirable. Elles sortirent de l'ascenseur dans un corridor muni de portes coulissantes automatiques. Page se forçait au calme. Dès l'instant où elle reverrait Allison, rien d'autre ne lui importerait, pas même Brad, elle le savait. La vue de sa petite fille couchée sur un lit étroit acheva de la décourager. Son état semblait avoir empiré. Effarée, Page détailla la silhouette immobile. Le bandage stérile qui enserrait son crâne rasé, sa figure creusée. Les moniteurs et autres machines de contrôle, les écrans cathodiques où serpentaient de mystérieux graphiques hachurés. Son regard revint vers le visage d'Allie ; elle était à cent lieues de là, dans un coma profond.

L'infirmière de garde tendit à Page une longue mèche de cheveux blonds et soyeux qu'elle saisit comme s'il s'agissait d'un talisman, les yeux brillant de larmes. De l'autre main, elle effleura doucement la joue livide.

Elle resta longtemps debout, les yeux fixés sur le petit visage figé, contenant à grand-peine ses sanglots. Seulement deux jours plus tôt, la vie leur souriait... Comment en étaient-ils arrivés là en si peu de temps ? De quelle manière leur bonheur s'était-il effrité aussi vite ? Du fond de sa mémoire surgit le souvenir d'Andy dans sa couveuse, son corps minuscule criblé de tuyaux. Là aussi, elle avait passé des heures à le regarder, en priant pour qu'il vive. Et le miracle s'était produit.

Elle finit par s'asseoir sur un petit tabouret près du lit, glissant doucement à l'oreille enfouie sous les pansements :

— Je ne te laisserai pas partir, ma chérie. Jamais... Nous avons trop besoin de toi. Je t'aime tellement. Il va falloir que tu te battes, mon amour, mon bébé... tu seras toujours mon bébé, tu sais ?

Allie dégageait une drôle d'odeur à dominante chimique. En dehors des hoquets répétitifs des moniteurs et de l'horripilante soufflerie du respirateur, rien ne prouvait que la blessée était vivante. Elle n'avait pas eu un geste de reconnaissance, pas un frémissement de paupières. Aucun son ne s'était échappé de ses lèvres marbrées. Les infirmières laissèrent Page avec sa fille un long moment. Lorsque l'équipe de jour arriva, à sept heures, quelqu'un lui suggéra d'aller prendre un café.

Elle retourna dans le hall, sans même songer à s'arrêter à la cafétéria. L'image rayonnante de l'Allie d'avant l'accident fit surface, chassée presque aussitôt par l'espèce de masque mortuaire qu'elle venait de contempler. Elle s'était effondrée sur l'une des chaises en vinyle, les yeux dans le vague. Quelqu'un lui toucha le bras... Elle releva brusquement la tête. Trygve était là, douché, rasé, vêtu d'une chemise immaculée et d'un jean propre. Ses épais cheveux blonds fraîchement lavés brillaient. Il la considérait, alarmé. On était le lundi matin et Page paraissait totalement harassée.

Il lui trouva une mine épouvantable, pire encore que lors de la nuit précédente.

— Vous avez passé la nuit ici ?

— Oui, dans une salle d'attente.

Elle eut un sourire mais visiblement le cœur n'y était pas.

— Et vous n'avez pas fermé l'œil.

— Si, un peu. Suffisamment. J'ai vu Allie ce matin.

— Comment va-t-elle ?

— Pas mieux, je le crains. Mais j'étais contente d'être là, auprès d'elle.

Elle serait bien restée dans la salle de réveil jusqu'à la fin du monde. Au moins, elle pouvait la toucher, la regarder, lui dire combien elle l'aimait.

— Et Chloé ?

— Elle dort, répondit-il en s'asseyant sur la chaise voisine. Ils l'ont gavée d'antalgiques et c'est tant mieux. Elle ne ressent plus la douleur.

— Vos fils vont bien ?

— Bjorn est encore très choqué. J'ai demandé l'avis de son médecin traitant avant de l'emmener ici. Il ne comprend pas les notions abstraites comme « Chloé est malade », par exemple, à moins qu'on ne les lui rende concrètes en les lui mettant sous le nez. Ça a été une rude expérience pour lui. Il a pleuré une partie de la nuit et il a fait des cauchemars.

— Pauvre garçon...

Elle le plaignait de tout son cœur. « Mon Dieu, que la vie est dure, parfois. Injuste. En tout cas difficile à comprendre. »

— Comment va Andy ?

— Il a eu très peur. Brad lui a raconté qu'Allie se

remettrait bientôt de ses blessures. J'ai été nettement moins rassurante, de manière à ne pas lui donner de faux espoirs.

— Je suis d'accord avec vous. Brad doit éprouver quelques difficultés à admettre la réalité. La nier est parfois plus commode.

— Sans doute, fit-elle d'une voix désenchantée.

— Mais vous, Page, comment vous sentez-vous ? Vous avez l'air éreintée.

— Et je suis éreintée. Mais je m'y habituerai. On s'habitue à tout.

— Sauf au manque de nourriture. Quand avez-vous mangé pour la dernière fois ?

— Je ne sais plus... hier soir... j'ai préparé une pizza pour Andy. J'en ai mangé une bouchée ou deux.

— C'est une grave erreur ! Vous devez ménager vos forces. Allons, levez-vous ! Je vous invite à déjeuner.

Il s'était redressé et elle lui lança un regard de détresse. L'idée même de s'alimenter lui donnait envie de vomir. Elle aurait voulu rentrer dans sa coquille, oublier le reste du monde, s'éteindre en même temps qu'Allie. En la laissant dans sa sinistre petite cellule, elle avait eu la sensation de porter son deuil... Le deuil de ce qu'Allie avait été, celui de son amour avec Brad, de leur mariage raté, de toute une vie qui ne serait plus jamais la même.

— Je vous remercie, Trygve, mais je n'ai pas faim.

— Vous vous forcerez. Je ne vous lâcherai pas d'une semelle tant que vous n'aurez pas eu un repas convenable. A moins que vous ne préfériez être nourrie par perfusion, vous aussi. Allez ! intima-t-il en la tirant par la main. Sinon, j'appelle le médecin.

Elle le suivit à contrecœur vers la cafétéria où planait une épouvantable odeur de chou bouilli. Trygve sourit.

— Le cuisinier n'est pas un disciple de Bocuse, mais nous n'avons rien d'autre sous la main.

Il avait saisi un plateau sur lequel il déposa œufs brouillés au bacon, toasts, confiture, café.

— Si vous croyez que je vais avaler tout ça, vous êtes fou !

— Prenez-en la moitié. Vous vous sentirez mieux ensuite. Ne pas s'affamer par temps froid ni par période de stress... C'est un vieil adage norvégien. Quand Dana m'a quitté, j'avais perdu l'appétit. Je me suis forcé. Je me suis toujours senti plus en forme après un festin.

— Je n'arriverai pas à ingurgiter une seule bouchée.

— Le manque de nourriture et de sommeil n'a jamais rien arrangé. Soyez raisonnable, Page. Allez vous reposer quelques heures. Demandez à Brad de prendre la relève.

— Il voudra sûrement passer à son bureau. Je m'accorderai un intermède pour aller chercher Andy. J'ai oublié de demander à Jane de l'emmener au base-ball cet après-midi.

— Si je peux vous rendre service, n'hésitez pas. Nick retourne au collège dans quelques jours, Bjorn sera à l'école et Chloé dans son lit, ici même. Je peux parfaitement m'occuper d'Andy, acheva-t-il avec un large sourire amical.

— C'est très gentil à vous. Merci.

— De rien. J'ai tout mon temps. Je travaille la nuit. Je n'ai jamais écrit une ligne dans la journée.

Il se donnait un mal fou pour la distraire, passant du coq à l'âne tout en comptant mentalement les rares bouchées qu'elle absorbait. Il évoqua ses écrits. Son enfance en Norvège. Ses parents. Il la bombarda de questions sur sa peinture en déclarant qu'il adorait ses fresques. Sa présence avait le don de la détendre. Au milieu du cyclone, il rappelait un chêne solide que rien ne pouvait abattre... Par moments, Page perdait le fil de la conversation ; ses pensées voguaient alors vers Allison. Et vers Brad...

Trygve se leva pour prendre congé. Aujourd'hui, Bjorn passerait un nouveau test d'aptitude et il comptait y aller avec lui pour le soutenir moralement. Ils se dirent au revoir et Page lui promit d'aller voir Chloé de temps en temps, pendant son absence.

La fille de Trygve somnola toute la matinée. Quand l'effet des drogues se dissipait, elle poussait de petits gémissements en essayant péniblement de se retourner sur sa couche. L'infirmière de garde lui administrait alors une nouvelle dose de Demerol qui, de nouveau, la calmait.

Vers midi, les aides-soignants transportèrent Allison aux soins intensifs et ce fut plus facile de surveiller les deux jeunes filles à la fois. Brad arriva peu après. Quand il vit Allison, il éclata en sanglots et n'eut qu'une hâte, repartir. En quittant la pièce, il attira Page dans le couloir.

— Je suis navré de te causer un souci supplémentaire, ma puce, oui, navré, je te le jure.

Il semblait aussi abattu que Page.

— Il fallait bien que je l'apprenne un jour.

— Je regrette que ça se soit passé ainsi. Dans ces circonstances dramatiques.

Pris en flagrant délit de mensonge, Brad était en proie à un violent remords tandis que, étrangement, Page avait surmonté son désarroi du début. A son ancienne confiance insouciante s'était substituée une amère certitude. Son mariage avait pris un tournant fatidique. Mieux valait en avoir conscience plutôt que d'assister, impuissante, au naufrage sans rien y comprendre. Stéphanie était-elle au courant de leurs querelles ? En éprouvait-elle de la satisfaction ? Page n'en savait rien, tout comme elle ignorait quel serait le dénouement de cette lamentable histoire.

— J'ignore pourquoi c'est arrivé, dit-elle doucement.

Ils avaient débouché dans le vaste hall plein de monde, venu voir des malades. C'était un lieu mal indiqué pour une discussion intime ! Mais de toute façon, est-ce qu'il n'était pas préférable de renoncer à toutes ces questions ? C'était arrivé et voilà tout. Bon nombre de couples se séparaient après s'être juré qu'ils s'aimeraient jusqu'à ce que la mort les sépare. Leur union se terminait là, comme tant d'autres. Elle dévisagea Brad, une curieuse expression sur le visage.

— Que veux-tu, j'ai été le dindon de la farce. Tu m'excuseras mais j'ai du mal à le digérer. Pendant que tu t'amusais avec ta dulcinée, la brave petite ménagère que je suis t'attendait sagement à la maison.

La description qu'il avait faite de Stéphanie s'était gravée au fer rouge dans sa mémoire. *Indépendante... éprise de liberté... créative... originale...* Forcément ! Pas de mari, pas d'enfants, personne à qui rendre des comptes. Elle était libre comme l'air. Libre de vivre sa passion avec Brad, tandis que Page se pliait à ses innombrables devoirs de maîtresse de maison. Une rage froide la submergeait en y pensant.

— Cesse donc de te déprécier, répliqua Brad à mi-voix, de manière à n'être entendu que par elle. J'étais pris entre deux feux, je te le répète. Je t'ai toujours respectée, Page, tu as été la victime d'une situation qui me dépassait.

— Enfin un point sur lequel nous sommes d'accord.

— A présent, il faut trouver une solution.

— Vraiment ? Je n'en vois qu'une et qui me semble d'une évidence absolue, pourtant.

Elle avait déployé un effort titanesque pour adopter un ton distant, mais au fond de ses prunelles la fureur alternait avec un profond désespoir.

— Rien n'est évident. Pas pour moi, en tout cas... Ne me quitte pas, je t'en supplie, la supplia-t-il soudain.

Le fantôme d'un sourire moqueur passa sur les lèvres de Page.

— Ne renverse pas les rôles ! Jusqu'à présent, c'est toi qui projetais de me quitter, si je ne m'abuse.

— Je n'ai jamais dit ça ! J'ai seulement dit que je ne savais pas où j'en étais.

— Ah oui ? Eh bien, moi non plus. Après mûre réflexion j'en suis venue à conclure que la séparation serait la solution la plus appropriée à notre problème. Au fait, pourquoi hésites-tu au juste ? Tu ne peux pas garder ta femme sans perdre ta maîtresse, mon cher ! Qu'est-ce qui t'arrive, Brad ? Tu n'es pas sûr de cette fille ou tu crèves de peur à l'idée de changer tes habitudes ?

Elle avait haussé le ton, et il ébaucha un geste apaisant.

— Je t'en prie ! Inutile de mettre tout l'hôpital au courant de notre vie privée.

— Tes scrupules t'honorent. Pourtant, tes collègues doivent bien être au courant de tes frasques. Evidemment, les maris ou les femmes trompés sont les derniers à en être informés.

— Oh, Seigneur ! j'aurais payé cher pour que tu n'en saches rien. Pas de cette façon, en tout cas.

— Je l'aurais su un jour ou l'autre. Andy aurait eu un accident à la place d'Allie. Ou je serais tombée malade lors d'un de tes prétendus déplacements pour affaires. Ou même, nous aurions pu tomber nez à nez tous les trois.

— Page... Page...

— Quoi ? Qu'est-ce que tu vas me dire, encore ? Que toute cette mascarade n'était qu'une passade ? Hier soir, tu m'as laissé entendre que tu étais éperdument amoureux de cette merveilleuse femme libérée et que tu ne comptais nullement mettre fin à vos relations. Ai-je mal compris ? Suis-je folle ?

Même si elle avait mal interprété ses paroles, ses sentiments vis-à-vis de Brad ne seraient plus jamais comme avant. La colère qui l'habitait finirait peut-être par s'apaiser mais sa foi en lui resterait à jamais ébranlée. Elle ne pourrait pas vivre dans la suspicion permanente. Même son amour pour Brad s'en ressentirait.

Ce dernier affichait cette expression ennuyée qu'elle en était venue à abhorrer.

— Je n'ai pas parlé de rupture avec elle... J'ai simplement dit qu'il était trop tôt pour prendre une décision. Surtout tant qu'Allie est dans cet état.

— Ah je vois ! fulmina-t-elle, à voix basse cette fois. Le beurre et l'argent du beurre ! Tu continueras à voir ta maîtresse, sans toutefois te priver du confort de notre petit foyer douillet. Et ce sous prétexte que le moment n'est pas propice... D'accord, Brad, pas de problème ! Reste à la maison aussi longtemps que cela t'arrange. Et n'oublie pas de m'envoyer un faire-part de votre mariage.

Ses prunelles bleues, noyées de larmes, lançaient des éclairs, ses lèvres tremblaient. Il était impossible de résoudre un problème aussi compliqué dans un hall d'hôpital, pendant que leur fille gisait en salle de réanimation, dans le coma. Tous deux le savaient.

— Je propose que nous nous calmions en attendant qu'il y ait du nouveau au sujet d'Allie, dit Brad d'une voix ferme. Et puis, si nous nous séparions maintenant, Andy ne le supporterait pas.

Page fut obligée d'en convenir.

— Je suppose que tu as raison. Donc, tu continues ton... euh... ta petite affaire, et nous en reparlerons une autre fois, c'est ça ?

— Plus ou moins, marmonna-t-il en évitant son regard.

Il lui en demandait trop. A sa place, il aurait été fou de rage. Il attendit sa réponse, le souffle court.

— Autrement dit, je ferme les yeux et la vie continue. Plutôt pratique, ta suggestion... Enfin, ça dépend pour qui.

— Je ne sais pas où j'en suis, Page ! répéta-t-il d'un ton rude. Essaie de comprendre.

Il avait l'air sincère. Brad nageait dans un océan d'incertitudes. Il n'avait absolument pas le courage de rompre avec Stéphanie, et il s'accrochait à son mariage comme à une bouée de sauvetage. Il avait opté pour la solution la plus facile, ce qui porta l'exaspération de Page à son paroxysme. Mais une fois de plus, elle n'avait pas le choix. On l'avait mise, de nouveau, devant le fait accompli. Elle n'aurait pas la force d'assumer en même temps l'accident d'Allison, le départ définitif de Brad et la réaction d'Andy à leur divorce.

— En fait, tu me demandes la permission de continuer ta double vie, articula-t-elle d'une voix glaciale. Tu ne l'auras pas, autant que tu le saches tout de suite. Je ne lèverai pas le petit doigt pour te faciliter la tâche. Que tu le veuilles ou non, tôt ou tard tu subiras les conséquences de tes actes.

Le regard de Brad se fit fuyant et il fit semblant de consulter son bracelet-montre. Il avait désespérément besoin d'un instant de répit ; d'un bol d'air frais, loin de ce décor déprimant.

— Nous en reparlerons une autre fois, d'accord ? Il faut que je file au bureau.

— Où peut-on te contacter en cas d'urgence ?

Elle devinait qu'il avait hâte de partir, de la fuir, de se cacher quelque part, loin du malheur qui avait frappé Allie, à l'agence de publicité ou dans les bras de Stéphanie.

— Que veux-tu dire par *où* on peut me contacter ? rétorqua-t-il d'un ton déplaisant. Je t'ai dit que je serais à mon bureau.

— Parfait ! Au cas où tu déciderais d'aller... te promener ailleurs, laisse-moi un numéro de téléphone au standard.

Elle eut l'amère satisfaction de le voir rougir.

— Naturellement, bredouilla-t-il.

Elle faillit lui demander s'il comptait rentrer à la maison cette nuit mais les mots expirèrent sur ses lèvres. Ses mensonges ne manqueraient pas de provoquer une nouvelle dispute qu'elle n'avait guère le courage d'endurer. Leur conversation l'avait vidée du peu d'énergie qui lui restait et elle se sentait fourbue.

— Je t'appellerai plus tard... cria-t-il en se fondant dans la foule.

Alors qu'il se hâtait vers la sortie, elle le suivit d'un regard acéré, le cœur plein de ressentiment, dans un état proche de la haine. Elle se sentait submergée tour à tour par la fureur, la déception, la peur et le chagrin. Et une insoutenable sensation de solitude.

Elle retourna auprès d'Allison. Vers quinze heures, elle reprit en voiture le chemin de l'école primaire de Ross où Andy l'attendait. L'environnement familier, les gestes de routine, le babillage de son fils lui firent oublier temporairement le cauchemar qu'elle vivait. Elle passa l'après-midi avec Andy, avant de le conduire chez Jane Gilson à l'heure du dîner. Brad passerait sûrement le chercher à son retour du bureau.

— A demain matin, champion ! dit-elle en l'embrassant et en respirant avec plaisir le doux parfum de sa peau et de ses cheveux. Je t'aime.

Il avait noué ses petits bras autour du cou de Page.

— Moi aussi je t'aime, m'man. Embrasse Allie pour moi.

— Je n'y manquerai pas, poussin.

Elle remercia Jane, qui l'exhorta à se ménager davantage.

— Tu voudrais peut-être que je reste à la maison devant la télé ? se rebiffa Page. Je ne peux pas. Compte tenu de son état, il faut que je sois à ses côtés.

— Je le sais, ma chérie, mais sois raisonnable. N'abuse pas de tes forces.

— D'accord... d'accord...

La jeune femme grimpa dans sa voiture et démarra. A dix-neuf heures quinze, elle était de nouveau près d'Allison. Elle resta assise à côté du petit lit aussi longtemps qu'elle le put avant de se retirer dans l'une des salles d'attente, où elle prit place sur un siège inconfortable, la tête appuyée contre le mur, les paupières closes. Dans quelque temps, une des infirmières de garde l'appellerait et elle retournerait au chevet de sa fille. Le règlement ne tolérait pas les longues visites en salle de réanimation, de manière à ne pas déranger un personnel débordé.

— Vous n'avez pas l'air d'être confortablement installée.

La voix familière de Trygve. Elle rouvrit lentement les yeux et lui sourit. Au terme d'une journée interminable, l'épuisement l'avait totalement gagnée et elle se sentait comme paralysée. Allison restait plongée dans le coma. Les chances qu'elle reprenne conscience semblaient avoir diminué, car les aides-soignantes l'avaient placée sous surveillance constante.

— Comment s'est passée votre journée ? s'enquit-il en prenant place à son côté.

La sienne avait été harassante. Chloé souffrait le martyre, en dépit des médicaments qu'on lui administrait régulièrement.

— Pas terrible... (Puis, se rappelant le nombre impressionnant de messages sur son répondeur :) je suppose que vous avez reçu des dizaines de coups de fil, vous aussi ?

— En effet. Tous les camarades de Chloé m'ont appelé. Un groupe de gosses a débarqué ici après l'école mais ils se sont vu interdire l'accès des soins intensifs. Quelques-uns voulaient voir Allie. Bien sûr, les infirmières leur ont dit que c'était impossible.

— Elles recevront toutes les visites qu'elles voudront quand elles iront mieux. (Si toutefois Allison allait jamais mieux, songea-t-elle sans trop y croire.) La nouvelle de l'accident a fait le tour du lycée comme une traînée de poudre. La mort de Phillip Chapman a produit une vive émotion parmi les élèves.

— Deux ou trois journalistes ont montré le bout de

leur nez dans la cour de récréation. Ils menaient une enquête sur Phillip. Il était, paraît-il, la vedette de l'équipe de natation. L'un des meilleurs éléments de sa promotion. Voilà qui donnera du fil à retordre aux colporteurs de potins.

Le journal local avait publié le jour même un rapport complet de l'accident sur plusieurs colonnes, avec les photos des quatre jeunes prisonniers de la Mercedes tragique. Le texte était principalement consacré à Laura Hutchinson. Celle-ci ayant refusé toutes les interviews, le secrétariat du sénateur avait fourni à la presse une magnifique photo de la jeune femme, ainsi qu'une notice biographique. D'après le porte-parole du sénateur, Mme Hutchinson était soignée pour une dépression nerveuse consécutive à l'accident. Mère de trois enfants, elle compatissait pleinement au chagrin des Chapman et s'inquiétait du sort des autres victimes. Visiblement, le papier avait été conçu pour la laver de tout soupçon. Tout en proclamant que le taux d'alcoolémie du conducteur de la Mercedes excluait un diagnostic d'ivresse, l'auteur du compte rendu laissait entendre que les adolescents avaient bel et bien bu quelques verres. A la fin de la lecture, l'impression que Phillip avait provoqué la collision prédominait.

— Voilà un article fichtrement bien ficelé, remarqua Trygve. Sans accuser ouvertement le jeune Chapman, il réussit par des moyens détournés à conforter les lecteurs dans une opinion défavorable à son encontre. Naturellement, Mme Hutchinson y apparaît comme l'innocence personnifiée. Membre éminent de la haute société, épouse modèle, excellente mère. Qui oserait mettre en doute la parole de cette blanche colombe ?

— Vous n'avez pas l'air de la porter dans votre cœur.

Pour sa part, Page ne savait que penser. Les analyses du laboratoire indiquaient que Phillip n'était pas en état d'ivresse. Certes, l'un des deux conducteurs portait la responsabilité de l'accident, mais à quoi bon pousser plus avant les recherches? Mettre un nom sur le coupable n'arracherait pas Allison à son coma, ne réparerait pas les jambes de Chloé. A quoi servirait une éventuelle poursuite en justice? Rien ne ramènerait Phillip à la vie.

— En effet, je n'éprouve pas de grande sympathie pour Mme Hutchinson, avoua Trygve, mais le problème n'est pas là. Je sais comment les journalistes s'y prennent pour rédiger un article. Ils n'hésitent pas à recourir à toutes sortes de subterfuges allant de l'insinuation perfide au mensonge déguisé, à seule fin de faire prévaloir leur propre version des faits. Les chroniqueurs politiques font la même chose. Leurs écrits sont le miroir de leur point de vue personnel ou de celui de leur journal... De toute façon, aucun récit ne peut contenir toute la vérité. Il est façonné pour refléter une image précise. Les assistants du sénateur ont orienté leur récit de manière à présenter Mme Hutchinson sous son meilleur jour. Peut-être n'est-elle pas fautive, mais on n'en sait rien, et ils tiennent à s'assurer qu'elle passera auprès du public pour la femme idéale doublée de la parfaite conductrice.

— Mais vous, vous ne croyez pas à son innocence.

— Ni à son innocence ni à sa culpabilité. A en croire les policiers, il est difficile de tirer une conclusion. La fameuse ligne de démarcation a été dépassée par les deux véhicules. Sauf que Phillip n'était qu'un gosse, et donc un chauffeur inexpérimenté par rapport à Laura Hutchinson... A force de prétendre que les jeunes deviennent fous au volant, la majorité des gens sont prêts à le croire... J'ai mené ma petite enquête auprès des camarades de Phillip. Il était connu pour son sens profond de ses responsabilités. Et puis, rappelez-vous, selon Jamie Applegate, il avait bu un demi-verre de vin suivi de deux tasses de café noir, sans oublier le capuccino. Il m'est arrivé de prendre le volant avec plus d'alcool dans les veines... C'était un jeune homme robuste. Un demi-verre n'aurait pas influé sur ses réflexes. En revanche, Mme Hutchinson a prétendu n'avoir pas pris une seule goutte d'alcool de la nuit. Elle est plus âgée, sobre, connue, plus respectable, bref, c'est une adulte ! Sans autre preuve à l'appui, Phillip commence à susciter le doute. Pour un peu, on le déclarerait coupable... Ce n'est pas juste ! Voilà ce qui me gêne. Les jeunes ont toujours tort face à leurs aînés, quelles que soient les circonstances. On est prêt à rejeter le blâme sur Phillip parce qu'il avait dix-sept ans... Je trouve cela particulièrement déplaisant pour sa famille.

Trygve s'interrompit un instant, avant de poursuivre :

— J'ai parlé une nouvelle fois avec Jamie aujourd'hui. Il continue de jurer qu'ils n'étaient pas ivres. Que Phillip avait toujours fait preuve d'une extrême prudence en voiture. Moi aussi je l'ai cru coupable au début... Soit dit entre nous, la première fois que j'ai vu le petit Applegate, je l'aurais étranglé avec plaisir. Il représentait pour moi l'instigateur de cette soirée qui s'est achevée dans le sang. Je lui en voulais d'avoir incité Chloé à me mentir et de l'avoir entraînée dans cette maudite galère... Peu à peu, j'ai changé d'avis. Jamie est quelqu'un de correct. Un gosse bien élevé. Il voudrait rendre visite à Chloé. Je lui ai simplement demandé d'attendre quelques jours. Après, on verra.

— Le laisserez-vous la voir ? questionna Page, impressionnée par son sens de la justice.

La suspicion de Trygve à l'encontre de Laura Hutchinson l'intriguait. La vérité devait pourtant être beaucoup plus simple : un accident de la circulation comme tant d'autres. A qui la faute ? La plupart des acteurs de ce drame avaient payé très cher un moment d'inattention, l'échange fugitif d'un regard, un geste furtif. Le grain de sable dans un mécanisme bien huilé... Page n'en voulait à personne.

— Si Chloé désire le revoir également, je ne m'y

opposerai pas, répliqua Trygve. Elle prendra sa décision quand elle ira un peu mieux. J'ai eu M. Applegate au téléphone. Il dit que Jamie a peur que... (Dans le souci de ménager la sensibilité de Page, il chercha les mots adéquats :) qu'aucun de ses amis ne survive à l'accident. Il semble avoir développé un énorme complexe de culpabilité par rapport à Phillip. C'était son meilleur ami.

Elle ne répondit rien, et il s'enquit gentiment :

— Irez-vous aux obsèques de Phillip demain ?

Lentement, elle inclina la tête. Elle le devait bien aux parents. Ils avaient perdu leur unique enfant. Comme elle avait presque perdu Allie. Leur douleur, elle la ressentait comme une flèche acérée en plein cœur.

— Oui, souffla-t-elle. Pauvres gens...

— Est-ce que Brad vous accompagnera ? Sinon je passerai vous prendre. Ce sera moins pénible que d'y aller seule.

Page respira à fond l'air moite et douceâtre de l'hôpital. Pourvu qu'elle n'ait pas à endurer à son tour le supplice de la mère de Phillip... Qu'elle ne soit pas obligée d'accompagner Allison à sa dernière demeure.

— Je ne pense pas que Brad voudra y aller.

Il détestait les enterrements et persistait à rendre le fils Chapman entièrement responsable de l'accident.

— Seule une force psychique extraordinaire permet de traverser de telles épreuves, reprit-elle dans un murmure, ses yeux humides tournés vers Trygve. Depuis deux jours, j'ai l'impression que la terre s'est arrêtée de tourner. Ma vie passée me fait l'effet d'un château de cartes qui se serait brusquement effondré. Comment peut-on faire face à une horreur pareille sans que le ciel vous tombe sur la tête ?

Elle s'était exprimée en toute confiance, comme on s'épanche sur l'épaule d'un vieil ami ou d'un frère.

— Je suppose qu'il faut laisser le ciel vous tomber sur la tête... et recoller les morceaux après.

— Oui, sans doute, soupira-t-elle, l'esprit accaparé par la dernière vision qu'elle avait eue de Brad, se hâtant vers la sortie de l'hôpital, comme s'il était poursuivi.

— Comment réagit Brad ? interrogea Trygve, comme s'il avait lu dans ses pensées. Il a dû recevoir un sacré choc à Cleveland, quand il a su pour l'accident.

L'espace d'une seconde, elle fut tentée de lui avouer que son mari n'avait jamais mis les pieds à Cleveland. Mais elle y renonça.

— Assez mal. L'inquiétude, je suppose, ajoutée à la peur, puis la colère. Il tient Phillip pour le suspect numéro un et... je crois que je viens en deuxième position. Oh, il ne l'a pas clairement affirmé mais deux ou trois allusions à mon laxisme quant à l'éducation de notre fille ont fait mouche.

Inconsciemment, Brad n'était que trop content de pouvoir lui aussi lui reprocher quelque chose. Page regarda Trygve, les yeux pleins de larmes.

— Le pire, c'est qu'il a raison. Si j'avais été plus attentive, moins crédule, si je lui avais posé des questions plus précises ce soir-là, nous n'en serions pas là.

Un sanglot d'épuisement lui laboura la gorge. Trygve lui entoura les épaules d'un bras protecteur.

— Voyons, Page, nous en avons déjà parlé. Et nous avons conclu que le rôle de parents ne consistait pas à jouer les gardes-chiourmes. Nous n'allons pas nous blâmer éternellement de leur avoir fait confiance. Leur petit mensonge n'avait rien d'un crime. Si leur sortie ne s'était pas si mal terminée... Mon Dieu, qui pouvait le prévoir ?

— Moi ! Du moins, c'est l'opinion de Brad.

— Dana pense la même chose. Il leur faut un bouc émissaire. C'est une façon comme une autre de se décharger d'un trop-plein d'angoisse.

— Oui, peut-être.

Devant ses yeux défilait une succession de chiffres,

des statistiques sur les divorces qu'elle avait parcourues récemment, selon lesquelles, les accidents des enfants ou leur mort servaient souvent de révélateur d'une faille au sein de la famille... Eh bien, dans son couple, la faille en question prenait des allures de Grand Canyon.

— Actuellement, s'entendit-elle déclarer, ça ne va pas très fort entre Brad et moi.

La confidence lui avait échappé. Elle avait besoin d'une oreille attentive, d'une âme compatissante. De sa vie elle ne s'était sentie aussi seule, aussi malheureuse, et la nécessité de partager son infortune avec quelqu'un se faisait plus impérieuse à chaque instant. Elle n'avait toujours pas appelé sa mère à New York. Son univers s'était subitement réduit aux murs de cet hôpital.

— Brad et moi...

Elle ne put aller plus loin.

— Vous n'êtes pas obligée de vous justifier. Il existe des moments dans la vie qu'on ne peut surmonter. Si j'étais encore marié avec Dana, notre union ne résisterait pas à ce drame.

Dana n'avait pas exprimé le désir d'accourir auprès de sa fille. Elle s'était contentée de l'accuser de négligence, mais l'idée de sauter dans un avion à destination de San Francisco ne l'avait pas effleurée. « Je serai heureuse de recevoir Chloé quand elle ira mieux » avait été son seul commentaire.

Le reste du respect que Trygve éprouvait encore pour elle avait disparu à ce moment-là, d'un seul coup, et il s'était traité d'imbécile d'avoir vécu avec cette femme pendant vingt ans, sous prétexte de ne pas perturber leurs enfants.

—... notre problème n'a rien à voir avec l'accident, disait Page. Il est apparu en plein drame, par pure coïncidence.

Trygve n'essaya pas d'interpréter ces paroles sibyllines. Visiblement, quelque chose ne tournait pas rond entre elle et son mari. Ce dernier aurait-il une liaison ? Il ne connaissait que trop bien ce problème mais il repoussa cette hypothèse. Brad Clarke n'avait jamais appartenu à la catégorie des coureurs de jupons.

— Evitez de tirer des conclusions en période de crise, dit-il.

— Même si j'ai découvert que j'ai été abusée des années durant ? Que tout ce qui me liait à lui n'était qu'illusion ?

— Si c'est vrai, vous le saurez plus tard. N'émettez aucun jugement maintenant. Aucun de vous deux n'est en mesure de prendre la bonne décision.

— Qu'en savez-vous ?

— J'ai une longue expérience en la matière. Les mensonges, les apparences trompeuses, je ne connais cela que trop bien. En ce qui vous concerne, je suis sûr que vous n'êtes pas en état d'y voir clair. Enfin, Page, regardez-vous. Vous êtes exténuée, vous n'avez ni mangé ni fermé l'œil depuis deux jours. Votre enfant a failli mourir, vous êtes encore sous le choc. Comme moi... comme Brad... comme nos autres enfants. Comment voulez-vous vous fier à vos réactions ? Moi, par exemple, je n'ose plus passer de commande chez mon épicier de peur d'être complètement incohérent et de réclamer des graines pour le chien ou des boîtes de pâtée pour le canari. Accordez-vous une trêve. Tâchez de ne plus y penser. Enfin, pas tout le temps.

Un sourire inattendu brilla sur les lèvres de Page.

— Vous feriez un excellent conseiller matrimonial.

— Je suis le spécialiste des causes perdues.

— Votre mariage a donc été si décevant ?

Trygve la tenait toujours enlacée, comme pour lui communiquer sa force.

— Pire que ça ! fit-il avec un sourire plein d'humour. Je crois que j'ai gagné les palmes du mariage le plus désastreux de l'histoire de l'humanité. Je m'en suis remis mais l'idée de recommencer me fait dresser les cheveux sur la tête.

« Il n'a pas eu un seul flirt depuis que la maman de Chloé est partie », avait dit Allison, pas plus tard que le samedi soir. C'était pourtant un homme intelligent, séduisant, d'une rare gentillesse.

— Avec le temps, vous changerez d'avis, dit-elle, et cette affirmation arracha un rire désabusé à son compagnon.

— Dans une cinquantaine d'années, alors ! Je ne suis pas pressé de refaire la même bêtise. Ni de rendre mes enfants malheureux.

— Quand vous cesserez d'avoir peur du mariage, vous rencontrerez certainement quelqu'un digne de vous.

— Le plus tard possible ! Le bonheur de mes enfants passe avant tout.

— J'ai été mariée au même homme depuis l'âge de vingt-trois ans. Et pendant tout ce temps, j'ai acquis la conviction que tout était parfait. Et pourtant, je me trompais. Je ne sais plus quoi penser, j'ignore même qui j'ai épousé. Je suis dans la confusion la plus totale.

Et tout cela, en deux jours. En quelques heures. En une minute.

— Rappelez-vous ce que je vous ai dit. N'émettez aucun jugement en période de crise.

— J'essaierai de m'en souvenir, murmura-t-elle, étonnée de la facilité avec laquelle elle se confiait à cet homme.

En quarante-huit heures, elle en était venue à le considérer comme son seul ami. A part Jane, ses relations ne s'étaient signalées que par des coups de fil de sympathie. Même Brad l'avait laissée tomber. Seul Trygve avait été présent ; cela, elle ne l'oublierait jamais.

Il était presque minuit. Ils avaient discuté longuement, en retournant de temps à autre aux soins intensifs. Chloé dormait, Allison était toujours inconsciente. Trygve se préparait à rentrer chez lui, quand le médecin chef demanda à parler à Page. Allison présentait des complications post-opératoires, déclara-t-il. Ils avaient détecté les premiers signes de l'œdème cérébral qu'ils avaient redouté dès le début. L'inflammation exerçait une forte pression sur la blessure suturée et la voûte crânienne, favorisant la formation de caillots de sang.

Trygve décida aussitôt de rester avec Page. L'équipe chirurgicale s'était réunie au complet autour d'Allison. Son état général s'était dégradé : la tension artérielle était montée à des hauteurs vertigineuses, le pouls s'était ralenti. Vers une heure du matin, Hammerman, appelé d'urgence, ne put que constater la détérioration.

Œdème, pression, caillots de sang.

Page considérait tour à tour les médecins, l'air éperdu. Une heure plus tôt, l'interne de service avait parlé d'état stationnaire. Subitement, les choses s'étaient aggravées. En attendant que l'équipe de neurochirurgie délibère, elle avait vainement essayé de joindre Brad à la maison et lui avait laissé plusieurs messages sur le répondeur. En désespoir de cause, elle pria Trygve de téléphoner à Jane Gilson. Son mari avait dû s'endormir, Jane le réveillerait en allant sonner à sa porte.

De retour de la cabine téléphonique, Trygve lui répéta les paroles de Jane. Brad n'était pas passé chercher Andy. Jane avait fait dîner le petit garçon et l'avait mis au lit où il avait fini par s'endormir. Elle n'avait pas la moindre idée de l'endroit où Brad pouvait bien être. Il ne l'avait même pas appelée.

— Pas appelée ? répéta Page, interdite.

Etait-il donc devenu un monstre d'insensibilité ? Sa passion l'avait donc emporté sur tout le reste ? Même sur son amour pour sa propre fille ?

— Non, Page. Je suis désolé.

Trygve prit sa main entre les siennes. Il avait peut-être vu juste, finalement, pensa-t-il. Brad Clarke devait avoir une maîtresse, à moins qu'il ne fît la tournée des bars, afin de noyer ses angoisses dans l'alcool. Il eut pitié de Page. En vérité, plus rien ne l'étonnait. Dana lui en avait fait voir de toutes les couleurs.

— Ne vous mettez pas martel en tête. Il finira par réapparaître. Il a probablement la phobie des hôpitaux. J'étais comme lui, avant.

Ils attendaient le diagnostic des médecins dans le couloir, sous la lumière blafarde des tubes de néon.

— Qu'est-ce qui vous a guéri de votre phobie ?

— Mes gosses. Il fallait bien endosser les responsabilités que Dana refusait. Votre mari n'est pas là parce qu'il sait que vous veillez sur Allison, ajouta-t-il gentiment.

Les médecins réapparurent et en scrutant leurs traits soucieux, le cœur de Page s'arrêta, le temps d'un battement. Le pronostic s'avérait des plus sombres. L'œdème cérébral amenuisait les chances de survie de leur patiente. Si l'on se fiait aux apparences, Allie n'en avait plus pour longtemps.

Le cri désespéré de Page se répercuta sur les cloisons lisses du corridor.

— Vous voulez dire... maintenant ? Ce soir ?

Elle avait vacillé, s'était appuyée contre le mur blanc, le visage décomposé. Une fois de plus son esprit buta contre la signification des mots.

Inflammation... voûte crânienne... pression... dégradation.

Qu'avaient-ils voulu lui faire comprendre ? Qu'Allie était en train de mourir ? « Oh, non, non, non, mon Dieu, je vous en supplie, non ! » Elle s'élança dans la salle de réanimation, la figure ravagée par les larmes. Sa main agrippa celle de sa fille, comme pour l'empêcher de sombrer, la tirer vers la vie, tandis que l'ombre hideuse de la mort planait au-dessus de la mince silhouette blanche, surmontée d'écrans lumineux où défilaient des tracés incompréhensibles... Elle s'assit près du lit étroit, sans quitter du regard le visage émacié d'Allison. Faisant une entorse au règlement, les infirmières de nuit feignirent de ne pas le remarquer, pauvre mère dont le buste s'inclinait vers son enfant à l'agonie, ses doigts pressant la petite main glacée, une fervente prière sur ses lèvres.

— Je t'aime, chuchotait-elle de temps à autre. Je t'aime.

A l'aube, elle était toujours là. L'œdème cérébral s'était stabilisé. Allison inspirait, puis expirait d'une façon mécanique, à l'aide du respirateur. Il n'y avait eu aucune amélioration mais elle vivait. De nouveau, les médecins se penchèrent sur son cas, optèrent pour un lourd traitement chimique destiné à combattre les effets secondaires de l'opération. L'un d'eux suggéra à Page de rentrer chez elle en lui promettant de l'avertir immédiatement si un changement venait à se produire dans un sens ou dans l'autre.

La pendule murale indiquait six heures et demie du matin, lorsqu'elle quitta l'unité des soins intensifs. Elle longea le couloir comme un automate, le corps fourbu, les jambes flageolantes et s'engouffra dans un ascenseur. Dans le hall, elle aperçut Trygve. Il somnolait sur une chaise d'où il n'avait pas bougé de la nuit. Il voulait être présent au cas où Allison aurait rendu son dernier soupir... Et Brad qui n'avait pas appelé. « Quel salaud ! » s'était-il dit en se gardant bien d'exprimer sa pensée à voix haute. Trygve se contenta de se réjouir, lorsque Page lui annonça qu'Allison avait survécu à ce nouveau coup du sort.

— Je vais vous déposer, offrit-il. Laissez votre voiture ici. Je repasserai vous prendre plus tard.

Elle le suivit, trop éreintée pour discuter. Si l'œdème se résorbait... Si Allison reprenait conscience... Si seulement... Elle prit place sur le siège avant de la voiture.

— Vous avez été très courageuse, la félicita Trygve en se penchant vers elle pour l'embrasser sur la joue, avant de faire tourner le moteur.

— J'ai eu si peur ! J'aurais voulu me terrer quelque part. Prendre mes jambes à mon cou. Disparaître.

— Mais vous êtes restée. Et elle a tenu bon. Les progrès s'accompliront pas à pas, observa-t-il avec sagesse.

La voiture traversa Ross encore endormie dans les premières lueurs d'une aube nouvelle. Arrivé devant la résidence des Clarke, Trygve jeta à sa passagère un regard attendri. Elle dormait profondément, la tête penchée sur sa poitrine, vaincue par la fatigue. Pendant un instant il eut scrupule à la réveiller, puis il lui secoua doucement l'épaule.

— Oooh ! fit-elle dans un tressaillement. Merci, Trygve. Merci de votre amitié.

— J'aurais préféré que notre amitié voie le jour dans d'autres circonstances... Autour de l'équipe de natation, par exemple, ou en admirant vos fresques. Souhaitez-vous toujours vous rendre aux obsèques de Phillip Chapman aujourd'hui ?

Elle acquiesça. Il était inutile de compter sur Brad.

— Je viendrai vous chercher vers quinze heures. Essayez de dormir un peu entre-temps.

— Je ferai de mon mieux.

Elle lui effleura la main avant de pousser la portière. Il la suivit du regard, alors qu'elle gravissait la volée de marches, puis glissait sa clé dans la serrure de l'entrée. Visiblement, la villa était vide... Il était sept heures du matin.

Page referma doucement la porte derrière elle et s'adossa au battant de chêne. Que dirait-elle à Brad quand ils se reverraient ? Qu'avaient-ils encore à se dire sinon « adieu » ? Mais n'était-ce pas déjà fait ?

7

Debout au milieu du vestibule, Page jeta autour d'elle un regard embrumé. Elle titubait de fatigue, un besoin lancinant de sommeil lui tiraillait les muscles, chaque fibre de son corps aspirait au repos... mais Andy avait besoin d'elle. Rassemblant les forces qui lui restaient, elle passa dans la salle de bains où elle se rinça longuement le visage à l'eau froide. Le répondeur téléphonique était saturé d'appels d'amis inquiets... mais pas le moindre message de Brad. Une fureur subite enflamma les pommettes de Page. Leur fille se débattait contre la mort et ce lâche avait choisi la fuite. La dénommée Stéphanie devait exercer sur lui une influence considérable, puisqu'elle comptait apparemment davantage que toute sa famille réunie.

Elle se rendit chez Jane Gilson. Andy dégustait un copieux petit déjeuner dans la cuisine, la télévision était branchée. En fredonnant, Jane disposait sur la table une fournée de gaufres au sirop.

— Bonjour, petit veinard ! dit Page d'une voix que l'épuisement rendait pratiquement inaudible, en embrassant son petit garçon sur le sommet de la tête.

Elle adressa un sourire à Jane, qui lui adressa en retour un regard atterré. Rien ne lui avait échappé, ni les cernes mauves sous les yeux de Page ni ses traits chiffonnés.

— Comment va Allie ? demanda immédiatement Andy.

Elle ravala ses larmes. Elle ne savait que dire à son fils pour ne pas trop l'effrayer. Allie avait failli les quitter pour toujours, cette nuit-là. Grâce à Dieu, elle était encore parmi eux... Jusqu'à quand ? Jane lui toucha l'épaule en lui tendant une tasse de café fumant.

— Elle... va mieux maintenant, réussit-elle à articuler à l'adresse d'Andy. Elle a eu une nuit difficile, reprit-elle en se tournant vers Jane. Un œdème cérébral probablement dû à l'intervention, doublé d'une insuffisance respiratoire.

— Est-ce qu'elle va *mourir*, m'man ?

Les yeux d'Andy, agrandis par la peur, interrogeaient sa mère, qui secoua la tête.

— Non, mon chéri. J'espère que non.

Il observa un bref silence circonspect avant de poser une autre question tout aussi embarrassante.

— Où est papa ? Il n'est pas venu me chercher hier soir.

— Papa travaille beaucoup, tu sais. Il est resté tard au bureau. Tu dormais quand il est rentré, et il n'a pas voulu te réveiller.

Andy eut l'air soulagé. Il n'avait pas assisté à leur querelle de la veille mais il avait bien senti que ses parents ne s'entendaient plus comme avant. L'accident d'Allison avait tout chamboulé. Son père et sa mère se comportaient bizarrement. Ne se parlaient pratiquement plus ou alors sur un ton acerbe, hostile, voire agressif. Submergé par un sentiment d'insécurité, le garçonnet s'accrocha à sa mère.

— Est-ce que je verrai Allie, aujourd'hui, m'man ?

— Pas encore, mon lapin.

Pour rien au monde elle ne lui infligerait le spectacle d'une Allison sans cheveux, la tête enfouie sous les pansements, les yeux bandés, le corps hérissé de tuyaux la reliant aux machines, l'infecte odeur de la mort planant dans la chambre.

— Tu la verras quand elle ira mieux... quand elle se réveillera, promit-elle en détournant la tête pour lui cacher ses larmes.

Jane la prit par les épaules.

— Tu tombes de sommeil, Page. Va vite te coucher. J'emmenerai Andy à l'école.

— Je *veux* ma maman ! pleurnicha le petit garçon.

Page tenait à peine debout, mais il était trop jeune pour le comprendre.

— Je vais l'emmener, soupira Page en s'octroyant une gorgée de café corsé. Je serai de retour dans dix minutes et me mettrai au lit.

Elle s'accorderait quelques heures de repos avant que Trygve ne vienne la chercher pour la cérémonie funèbre. Le personnel hospitalier savait où la joindre en cas d'urgence.

Elle avait emprunté la voiture de Jane et elle dut se battre pour ne pas s'endormir au volant en emmenant Andy à l'école. Au retour, elle roula au ralenti, de peur de céder au sommeil.

Il n'y avait toujours aucun message de Brad sur le répondeur, et il était encore trop tôt pour l'appeler à son bureau. Comment avait-il osé passer la nuit dehors sans l'avertir ? Et qu'aurait-il dit s'il l'avait eue au bout du fil ? (Excuse-moi, mais je vais coucher chez ma petite amie.) En quelques jours, l'édifice qu'ils avaient construit ensemble seize années durant s'était lézardé, comme l'un de ses fameux trompe-l'œil, si habilement peints qu'ils avaient l'air réels.

Il était neuf heures du matin, lorsque Page s'effondra sur son lit. Allison accaparait ses pensées mais son corps, trop exténué, eut raison des terreurs qui hantaient son esprit. Une demi-heure plus tard, elle dormait à poings fermés, tout habillée. Vers midi, la sonnerie stridente du téléphone la tira de sa torpeur.

Elle bondit littéralement hors du lit, affolée à l'idée que ça pouvait être l'hôpital.

— Allô ? allô ? croassa-t-elle, au comble de l'angoisse.

— Seigneur, Page, que se passe-t-il ? Es-tu malade ?

— Ah... maman... non. Je dormais.

Il ne fallait pas compter sur sa mère pour lui rendre la tâche moins pénible.

— A cette heure-ci ? Voilà qui est inhabituel. Serais-tu enceinte ?

— Mais non. Je me suis couchée tard.

« Parce que ta petite-fille est à l'article de la mort. »

Elle regretta de ne l'avoir pas prévenue plus tôt.

— La dernière fois que je t'ai eue au téléphone, tu m'as promis de me rappeler ce week-end. J'attends encore ton coup de fil.

Mme Addison avait érigé le sous-entendu acide en art de vivre. Elle adorait se plaindre de ce qu'elle appelait la négligence de Page. Elle était beaucoup plus proche d'Alexis, sa fille aînée, qui vivait elle aussi à New York.

— Pardonne-moi, maman, j'ai été très occupée. (Comment annonce-t-on des catastrophes ? Yeux fermés, elle aspira à pleins poumons, en s'efforçant de maîtriser son émotion.) Allison a eu un accident samedi soir.

— Elle va bien ? questionna la vieille dame sans dissimuler sa stupeur.

Ces simples mots suffirent à déprimer davantage Page. Sa mère s'était inventé un monde dans lequel la douleur, le chagrin ou le sordide n'avaient pas place. C'était un univers personnel, régi par la perfection.

— Non, elle ne va pas bien. Elle est dans le coma. Elle a subi une intervention chirurgicale au cerveau samedi. Nous ignorons comment cela évoluera. Désolée de ne pas te l'avoir dit plus tôt. J'attendais qu'elle aille mieux, afin de ne pas t'alarmer.

— Et Brad ?

« Bonne question ! » se dit Page.

— Brad va bien. Il n'était pas dans la voiture accidentée. Allison était sortie avec des camarades.

— Le pauvre homme doit être dans tous ses états.

Une autre manie de Mme Addison consistait à tout ramener à Brad. La détresse de sa fille, le fait qu'Allison pouvait succomber à ses blessures, semblaient la préoccuper nettement moins que les états d'âme de son cher gendre.

— C'est dur pour nous tous, maman. Pour Brad, pour Andy, pour moi... pour Allie également.

— Elle s'en sortira, voyons !

— Nous n'en savons rien encore.

— Sutout, ne te laisse pas abattre. Ce genre de choses paraît déroutant de prime abord, mais les gens survivent aux accidents les plus graves tout le temps.

Bon sang, cette volonté féroce de fuir la réalité à tout prix ! Evidemment, il était difficile d'évaluer les dégâts sans avoir vu Allison.

— J'ai lu un tas d'histoires à propos de patients qui sont dans des états comateux à la suite d'un traumatisme crânien. Eh bien, un beau jour, ils sortent du coma et hop ! tout repart comme s'ils n'avaient jamais rien eu. Allie est jeune. Elle s'en tirera.

— Espérons-le, murmura Page, regrettant de ne pouvoir partager l'optimisme de sa mère. Je te tiendrai au courant.

Elles n'avaient jamais réussi à communiquer. Depuis que Page avait quatorze ans, rien n'avait vraiment changé. Du haut de sa tour d'ivoire, sa mère n'entendait que ce qu'elle voulait bien entendre, ne croyait qu'à ce qui l'arrangeait.

— Dis-lui que je l'aime ! déclara fermement Maribelle Addison. Les gens dans le coma entendent tout. Est-ce que tu lui parles, au moins ?

Page hocha la tête, alors que des larmes coulaient lentement sur ses joues... Si elle lui parlait ! Elle n'avait cessé de lui rappeler combien elle l'aimait, la suppliant de ne pas mourir.

— Oui, bien sûr, chuchota-t-elle d'une voix enrouée.

— Parfait ! Dis-lui que grand-mère et tante Alexis pensent à elle. Veux-tu que nous venions ? ajouta-t-elle comme si elle venait seulement d'y songer.

Mme Addison et sa fille aînée ne se séparaient jamais. Et c'était la dernière chose au monde que Page souhaitait.

— Oh, non. Je vous ferai signe si j'ai besoin de vous.

— N'hésite pas, ma chérie. Je te rappelle demain à la même heure, d'accord ?

On eût dit qu'elle prenait rendez-vous pour une partie de bridge. Mme Addison, qui pratiquait depuis des lustres la pensée positive, s'était vite persuadée que rien ne pouvait menacer Allison. Sa conviction absolue avait une fois de plus triomphé de tout ce qu'elle considérait comme des sentiments négatifs : appréhension, peur, inquiétude. Et comme toujours, elle n'offrit aucun réconfort moral à sa fille cadette.

— Merci, maman. Mais je...

— Allons, courage, ma chérie. Alexis et moi nous allons faire du shopping demain. Je te passerai un coup de fil dès mon retour. Embrasse pour moi Brad et Andy.

— Je n'y manquerai pas.

Après qu'elle eut raccroché, Page, immobile, s'abîma longuement dans la contemplation du parquet. Il fallait coûte que coûte arrêter de ressasser le passé... sa vie d'avant, avec Allie, Andy et Brad... Cette vie-là n'existait pas, n'existerait plus. Les odieux mensonges cumulés au malheur qui avait frappé si cruellement l'avaient détruite. Mais quelle que fût la réalité, Page était résolue à l'affronter. Tout, plutôt que cette fuite éperdue en avant, chère à Maribelle Addison... Sa sœur Alexis excellait également à ce petit jeu. Elle avait épousé les théories de leur mère. Tout allait pour le mieux dans le meilleur des mondes. Si, par hasard, une fausse note détonnait au milieu de la sublime mélodie de leur bonheur factice, eh bien, il suffisait de l'ignorer, sans jamais la mentionner. Le navire enchanté de leur existence croisait au large d'une mer mythique, sous un ciel sans nuages. Jamais l'orage ne risquait d'éclater, aucun péril ne rôdait alentour. Elles auraient tenu ce discours lénifiant en plein naufrage...

Page, elle, avait bien failli se noyer. Durant toute son enfance, elle avait suffoqué sous le poids écrasant d'une félicité artificielle qui, semblable à un voile diapré, dissimulait de sombres secrets de famille que l'on n'évoquait jamais. Adolescente, elle n'avait eu de cesse de quitter la maison. Elle avait profité de son inscription aux Beaux-Arts pour déménager. Ses parents, mécontents, lui avaient coupé les vivres, mais la rebelle n'avait pas cédé à leur chantage. Un emploi de serveuse dans un restaurant lui avait permis de payer ses études et son loyer. Elle aurait fait n'importe quoi pour gagner sa liberté... pour « sauver sa peau », comme elle disait à l'époque.

Perdue dans ses pensées, elle ne l'entendit pas entrer. Brad était sur le seuil de la chambre, lorsque, dans la pénombre, Page esquissa un mouvement, et chacun sursauta en apercevant brusquement l'autre.

— Nom d'un chien ! cria-t-il. Pourquoi tu n'as rien dit ?

— J'ignorais que tu avais réintégré le domicile conjugal. Quel bon vent t'amène ? railla-t-elle.

Elle était assise au bord du lit, les cheveux emmêlés, les vêtements froissés, les paupières encore bouffies de sommeil.

— Je suis venu rapporter quelques affaires, grommela-t-il d'un ton vague en s'éclipsant dans la salle de bains attenante où il fourra une chemise dans le panier à linge sale.

— Je vois. Monsieur se change en prévision de sa prochaine sortie nocturne. Tu ne crois pas que tu exagères ? Ou est-ce que nous arrêtons de faire semblant d'être mari et femme ? Pourquoi n'as-tu pas daigné m'appeler ?

— Parce que je savais que tu n'étais pas là.

Elle le toisa, furieuse, luttant contre une envie folle de lui flanquer une gifle.

— Tu avais le numéro des soins intensifs, et celui de Jane. Andy t'a attendu en vain... *Andy !* Ton fils, Andy, tu t'en souviens ?... Au fait, Allison a failli mourir hier soir.

Il se figea, la scrutant d'un air consterné.

— Co... comment est-elle ?

— Vivante. Si l'on peut dire.

Une drôle d'expression passa comme une ombre fugitive dans les prunelles de Brad, qui parut sur le point de fondre en larmes. Il avait voulu échapper pendant une nuit à l'enfer qu'était devenue sa vie, ne plus penser à l'hôpital, à Page, et même à Andy.

— J'ai oublié d'appeler.

C'était une piètre excuse, il le savait.

— Tu as de la chance de pouvoir oublier. Moi je n'y arrive pas, tu vois.

Seulement trois jours plus tôt, rien ne laissait présager la crise. Une crise à laquelle Page devait faire face sans Brad.

Elle le regarda, les yeux mi-clos.

— La politique de l'autruche n'a jamais éloigné l'orage, tu sais ? Sors donc la tête du sable et essaie de regarder la réalité en face. Comment te sentirais-tu si notre fille nous avait quittés hier soir ?

— A ton avis ? murmura-t-il, la bouche tordue d'une grimace douloureuse.

— Andy a besoin de son père, Brad. Par ailleurs, il faut que tu voies Allison. Si jamais... elle partait, tu t'en voudrais de ne pas avoir été présent.

Elle le vit secouer la tête en un signe de farouche dénégation.

— Rester assis sur une chaise à regarder Allison ne changera rien, grogna-t-il, sur la défensive. Que je sois là ou pas, elle vivra ou mourra. S'acharner à la retenir à la vie ne sert à rien, tu m'entends ?

Elle le dévisagea, stupéfaite, horrifiée, retenant un cri indigné.

— Qu'est-ce que tu essaies de me dire exactement ?

— Que je veux retrouver Allie. *Mon Allie.* La jeune fille qu'elle était avant l'accident. Belle, forte, intelligente, faite pour réussir dans tout ce qu'elle entreprenait. Mais toi, Page ? Souhaites-tu materner pour le restant de tes jours une petite handicapée mentale ? C'est ça que tu veux ? Prolonger sa misère ? Parce que moi, je m'y oppose ! Je préfère la savoir morte plutôt que d'assister à sa déchéance. Je n'ai pas la force de regarder respirer cette machine monstrueuse à sa place... Puisque nous sommes condamnés à attendre, que nous le fassions là-bas ou ailleurs, où est la différence ?

Il n'y en avait pas, probablement. Sauf si, du fond de sa catalepsie, Allie sentait leur présence... Les mains de Page remontèrent vers ses tempes comme pour comprimer un début de migraine. Les affirmations de Brad la rendaient malade.

— Andy a autant besoin de toi qu'elle. Ou est-ce encore trop te demander ?

Au fond de sa conscience, quelque chose d'inhabituel commençait à prendre forme. Quelque chose qui ressemblait à du mépris. Brad était prêt à les abandonner à leur triste sort, pour des raisons purement égoïstes.

— Oui, peut-être est-ce trop me demander, rétorqua-t-il d'un ton sec, provocant.

Il exécrait ces pénibles tête-à-tête, ces reproches amers, ces accusations sans fin.

— Eh bien, au moins tu as le courage de tes

opinions ! Mais le temps ne s'est pas arrêté sous prétexte que ça t'arrange. Les aiguilles des horloges continuent de tourner. Il n'y aura pas d'intermède parce que tu as décidé de t'offrir le luxe d'une idylle... Que tu le veuilles ou non, Allison a besoin de ta présence. Tout comme Andy. Le pauvre petit est complètement retourné. Les valeurs familiales que nous lui avons inculquées s'effondrent sous ses yeux, sa grande sœur est à l'agonie, son père disparaît des nuits entières et il se retrouve hébergé par la voisine.

— En ce cas, tu pourrais passer plus de temps avec lui.

Il la vit s'avancer vers lui d'un pas ferme.

— Laissez-moi vous dire une bonne chose, Brad Clarke. Je n'abandonnerai pas Allie jusqu'à ce que nous sachions si elle vivra. Et si elle meurt... (des larmes lui brûlèrent les yeux mais sa voix ne faiblit pas), je serai là. Et je la tiendrai dans mes bras pendant qu'elle s'en ira, comme je l'ai fait lorsqu'elle est venue au monde. Je n'attendrai pas calmement ici de ses nouvelles, à moins que tu ne me relaies à l'hôpital, ce dont je doute fort... J'ai l'intention d'accompagner ma fille jusqu'au bout, moi, au lieu de m'envoyer en l'air avec une petite traînée, en m'efforçant de me convaincre que rien ne s'est passé.

Elle lui tourna le dos, écœurée.

— Page ?

Il y avait des larmes dans la voix de Brad. Elle se retourna. Il s'était effondré lourdement sur le lit, le visage enfoui entre ses mains.

— Je ne peux pas la voir comme ça... C'est au-dessus de mes forces... On dirait une morte-vivante... On dirait qu'elle est déjà partie. Mon Dieu, c'est insupportable.

— Elle n'est pas encore partie, répondit-elle, radoucie. Elle a une chance de survivre.

— Elle serait mieux au fond d'une tombe que clouée

sur ce lit effroyable, dans le coma jusqu'à la fin de ses jours.

— Ne dis pas ça ! s'écria-t-elle, outrée.

Brad avait baissé la tête. Il avait honte de ses propres sentiments, mais c'était plus fort que lui.

— Quand je l'ai vue... j'ai compris qu'il n'y avait plus d'espoir. Quel est l'intérêt de survivre comme un légume ? Rappelle-toi donc ce que les médecins ont dit... tous ces termes effrayants... coma, convulsions, paralysie, perte des fonctions intellectuelles... Comment peux-tu croire encore qu'elle redeviendra normale ?

— Tant qu'elle vivra, il y a un espoir. Peut-être ne recouvrira-t-elle pas toutes ses facultés. Peut-être même ne survivra-t-elle pas. Mais quoi qu'il arrive, il est de notre devoir de l'aider.

Il la considéra à travers le voile de ses larmes.

— Je ne peux pas. Je ne peux pas le supporter, Page.

Une affreuse frayeur l'enveloppait. Une sorte de terreur surgie du fond des âges. La peur devant la souffrance et la mort. Elle se rapprocha de lui pour l'enlacer et il laissa sa tête reposer contre sa poitrine réconfortante. Du bout des doigts, Page lui caressa les cheveux... Elle avait la sensation qu'ils se tenaient au bord d'un précipice. Comment étaient-ils parvenus à se détruire ? Hélas, rien ne pourrait effacer la trahison de Brad, pas plus que l'accident d'Allison.

— J'ai peur, souffla-t-il d'une voix indistincte. Je ne veux pas qu'elle meure. Et l'idée qu'elle pourrait continuer à vivre diminuée me donne le vertige... Je suis navré pour hier soir. Je n'aurais pas dû me défiler. Mais il m'était impossible de faire face aux événements, pardonne-moi.

Il s'interrompit, à bout de forces. Page poussa un soupir. Elle avait parfaitement saisi dans quelles affres se débattait Brad. Il avait voulu s'évader du cauchemar. Et il l'avait laissée l'affronter seule.

— Et si elle meurt ? chuchota-t-il, les yeux emplis d'effroi.

— J'ai cru qu'elle partirait hier soir. Mais elle est restée. Nous avons une nouvelle journée devant nous.

Un frisson parcourut Brad. Il aurait voulu avoir sa force. Sa peur viscérale le poussait de nouveau à prendre la fuite. Stéphanie l'accueillerait dans le doux refuge de ses bras. Elle le consolerait, lui confirmerait que sa présence dans cette lugubre salle de réanimation n'était pas indispensable. Celle de Page suffisait amplement. Selon Stéphanie, Allison ne ressentait rien, n'entendait rien. Toutefois, un brûlant sentiment de culpabilité consumait Brad chaque fois qu'il croisait le regard de sa femme.

Alors qu'il s'appuyait contre elle, une onde de désir l'envahit ; un désir totalement incongru compte tenu des circonstances. L'enlaçant à son tour, il l'attira à lui, afin de la faire asseoir sur ses genoux. Ses lèvres se tendirent avidement vers les siennes, mais Page se raidit.

— Arrête ! Comment oses-tu !

L'idée de la moindre intimité physique avec lui la révulsait.

— Oh, chérie...

— Ta *chérie* n'est pas ici. Tu me dégoûtes !

Il avait Stéphanie. Que lui fallait-il de plus ? Un harem ? Brad avait resserré son étreinte, insensible à ses protestations. Sa bouche s'écrasa sur la sienne avec une passion proche du délire. Mais aucun baiser, aucune caresse, aucun mot doux ne parviendraient à apaiser la rancune de Page. Il était devenu un étranger pour elle. Il appartenait à une autre femme. Elle le repoussa brutalement, brisant l'étau de ses bras.

— Désolée, mon bonhomme !

Elle sortit de la pièce d'un pas vif et il la regarda s'éloigner, sans un geste pour la retenir, se sentant ridicule. Il avait tort d'agir ainsi, se dit-il, furieux contre ses faiblesses. Il n'avait pas le droit de tourmenter Page tout en se cramponnant à Stéphanie.

Il la rejoignit peu après dans la cuisine, où elle s'était préparé une tasse de café. Elle ne leva pas les yeux lorsqu'elle entendit son pas sur le carrelage.

— Pardonne-moi ce geste déplacé, s'excusa-t-il d'un ton acide.

Elle ne répondit rien. Une semaine plus tôt, ils avaient fait l'amour. Mais, alors, elle ignorait qu'elle le partageait avec une autre. A présent, tout avait changé. Elle n'avait nulle envie qu'il la touche. Plus jamais... Aurait-il exprimé un repentir, promis de mettre fin à sa liaison, ç'aurait été différent. Il n'avait pris aucun engagement de cette sorte. Il s'était empressé de disparaître dans la nature, alors que sa famille était à la dérive. Stéphanie comptait plus qu'eux tous réunis.

— Tu devrais me laisser *son* numéro de téléphone, dit-elle, le nez dans sa tasse. Au moins, je saurais où te joindre en cas d'urgence.

— Cela n'arrivera plus. Ce soir, je resterai ici avec Andy.

Elle lui lança un regard qui le glaça. Visiblement, la trêve était terminée.

— Je m'en fiche! Tu recommenceras, j'en suis certaine. J'exige ce numéro.

— Très bien. Je l'inscrirai sur le bloc-notes... Est-ce que tu retournes à l'hôpital cet après-midi?

— J'irai d'abord aux funérailles de Phillip Chapman. Si tu veux m'accompagner...

— Non, merci. Ce petit crétin a presque tué mon enfant. Comment peux-tu y aller?

— Les Chapman ont perdu leur fils unique. Rien ne prouve qu'il était fautif. Pour quelle raison n'irais-tu pas?

— Je ne leur dois rien. Les tests de laboratoire ont révélé des traces d'alcool dans son sang.

— En très faible quantité. La conductrice de l'autre voiture a été dispensée de l'alcootest.

Trygve s'était longuement penché sur la question. La réponse semblait plus évidente pour Brad. Accuser Phillip Chapman s'avérait plus commode.

— Laura Hutchinson est l'épouse d'un sénateur et mère de trois enfants. Elle n'est pas du genre à conduire en état d'ébriété.

Il s'était exprimé avec une certitude absolue.

— Comment peux-tu en être aussi sûr ?

— J'ai lu les rapports de police comme tout le monde. S'ils ne lui ont pas fait passer l'alcootest, c'est que sa sobriété ne faisait aucun doute. D'ailleurs, aucune accusation n'a été retenue contre elle.

— Sans doute ont-ils été impressionnés par son nom. (De nouveau, elle avait haussé le ton sans même s'en rendre compte. Heureusement qu'Andy n'était pas là.) En tout cas, j'ai décidé d'assister aux obsèques. Trygve Thorensen passera me prendre vers quinze heures.

Brad haussa un sourcil, étonné.

— Vraiment ? Comme c'est touchant.

— Epargne-moi ce genre de critiques, s'il te plaît. Trygve et moi avons passé des heures entières dans cet hôpital que tu détestes tant, alors que nos filles étaient au bloc opératoire. Chloé se trouvait elle aussi dans la voiture de Phillip, mais cela ne l'empêche pas de témoigner sa sympathie aux parents.

— Eh bien, ça doit être un type épatant, Thorensen.

— Oui, il est formidable. Un excellent ami, qui m'a réconfortée hier soir, quand tu t'étais volatilisé, qui m'a tenu la main la nuit de l'accident, pendant que tu étais à John Gardiner avec l'élue de ton cœur. C'est un homme merveilleux. Assez intelligent, en plus, pour s'occuper de ses enfants plutôt que de ses conquêtes féminines... Alors, inutile de me chercher noise. Trygve Thorensen n'a rien d'un don Juan, et quant à moi, je ne suis pas en quête d'aventures. J'ai simplement besoin d'un ami, puisque, apparemment, je n'ai plus de mari.

Elle disparut en direction de la salle de bains, dont elle claqua la porte, sans lui laisser le temps de répondre. Furieux, il se rua hors de la maison, claquant la porte à son tour... Page se mordit les lèvres. Il avait bien fait de s'en aller, elle l'aurait étranglé avec plaisir... L'amertume pointa bientôt sous sa colère. Leur union se délitait à une allure incroyable. Une tension indescriptible, presque palpable, régnait dans la maison autrefois si paisible. Il suffisait qu'ils soient dans la même pièce pour que l'air se charge aussitôt d'électricité. Il était inutile de rechercher les raisons d'une telle débâcle.

Elle se doucha longuement, se prépara pour l'enterrement. Trygve sonna à l'entrée à l'heure convenue. Il était plus séduisant que jamais dans son complet-veston bleu sombre et sa chemise blanche barrée d'une cravate noire. Page avait revêtu un tailleur de lin noir acheté à New York, lors de sa dernière visite à sa mère.

L'église épiscopale Saint-John était bondée. Des dizaines d'adolescents à l'air attristé avaient pris place sur les bancs. Une photo du jeune capitaine entouré des membres de son équipe de natation trônait en bonne place. Ses camarades avaient constitué un service d'ordre qui convoyait les assistants à leurs places. Page aperçut Jamie Applegate, assis entre ses parents. Ses traits juvéniles reflétaient une souffrance insoutenable, et son père lui entourait les épaules de son bras... La musique emplit l'édifice. Un refrain cher à l'assemblée des jeunes gens. Des larmes piquèrent les yeux de Page, lorsqu'elle reconnut les premières notes. Allison aurait été parmi les adolescents endeuillés si elle n'avait pas été plongée dans le coma, sur un lit d'hôpital.

Les parents de Phillip avaient gagné leurs sièges au premier rang, avec une dignité qui rendait leur douleur encore plus poignante. Un couple plus âgé les accompagnait : les grands-parents du jeune homme que la mort avait fauché sans pitié sur la route.

Le ministre du culte rappela brièvement l'amour de Dieu pour toutes ses créatures. Les voies du Seigneur étaient impénétrables, ajouta-t-il, avant d'évoquer l'actroce peine que suscite la perte d'un être cher. Il brossa ensuite un portrait élogieux de Phillip. Son intelligence. Sa bonté. L'admiration de ses amis à son égard. Le brillant avenir qu'il aurait eu... Des sanglots étouffèrent Page, tandis qu'elle songeait à l'oraison funèbre qui serait prononcée si Allison décédait. Ce serait pratiquement la même. Elle aussi était admirée, aimée par tous... Et la peine de la perdre dépasserait les limites de l'entendement.

Mme Chapman ne cessa de pleurer durant la cérémonie. La chorale du lycée entonna un chant de grâce, tandis qu'une file se formait devant le catafalque, afin que chacun puisse adresser un ultime adieu au disparu. Les jeunes s'y rendirent par groupes, en pleurs, la main dans la main. Des gerbes et des couronnes de fleurs recouvrirent peu à peu le bois sombre du cercueil. Il n'y avait pas une seule personne dans l'église qui ne sanglotait pas... Laura Hutchinson elle-même pleurait. Elle se tenait derrière Page et Trygve et versait des larmes qui ne semblaient nullement feintes.

Une fois dehors, ils aperçurent les journalistes. Caméras au poing, ils voulurent entourer Mme Hutchinson, qui s'engouffra à l'intérieur d'une limousine noire. Déçus, ils se rabattirent sur un gibier moins intéressant. Les appareils-photo se tournèrent vers les adolescents, qui pleuraient sans retenue, puis le cercle humain se referma sur les Chapman. Les flashes lancèrent des lueurs blafardes et, à travers ses larmes, le père de Phillip se mit à injurier les représentants de la presse, tandis que des amis l'entraînaient doucement en direction du cimetière. Les reporters suivirent la procession. Il s'agissait toujours d'un sujet brûlant et ils entendaient en régaler leurs lecteurs.

Les lycéens avaient organisé une veillée à la mémoire de Phillip dans l'auditorium de l'école, les Chapman recevraient chez eux quelques amis, mais Page déclina discrètement les deux invitations. La vive émotion ressentie pendant la cérémonie lui serrait la gorge, le besoin de solitude se faisait fortement sentir. C'était devenu une nécessité absolue.

— Venez, murmura Trygve, alors qu'ils descendaient les marches de l'église. Je vous dépose chez vous.

Elle le suivit vers la voiture. Ils n'avaient plus revu les Chapman, n'avaient pas eu le courage de leur dire au revoir, mais avaient signé le livre d'or en arrivant.

— Oh, mon Dieu, quelle journée ! souffla-t-elle.

— Et quel spectacle affligeant, renchérit Trygve, les yeux rougis. J'espère que je ne vivrai pas assez vieux pour enterrer un de mes enfants.

Il se tut brusquement, se rappelant soudain que la vie d'Allison ne tenait qu'à un fil, mais Page ne lui en tint pas rigueur.

— Mme Hutchinson était là, dit-elle. C'est un beau geste de sa part.

— Je dirais plutôt qu'il s'agit d'une habile stratégie. La presse ne manquera pas de le relater demain. Chacun fait sa publicité comme il peut.

— Trygve ! Ne soyez pas cynique. Elle est peut-être sincère.

— Permettez-moi d'en douter. Je connais les milieux politiques comme ma poche. Elle aura probablement obéi aux instructions de son mari. Ces gens-là ne reculent devant rien pour soigner leur image de marque.

— Vous voulez dire qu'elle a joué la comédie ?

— Je n'irai pas jusqu'à la taxer d'hypocrisie. Pourtant, mon petit doigt me dit qu'elle n'est pas pour rien dans l'accident. J'ignore si ma sympathie à l'égard de Phillip m'induit en erreur. En tout cas, je n'admets pas qu'il ait été le seul et unique responsable.

Les Chapman avaient la même conviction... Trygve démarra et ils se mêlèrent aux véhicules qui quittaient l'enceinte de l'édifice. Sur le chemin, Page exprima le souhait de faire un détour par l'hôpital. Ne serait-ce que pour récupérer sa voiture, prétexta-t-elle. En fait, une obscure envie de revoir Allison lui commandait de se rendre sur place.

— Cela vous ennuierait de me conduire là-bas ?

Dans l'après-midi, avant d'assister aux obsèques de Phillip, elle avait appelé à plusieurs reprises les soins intensifs. A chaque fois, une voix anonyme l'avait renseignée hâtivement par le sempiternel « état stationnaire », sorte de formule consacrée voulant dire que la patiente était toujours en vie.

— Pas de problème. J'en profiterai pour voir Chloé. Je ne remercierai jamais assez le Tout-Puissant de l'avoir préservée.

Les paroles de Brad bourdonnaient encore aux oreilles de Page. « Mieux vaut la voir morte, plutôt que d'assister à sa déchéance. »

— Je préfère garder Allie dans n'importe quel état plutôt que de la perdre. Brad n'est pas du même avis. Selon lui, mourir est plus supportable que vivre diminué.

— Voilà qui apporte de l'eau au moulin des partisans de l'eugénisme. Une vision du monde terriblement manichéenne, à mon avis. Pour ma part, j'aime mieux sauver ce que je peux, plutôt que de tout perdre.

« Sauf un mariage bancal », ne put s'empêcher de songer la jeune femme.

— Brad semble avoir pas mal de difficultés à faire face aux événements, dit-elle d'une voix neutre. Quand la réalité lui déplaît, il a tendance à prendre la fuite.

— Certaines personnes réagissent ainsi, en effet.

— Comme Dana, n'est-ce pas ? Brad est pareil... Serions-nous donc des héros ? Ou tout simplement des imbéciles ?

— L'un n'empêche pas l'autre, sourit-il. Disons que nous n'avons pas d'autre choix.

Page l'intriguait de plus en plus. Il avait toujours considéré les Clarke comme un couple harmonieux. A présent, il devinait un point noir dans le tableau idyllique qu'il s'était brossé. Depuis l'accident, quelque chose ne tournait pas rond entre eux. Brad s'était à peine montré à l'hôpital, Trygve était bien placé pour le savoir.

— Son attitude m'exaspère, je l'avoue. A midi, nous nous sommes chamaillés comme des chiffonniers.

— Oh, mais vous êtes humaine ! la taquina-t-il. Dana brillait toujours par son absence au moment où nous avions besoin d'elle. Cela me rendait furieux.

— Dans notre cas, il y a un autre problème.

Par discrétion, il observa, tout d'abord, un silence de bon aloi, mais sa curiosité fut la plus forte.

— Un problème sérieux ?

— Oui... Très...

— Et c'est arrivé par surprise ? s'enquit-il gentiment.

— Exactement. Nous sommes mariés depuis des années et il y a encore trois jours, je baignais dans un bien-être aussi total qu'illusoire. Apparemment, je me suis trompée. Lourdement trompée.

— Tous les couples traversent des périodes de crise.

— Il y a eu trop de cachotteries, trop de mensonges. Je me suis laissée mener en bateau des années durant. Maintenant, j'ai du mal à faire comme si tout allait bien... C'est trop tard, acheva-t-elle, avec une grimace de dépit.

— Certaines personnes perdent la tête, lorsqu'elles se trouvent confrontées à une réalité désagréable.

— Brad a perdu la tête depuis un bon bout de

temps, semble-t-il. Et pas seulement la tête, malheureusement. J'ai tout découvert ce week-end.

— Il n'a pas eu de chance, dit Trygve avec un sourire.

Evoquer avec lui ses déboires conjugaux rendait la chose presque amusante, s'étonna Page. Et si facile... De sa vie, elle ne s'était confiée à quelqu'un aussi spontanément. Elle n'aurait pas avoué son infortune à Jane Gilson, son amie de longue date, encore moins à sa sœur... Seize ans de mariage l'avaient éloignée de tout. Brad avait été son seul confident, ce qui rendait sa duplicité encore plus odieuse.

Parvenus à l'hôpital, ils prirent la direction des soins intensifs, s'efforçant d'oublier la morne atmosphère de l'enterrement. Chloé remuait faiblement dans son lit, Allison était toujours plongée dans une profonde léthargie.

— Etat stationnaire, déclara l'interne de service.

Une phrase stéréotypée que Page connaissait par cœur. Elle reprit le chemin de la sortie, laissant Trygve sur place. Le car de ramassage scolaire avait emmené Andy à l'entraînement de base-ball et il ne tarderait pas à le redéposer chez Jane.

Le chant funèbre de la chorale résonnait à ses oreilles, quand elle sonna à la porte de sa voisine.

— Salut, ça va ? lança Jane, puis son visage rond se rembrunit. Ou ai-je tort de te le demander ? fit-elle en scrutant les yeux cernés de son amie.

— Je suis allée à l'enterrement de Phillip Chapman, répondit Page en s'affalant sur le canapé garni de coussins fleuris. Il y avait au moins quatre cents gosses en larmes, sans parler de leurs parents.

— Seigneur, Page, tu n'avais pas besoin de ça. Est-ce que Brad t'a accompagnée ?

— Non. J'y suis allée avec Trygve Thorensen. La femme du sénateur a honoré la cérémonie de sa présence. D'après Trygve, il s'agit d'une manœuvre publicitaire destinée à jeter de la poudre aux yeux des représentants de la presse.

— Et toi ? La crois-tu innocente ?

— Le saurons-nous jamais ? Il y a eu un malheureux concours de circonstances. Pourquoi faut-il toujours désigner un coupable ?

— Parce que les journalistes sont là pour ça. Je suppose qu'ils avaient investi les lieux.

— Oui... ils suivent Laura Hutchinson à la trace.

— L'article que j'ai lu hier attribue plus ou moins la faute au jeune Chapman. D'après la rumeur, il forçait sur la bouteille.

— C'est faux ! M. Chapman compte porter plainte contre ce journal, afin de blanchir le nom de son fils. On manque singulièrement de preuves dans cette affaire.

Elle en avait longuement devisé avec Trygve et ils en étaient arrivés à la même conclusion. Personne n'en savait plus sur les circonstances de l'accident. Le hasard avait placé les deux voitures dans un face-à-face mortel. On ne pouvait en vouloir aux Chapman d'organiser une campagne pour défendre la mémoire de leur enfant.

Le car de ramassage scolaire s'arrêta devant la grille du jardin et Andy en émerga, arborant avec fierté sa tenue de base-ball. En le voyant courir vers elle, Page le trouva si mignon qu'elle en eut les larmes aux yeux. Quelques jours plus tôt, c'est elle qui l'avait accompagné à l'entraînement. Mais alors, la vie était douce pour eux. Allie se portait comme un charme et Page ignorait tout de la double vie de Brad.

Elle lui ouvrit les bras et il se pendit à son cou.

— Comment s'est passée votre journée, monsieur Andrew Clarke ?

— J'ai marqué un tour complet ! triompha-t-il, sa petite figure illuminée d'un large sourire.

— Tu es génial !

Blotti dans ses bras, le petit garçon leva sur elle un regard anxieux.

— Tu vas encore à l'hôpital ? Est-ce que je reste ici ?

— Non, mon trésor. Tu viens avec moi à la maison.

Elle avait décidé de lui accorder une nuit. Avec un vrai repas, à la place des pizzas congelées dont elle l'avait gavé ces derniers jours. Depuis l'accident, Andy se sentait rejeté, elle le savait. Il fallait lui ôter cette idée de la tête.

— Est-ce que papa nous fera un barbecue, m'man ?

N'ayant pas la moindre idée des projets de Brad pour la soirée, Page s'abstint de toute promesse.

— Papa travaillera assez tard, je crois. Pourquoi ? Un succulent dîner avec ta vieille mère ne te suffit pas ?

Andy fit un oui enchanté de la tête et peu après, enlacés, ils gagnèrent la villa. Page fit griller des hamburgers, avec des pommes de terre au four, le tout accompagné d'une énorme salade composée d'avocats, de tomates et de crevettes. A peine s'étaient-ils attablés que la clé de Brad tourna dans la serrure.

— Papa !

Andy s'élança joyeusement à la rencontre de l'arrivant. Il lui fallait ses deux parents, se dit Page, le cœur serré.

— Oh, quelle surprise ! dit-elle entre les dents.

Brad lui jeta un regard sombre.

— Ne recommence pas ! intima-t-il, irrité. Y a-t-il assez pour un troisième convive ? demanda-t-il en observant la table dressée pour deux personnes.

— Oui, bien sûr, dit-elle en lui servant aussitôt une assiette pleine.

Andy se mit à raconter ses exploits à son père. Le tour complet à la quatrième manche, les points marqués, tout y passa. Il parlait vite, comme pour masquer une frayeur indicible. En dépit de sa mine réjouie, l'enfant avait peur, conclut Page avec émotion. Peur de perdre sa sœur, qu'il n'avait pas encore vue. Peur de perdre l'amour de ses parents. Une sorte de panique irraisonnée, presque animale.

— Pourrai-je voir Allie ce week-end ? interrogea-t-il, tout en grignotant une pomme de terre fondante.

Voir Allie risquait de perturber sa sensibilité exacerbée. Non, décida-t-elle, ce n'était pas le bon moment.

— Je crains que ce ne soit pas possible, mon chéri. Tu dois patienter jusqu'à ce qu'elle aille un peu mieux.

Il fallait avoir au moins onze ans pour être admis dans la salle de réanimation, mais le Dr Hammerman avait accepté de faire une exception pour Andy.

— Mais quand ira-t-elle mieux ? Je veux la voir !

Il s'était mis à pleurnicher. Page chercha fébrilement à capter le regard de Brad, qui s'abîmait dans la lecture de son journal. Son visage tendu témoignait d'une rude journée. Stéphanie avait laissé éclater sa fureur, lorsqu'il lui avait annoncé qu'il ne resterait pas dîner. Bah, il en avait pris son parti. Constamment, Brad essuyait la colère de quelqu'un. De sa femme ou de sa maîtresse.

— On verra... on verra... murmura Page à Andy, tandis qu'ils débarrassaient les assiettes.

Le dessert, de la glace nappée de chocolat chaud, ne remporta pas le succès escompté. Le charme était rompu... Elle s'assit devant une tasse de café, jetant un coup d'œil en biais à son mari.

— Tu ne peux pas lire ça après le dîner ?

Elle détestait le voir plongé dans sa lecture pendant les repas, et il le savait.

— Pourquoi ? aurais-tu quelque chose à me dire ? lâcha-t-il, agressif.

Andy les regardait, apeuré. Leurs disputes de plus en plus fréquentes décuplaient son inquiétude. Ses épaules minces se voûtèrent. Il quitta la pièce, dédaignant sa glace, suivi par Lizzie, et Brad en profita pour se réfugier dans son bureau.

Restée seule dans la cuisine, Page rangea les assiettes dans le lave-vaisselle avant de préparer la table pour le petit déjeuner. Peu après, elle fit défiler la bande enregistreuse du répondeur, comptant une bonne douzaine de messages. Des jeunes gens demandant des nouvelles d'Allie. La plupart souhaitaient la voir. Heureusement, le personnel hospitalier renvoyait le flot des visiteurs. Les fleurs n'étant pas admises en réanimation, elles étaient envoyées au pavillon des enfants. Le dernier appel émanait d'un journaliste sollicitant un entretien. Elle ne se donna pas la peine de noter ses coordonnées.

Elle s'obligea à rappeler les amies les plus proches de sa fille. Celle-ci se trouvait toujours dans un état désespéré qu'il était pénible d'expliquer. Elle avait songé à laisser un message spécial sur le répondeur, une sorte de bulletin de santé concernant Allie, puis avait renoncé. L'espoir d'une amélioration était si mince qu'elle n'eut pas le courage de mettre son projet à exécution.

Lorsqu'elle entra dans la chambre d'Andy, celui-ci, assis sur son lit, pleurait à chaudes larmes. Il avait entrepris de raconter l'accident de sa sœur à Lizzie, qui l'écoutait en remuant la queue.

— Elle dort, tu sais, et on ne sait pas quand est-ce qu'elle va se réveiller.

— Eh bien, champion, qu'est-ce qui t'arrive ? demanda Page en s'asseyant sur le bord du lit.

Elle avait bien fait de rester à la maison ce soir. Elle lui devait bien une nuit.

— Pourquoi papa et toi vous vous bagarrez tout le temps ? fit-il d'une petite voix misérable.

— Nous sommes inquiets au sujet d'Allie, mon chéri. Parfois, les grandes personnes sont tristes, fatiguées, effrayées aussi. Le stress, l'énervement, les rendent susceptibles. Alors, elles se mettent à crier. Je suis navrée, mon biquet, ne sois pas triste, tu n'y es pour rien.

— Mais tu as l'air de le détester maintenant.

Page s'efforça de sourire.

— Non, pas du tout... Ce n'est pas facile d'être à l'hôpital près d'Allie.

— Pourquoi ? Puisqu'elle dort.

Elle avala sa salive avec difficulté. Le sens d'une situation trop compliquée échappait au raisonnement d'un enfant de sept ans.

— Je me fais du souci pour elle. Comme pour toi, mon chéri.

Il la scruta, les sourcils froncés.

— Et pour papa ? Tu ne te fais pas de souci pour papa ?

— Bien sûr que si. C'est mon travail de m'inquiéter pour vous tous.

Elle lui fit couler un bain, le mit au lit et lui raconta une de ses histoires favorites. Prêt à s'assoupir, Andy se releva pour aller dire bonne nuit à son père, mais celui-ci parlait au téléphone, et le petit garçon fut renvoyé d'un geste brusque de la main.

Brad était à bout de nerfs. Revenir dîner à la maison avait déclenché les foudres de Stéphanie. Il savait qu'elle lui ferait payer cher cette initiative. Dès l'instant où Page avait été au courant de leur liaison, Stéphanie s'était mise à défendre bec et ongles son territoire. Brad. Elle le voulait tout à elle.

Page borda Andy, puis l'embrassa.

— Tu veux bien laisser la lumière du couloir allumée, m'man ?

Il y avait très longtemps qu'il n'avait pas eu peur dans le noir. Page l'embrassa de nouveau.

— D'accord, mon chéri. Je te verrai demain matin. Bonne nuit, mon petit trésor.

Alors qu'elle regagnait la cuisine, elle aperçut Brad par la porte entrebâillée du salon, et força le pas. Ils n'avaient plus rien à se dire. Il devait converser avec Stéphanie au téléphone, quand Andy l'avait interrompu.

Elle sortit les assiettes du lave-vaisselle, les empila dans le placard, se fit une nouvelle tasse de café. Page ingurgitait des quantités phénoménales de café ces derniers temps. Elle sentait ses nerfs tendus comme des ressorts, et pas seulement à cause de la caféine... Il était près de vingt-deux heures, lorsque Brad entra dans la cuisine, arborant son éternel air de mécontentement. Leur dîner s'était achevé sur un nouveau constat d'échec. Page leva les yeux du courrier qu'elle était en train de parcourir. Il y avait plus de deux jours qu'elle n'avait pas ouvert la boîte aux lettres. Sous son regard hostile, le malaise de Brad ne fit que s'accroître.

— Nos affaires ne s'arrangent pas, marmonna-t-il.

Il avait enfilé un tee-shirt et un blue-jean qui lui conféraient l'allure juvénile de ses vingt ans... Le jeune homme auquel Page s'était attachée avec toute l'ardeur d'un premier amour. Dorénavant, c'était un étranger qui se tenait devant elle. Ils avaient eu deux enfants, avaient partagé les joies et les peines de toute une vie, et elle ne le reconnaissait plus.

— On peut le dire, reconnut-elle avec tristesse. Andy a tout compris, je crois.

N'importe qui aurait ressenti l'animosité qui avait remplacé leur ancienne complicité. Leur mésentente explosait dès qu'ils échangeaient deux mots, même les plus anodins.

— Bon Dieu, on n'a pas arrêté de la semaine! souffla-t-il en passant les doigts dans les noires ondulations de ses cheveux.

— Oui, on a fait d'une pierre deux coups.

Il la regarda, les yeux plissés, sur ses gardes. Il se méfiait à présent des formules sibyllines de Page.

— Deux... coups?

— Allie et notre mariage.

— Peut-être s'agit-il de deux volets d'un seul et même problème. Si Allie se remettait de ses blessures, nous pourrions recommencer à zéro.

Elle le considéra, sans comprendre, méfiante elle aussi. Qu'est-ce qu'il voulait dire, au juste ? Une invitation à un nouveau départ ? Et Stéphanie ? Il avait l'air d'y tenir comme à la prunelle de ses yeux. A moins que quelque chose se fût produit ? Qu'un espoir ait surgi ? Avait-il changé d'avis ?

— Nous pourrions arriver à un compromis, reprit-il, sans grande conviction. Si chacun y met du sien...

— *Chacun* ? Tu veux dire toi, Stéphanie et moi ? Jolie proposition, Brad ! (Sans s'en apercevoir, elle avait presque hurlé.) Ne te donne pas tant de mal. Cessons cette farce sinistre, je t'en supplie. Commençons par ramener Allison à la vie. Pour le reste, nous verrons plus tard.

Brad eut un hochement de tête maussade. Il était constamment sous pression. Stéphanie n'avait cessé de l'accabler d'exigences. Comme si l'accident d'Allison constituait un péril inattendu, la jeune femme s'était mise à accumuler les revendications. Elle entendait le voir constamment, passer toutes les nuits avec lui, le harcelant sans répit pour qu'il demande immédiatement le divorce.

Il ouvrit la bouche pour répondre à Page, lorsqu'un cri aigu, une sorte de hurlement de terreur, les fit bondir. Brad arriva le premier dans la chambre d'Andy, qu'il saisit dans ses bras.

— Ça ira, poussin, remets-toi. Ce n'est qu'un mauvais rêve.

Le petit garçon s'était redressé, en nage. Il avait rêvé qu'ils avaient eu un accident. Seuls Lizzie et lui avaient survécu à la collision.

— Il y avait du verre brisé partout... et tout ce sang ! hoqueta-t-il, étouffé par ses sanglots.

L'accident avait eu lieu parce que papa et maman se disputaient, poursuivit-il, et Brad échangea un regard plein de remords avec Page. Celle-ci avait attiré Andy contre elle. Il avait mouillé son lit, ce qui ne lui était pas arrivé depuis l'âge de quatre ans. Elle changea draps et alaise, écrasée par un terrible sentiment de faute.

— Nul besoin d'être psychiatre pour interpréter ce rêve, fit remarquer Brad, peu après.

— Le pauvre petit crève de peur. Sa sœur est dans le coma. Il nous entend sans cesse en parler et il ne l'a même pas vue.

— Allie n'est pas son seul sujet de préoccupation, objecta Brad.

— C'est vrai. Il ne faut plus nous quereller devant lui.

— Ce qui est pratiquement impossible. Si tu veux, je pourrais déménager pendant quelques jours, jusqu'à ce qu'il soit calmé.

Sa suggestion fit à Page l'effet d'un nouveau coup de poignard dans le dos.

— Déménager ? Vas-tu vivre avec elle ?

— Je louerai une chambre d'hôtel ou un studio meublé en ville.

L'occasion idéale pour fréquenter Stéphanie sans subir les reproches de sa femme. Pour une fois, Page resta silencieuse. C'était peut-être une solution valable.

— Je ne sais pas... je ne sais quoi dire.

Ils avaient atteint un point de non-retour. Une semaine plus tôt, qui aurait pu imaginer qu'ils en arriveraient là ? La sonnerie du téléphone rompit soudain le silence. Elle décrocha instantanément, assaillie d'une prémonition funeste. C'était l'hôpital... L'œdème cérébral d'Allison ne s'était pas résorbé, et les neurochirurgiens demandaient aux parents l'autorisation de réopérer le lendemain matin. Ce serait la deuxième intervention en quatre jours, mais d'après le Dr Hammerman, il n'y avait guère d'autre alternative.

— Une nouvelle opération ? grogna Brad, effondré. Et puis quoi encore ? Pour l'amour du ciel, combien de fois vont-ils la charcuter ?

— Aussi souvent qu'ils le jugeront utile, jusqu'à ce que son cerveau retrouve sa forme normale.

— Et si ça ne marche pas ?

Elle coupa court à ses tergiversations.

— Je signerai les papiers. Elle a le droit de bénéficier de tout ce que la science peut lui offrir.

— Fais ce que tu dois faire, Page, murmura-t-il, les bras ballants, désireux de ne pas se lancer dans un nouveau conflit.

Il la laissa au téléphone, battit en retraite dans leur chambre où il s'allongea, les mains derrière la nuque, l'esprit empli des images d'Allison — les merveilleuses images d'une jeunesse rayonnante, éclatante de santé : ces souvenirs étrangement lointains étaient encore plus insoutenables lorsqu'il évoquait le pauvre corps maintenu artificiellement en vie dans une salle de soins intensifs.

— Tu dors ici ? demanda-t-il, voyant Page pénétrer dans la pièce pour prendre une chemise de nuit dans la penderie.

— Je dormirai avec Andy.

— Tu peux rester, fit-il avec un sourire hésitant. Je sais me tenir.

Ils échangèrent un sourire sans joie. Ils étaient arrivés à un croisement fatidique de leur parcours commun. Les choses les plus ordinaires avaient acquis des dimensions disproportionnées. Qui dormirait ici ou ailleurs, qui restait, et qui devait déménager. Un cauchemar dont jamais ils ne se réveilleraient.

Page ressortit de la chambre sans un mot. Elle alla se glisser près d'Andy. Elle entoura de ses bras le petit garçon endormi. Un flot de larmes l'aveugla, lui mouillant les joues, puis trempant peu à peu son oreiller. Elle pleura longtemps en silence sur tout ce qu'elle avait perdu en si peu de temps.

Andy s'étonna le lendemain matin de voir sa mère à son côté, mais ne posa aucune question. Il se leva et s'habilla, pendant qu'elle préparait le petit déjeuner pour tous les trois. Le petit garçon ne mentionna pas le rêve qui l'avait tant bouleversé. Il était très calme lorsque sa mère le déposa à l'école. Brad avait consenti à la retrouver à l'hôpital un peu plus tard. Elle avait rendez-vous à neuf heures moins dix, afin d'apposer sa signature sur le formulaire de consentement. Les médecins avaient décidé d'opérer à dix heures.

8

Le chirurgien en chef l'attendait devant le service de réanimation. Aucune amélioration n'avait été constatée depuis la vielle au soir. Page signa d'une main rapide l'autorisation d'opérer, puis se rendit au chevet de sa fille. Les relents d'hôpital, familiers, l'enveloppèrent, alors que son regard se portait sur la silhouette inerte et si blanche : Allison, plongée dans son coma. Sans la soufflerie caverneuse du respirateur on l'aurait crue morte.

Il n'y avait aucun autre visiteur à cette heure matinale, et les infirmières avaient laissé mère et fille seules, dans la pièce. Elles avaient la possibilité de contrôler les moniteurs à partir de la console de l'ordinateur central. Page prit place près d'Allie. Ses doigts lui étreignirent la main, des mots doux s'échappèrent de ses lèvres. Elle lui effleura le front d'un tendre baiser, lorsque deux aides-soignants vinrent soulever les extrémités de la couche étroite, dont les roulettes s'abaissèrent avec un bruit sec. Transformé en chariot, le lit fut piloté le long du couloir éclairé au néon, avant de disparaître par une porte à battants. Il était neuf heures et demie.

Pendant qu'on préparait Allie pour l'opération, Page se réfugia dans l'une des salles d'attente du rez-de-chaussée. Le Dr Hammerman lui avait dit que l'intervention durerait plusieurs heures. Huit ou dix. La même équipe officierait, avait-il ajouté, comme s'il s'agissait d'une opération de routine, mais Page savait que ce ne serait pas le cas. S'ils ne réussissaient pas à réduire l'œdème, plus aucun espoir ne subsisterait. La pression exercée sur les tissus du cerveau provoquerait de nouvelles lésions, et l'issue ne pourrait s'avérer qu'irréversible, voire fatale... Paupières closes, Page se plongea dans une attente interminable. Plus aucune notion du temps. A tout instant quelqu'un pouvait faire irruption dans la petite pièce pour lui annoncer la mort d'Allie... Ne plus y penser. Ne plus se représenter les scalpels, les pinces, les bistouris alignés sur un plateau d'acier, semblables à d'étincelants instruments de torture.

Brad arriva avec une demi-heure de retard.

— Qu'est-ce qu'ils ont dit ? s'enquit-il nerveusement.

— Rien de bien nouveau. Elle semblait si paisible sur son lit, quand ils sont venus la chercher.

Elle avait détourné la tête, afin de lui cacher ses larmes, ne voulant pas lui montrer sa détresse. La confiance, la complicité, leur ancienne entente, tout s'était envolé, laissant un vide immense dans son cœur. L'homme assis à son côté n'avait plus grand-chose à voir avec le Brad qu'elle avait adoré... Bizarre, la rapidité avec laquelle toute une partie de votre existence se changeait en un désert jonché d'épaves ! Etrange, la façon dont le malheur prenait subitement la place du bonheur ! Mais à quoi bon se remémorer le passé ? Il fallait seulement se contenter d'attendre, encore et encore.

Les minutes devenaient des heures qui s'écoulaient au ralenti, alors que les deux époux demeuraient assis, silencieux, parmi le brouhaha des visiteurs de passage. A peine s'ils échangèrent deux mots. Parler d'Allison constituait leur seul sujet de conversation, un sujet trop douloureux pour chacun d'eux. Seul le silence semblait de rigueur entre ces deux êtres que plus rien ne liait, hormis leur angoisse commune pour leur enfant.

Quatre heures de l'après-midi et toujours pas de nouvelles. Ils allèrent chercher des sandwiches à la cafétéria. Dans le hall, ils tombèrent sur Trygve, qui leur souhaita bonne chance avant de monter voir Chloé. Les Clarke se retrouvèrent dans la petite pièce où ils se rassirent, les yeux fixés sur la pendule murale.

Hammerman reparut vers six heures du soir

— Comment ça s'est passé ?

Brad s'était dressé d'un bond, l'œil braqué sur le praticien. Celui-ci hocha la tête.

— Bien. Beaucoup mieux que nous ne l'espérions.

— C'est-à-dire ? réattaqua Brad, d'une voix agressive.

Page était restée assise, incapable de se lever.

— C'est-à-dire qu'elle a survécu. Les résultats sont satisfaisants. Nous avons eu une petite alerte en milieu d'intervention mais finalement tout est rentré dans l'ordre. Nous l'avons soulagée de la pression autant que nous l'avons pu. L'œdème avait pris des proportions alarmantes... Dans les prochains jours, elle devrait présenter une nette amélioration. Certes, reste à savoir combien de temps durera son coma. Pour le moment, nous la maintenons dans un sommeil artificiel au moyen de médicaments appropriés, de manière à permettre à son cerveau de récupérer. Dans quelques semaines, nous serons aptes à émettre un pronostic plus précis.

— Dans quelques semaines ? s'écria Brad, horrifié. Parce que son coma se prolongera pendant des semaines ?

— Oui, très certainement. Ce genre de lésion exige beaucoup de patience, monsieur Clarke.

Brad grommela une phrase inintelligible entre ses dents, et le praticien se tourna vers Page.

— Elle va aussi bien que possible, madame Clarke, fit-il avec un sourire encourageant. Elle n'est pas encore hors de danger, mais nous avons accompli un petit pas en avant. Elle vient de triompher d'un nouveau traumatisme. C'est bon signe. Le reste dépendra d'un tas de choses qu'il vaut mieux ne pas énumérer pour le moment.

Il se voulait rassurant mais, derrière ses paroles, Page avait deviné de nouvelles menaces.

Pression... œdème... proportions alarmantes... nouveau traumatisme... coma prolongé...

Elle parvenait à traduire maintenant le jargon médical. La santé trop fragile d'Allison n'excluait pas une nouvelle rechute. « Seigneur, donnez-moi la force de supporter cette attente. »

— Elle sera en salle de réveil dans la soirée. En attendant, je vous conseille de rentrer chez vous.

— Docteur, est-ce que d'autres complications sont à craindre ? réussit-elle à demander.

— Soyons réalistes, répondit Hammerman après une infime hésitation. Votre fille a subi deux importantes opérations chirurgicales en quatre jours, après un grave accident. Les risques sont nombreux, je ne vous le cache pas, avant que son état ne se stabilise. En attendant, nous la surveillons de très près.

— A-t-elle plus ou moins de chances de survivre que lors de sa première opération ?

— Elle est affaiblie, bien sûr. Mais nous gardons espoir.

Espoir... Elle en était venue à abhorrer ce mot. Elle avait parfaitement reçu le message du chirurgien. Allie avait survécu une fois de plus. Mais la nouvelle intervention n'avait fait que diminuer un peu plus ses défenses.

Le médecin sorti, Brad se laissa tomber sur une chaise en poussant un lourd soupir. Ils avaient l'air de deux naufragés échoués sur une plage inconnue.

— J'ai l'impression escaladé grimpé l'Everest. Je suis vidé.

— J'aurais mieux aimé escalader l'Everest, répondit-elle en écho.

— Du moins, les nouvelles n'ont rien de catastrophique. Allie est vivante. On ne peut pas en demander plus pour l'instant.

Le vœu intense qu'elle survive l'avait emporté sur ses anciennes réticences. Qu'elle vive une heure de plus... un jour de plus... c'était toujours ça de pris.

— Veux-tu que nous rentrions ?

Page secoua la tête.

— Je ne bouge pas d'ici.

— Ils ne te laisseront pas la voir. Ils nous préviendront s'il y a un problème.

— Non, je reste.

Elle avait réagi de la même façon, lorsque Andy gisait sous les lampes de la couveuse. Il lui fallait être ici, dans l'hôpital, près de sa fille.

— Rentre, toi. Andy doit s'inquiéter.

L'incident de la veille les avait rendus plus attentifs. Page avait appelé le pédiatre qui soignait Andy, dans l'après-midi. Rien de plus normal, avait-il décrété, compte tenu de l'anxiété constante de l'enfant. Il en avait profité pour faire part à Page de sa tristesse au sujet d'Allison.

— Tu ne veux pas que je reste avec toi ? Tu en es sûre ?

Elle fit oui de la tête, en le remerciant. En levant le regard sur lui, une myriade de questions fulgurèrent dans son esprit. Depuis quand s'était-il éloigné d'elle ? Pour quelle raison s'était-il enferré dans le mensonge ? Pourquoi ne lui suffisait-elle plus ? Pourquoi ne l'aimait-il plus ? Elle se força au silence... Physiquement Brad n'avait pas changé. Il était toujours aussi séduisant. Sauf que maintenant il ne lui appartenait plus. « Un étranger, se répéta-t-elle, presque un inconnu. »

— Embrasse Andy pour moi. Dis-lui que je l'aime.

Brad agita la main en signe d'au revoir en déclarant qu'il l'appellerait le lendemain à la première heure. Page regagna la petite salle d'attente, réalisant que Brad ne l'avait pas embrassée ni même touchée avant de s'en aller. Le fil qui les liait l'un à l'autre semblait définitivement rompu.

Trygve lui rendit une brève visite. Bjorn l'accompagnait. Page leur dédia un sourire forcé. Elle n'était pas d'humeur à discuter, et c'est à peine si elle parvint à desserrer les dents. Bjorn voulut savoir si sa fille s'était cassé les jambes, comme Chloé. Non, répondit-elle, les blessures d'Allie se situaient à la tête.

— Moi aussi j'ai mal à la tête, parfois, compatit Bjorn.

Ils lui tendirent des sandwiches, et Trygve lui serra le bras. Elle paraissait toute petite, toute mince, comme une poupée désarticulée.

— Tenez bon, murmura-t-il.

Elle acquiesça à travers ses larmes. Une fois seule, elle se sentit un peu mieux. Elle en avait assez de pleurer chaque fois que quelqu'un prononçait le nom d'Allison.

Encore une longue, une interminable nuit... Page s'était installée sur un divan, au fond de la pièce, complètement vide à présent. La fatigue lui engourdissait le corps, mais son esprit veillait... Elle pensa à Brad, à leur bonheur perdu... A la naissance d'Allie, à sa douceur. Yeux clos, elle se revit dans leur premier appartement en ville. Une sorte de ruine, quand ils l'avaient acheté. Un petit bijou, le jour où ils l'avaient revendu. La vision de leur villa à Marin County se superposa à l'image précédente. Le souvenir d'Andy bébé, minuscule et fragile... des bribes de phrases décousues prononcées autrefois par Brad ou Allison... Mais c'était vers cette dernière que ses pensées dérivaient, inéluctablement. La radieuse petite fille qu'elle avait été lui apparut avec une telle acuité qu'un instant elle la crut là, dans la salle d'attente... Et lorsque l'infirmière de nuit vint la chercher, Page ne montra aucune surprise. Sitôt que le battant vitré s'ouvrit, elle bondit instantanément sur ses jambes, comme si elle avait pressenti ce qu'on allait lui dire. Il était plus de minuit.

— Madame Clarke ?

— Oui ? Qu'y a-t-il ?

Elle se mouvait comme dans un rêve et, pourtant, c'était la réalité.

— Allison présente des complications post-opératoires.

— Avez-vous prévenu le chirurgien ?

Le visage de Page était devenu d'une pâleur mortelle.

— Il est en route. Je crois que vous devriez monter la voir. Je vais vous y conduire.

— Merci... Mademoiselle, est-ce que... est-ce qu'elle est en train de mourir ?

L'infirmière parut hésiter.

— Elle décline, dit-elle finalement. Ayez du courage, madame Clarke.

Les autres infirmières de garde pensaient, comme elle, que la fin était proche. Elles avaient téléphoné au chirurgien en chef en pensant que leur petite patiente décéderait sûrement avant son arrivée.

— Ai-je le temps de téléphoner à mon mari ?

Le son de sa propre voix la surprit. Une voix calme, détachée, comme si, sans le savoir, elle n'avait fait que se préparer à cet instant. Elle avait été là lorsqu'Allison était venue au monde et maintenant qu'elle s'apprêtait à le quitter, Page se tiendrait également là, auprès d'elle. Des larmes perlèrent à ses yeux, mais un inexplicable apaisement intérieur l'avait envahie.

Elle s'engouffra derrière l'infirmière dans l'ascenseur.

— Mieux vaut que vous soyez là-haut le plus vite possible. Nous appellerons votre mari du bureau. Nous avons votre numéro.

Pauvre Brad ! songea-t-elle avec commisération. Il apprendrait la mauvaise nouvelle par une voix étrangère. Elle aurait souhaité lui annoncer elle-même le funeste dénouement mais, d'un autre côté, elle voulait être près d'Allie lorsqu'elle les quitterait. Parce que, du tréfonds de sa torpeur, celle-ci saurait que sa mère était là, elle en eut soudain la conviction.

Elle enfila à la hâte une blouse d'hôpital, puis le masque de gaze stérile que l'infirmière lui tendit, avant de pénétrer dans la salle de réveil. Allison, allongée, la tête enveloppée de pansements, lui parut toute menue dans le long lit étroit, ceint de machines. Si blanche et si tranquille.

— Bonsoir, ma chérie, chuchota Page. (A travers le voile étincelant de ses larmes, la vue de son enfant l'inonda d'un bien-être singulier.) Papa et moi t'aimons tant... Je voudrais que tu le saches. Et Andy t'aime aussi. Je sais que tu seras avec nous pour toujours.

L'une des infirmières avait avancé un tabouret où Page s'était assise machinalement. Ses paumes enserrèrent la main d'Allison, une petite main frêle et sèche. Ses doigts et ses bras étaient rigides, symptôme classique de lésions cérébrales considérables. Obscurément, Page se félicita d'avoir épargné à Andy cette vision affreuse.

— Nous avons téléphoné à votre mari, murmura une infirmière.

— Va-t-il venir ? s'enquit Page de cette drôle de voix sans timbre, étrangement sereine.

La peur l'avait quittée. De sa vie, elle ne s'était sentie dans une telle fusion avec Allison. Elles étaient ensemble à présent, mère et enfant, soudées à jamais par des attaches indestructibles. Comme au jour de sa naissance, songea-t-elle. Il n'y avait pas vraiment de différence. Le début et la fin... Le cercle était bouclé, plus tôt que prévu, malheureusement.

— Il a dit qu'il ne pouvait laisser votre fils seul.

Bien sûr qu'il le pouvait. Il lui aurait suffi de faire appel à Jane. Rien d'étonnant que Brad n'ose affronter cet instant crucial et ultime. Elle sentit la main de l'infirmière sur son épaule, après quoi elle fut seule, de nouveau.

— N'aie pas peur Allie, tout va bien se passer. Je serai là, ma chérie, jusqu'au bout.

Allison avait toujours détesté les lieux qu'elle ne connaissait pas. Et maintenant, elle s'apprêtait à se rendre quelque part où Page ne serait pas près d'elle pour l'aider. Elle ne pouvait que l'assister durant le redoutable passage entre le royaume des vivants et celui des ombres.

— Madame Clarke ? (C'était la voix du Dr Hammerman. Elle ne l'avait pas entendu entrer.) Je crains que nous n'ayons perdu la bataille.

— Je sais, murmura-t-elle en levant vers lui ses yeux embués, emplis de désespoir.

— Nous avons tenté l'impossible. Les dégâts étaient trop importants. Cet après-midi j'ai cru qu'elle s'en sortirait. Je suis désolé.

Il examina les écrans lumineux, consulta pour la centième fois le tracé encéphalographique, tâta le poignet d'Allie à la recherche d'un pouls presque inexistant.

— Madame Clarke, y a-t-il quelque chose que nous puissions faire ? Désirez-vous un prêtre ?

— Non, merci, cela ira.

Elle se rappelait dans le moindre détail le premier instant où elle avait tenu Allison contre son cœur. Un bébé vigoureux, débordant de vie, avec un drôle de petit minois rose surmonté d'une houppe de cheveux blonds, et de grands yeux étonnés qui avaient arraché un rire joyeux à Page... Le souvenir avait fait éclore un sourire sur ses lèvres. En se tournant vers Allison, elle se mit à lui conter l'histoire de sa naissance, sous les regards humides des infirmières.

Le chirurgien, qui avait quitté la pièce, revint une heure plus tard. Il alluma le tube cathodique, vérifia les écrans des appareils. Rien n'avait changé. Aucune amélioration, bien sûr, mais l'état de la patiente n'avait pas empiré. Quelque part, du fond de son coma, Allie s'accrochait à la vie.

Assise à la même place, Page lui tenait la main et lui parlait d'une voix douce. Elle avait ouvert les portes de son cœur, afin de la laisser partir. Elle n'avait plus le droit de retenir l'âme qui se disposait à prendre son envol. Allison se trouvait déjà sur l'autre rive, parmi les anges, et le fait d'être simplement à son côté comblait Page d'un bonheur insolite.

— Je t'aime... je t'aime, Allie, je t'aime, ma petite fille.

Une partie d'elle-même s'attendait à ce que Allison ouvrît les yeux en disant « moi aussi je t'aime, maman », mais elle savait que cela n'était plus possible.

Le Dr Hammerman s'était remis à ses machines, avait vérifié pour la énième fois l'encéphalogramme, avant de s'éclipser de nouveau. Deux heures s'étaient écoulées. Page regrettait l'absence de Brad. La voix de Hammerman la fit sursauter. Le chirurgien s'était approché d'elle sans bruit.

— Regardez cet appareil, fit-il à mi-voix, le doigt pointé sur le moniteur cardiaque. Le pouls a l'air de se stabiliser. Je crois qu'Allie n'a pas encore décidé de nous quitter, madame Clarke.

Page le regarda. Curieusement, elle ne pouvait penser qu'au jour où Allie avait failli se noyer dans la piscine.

— En êtes-vous sûr ?

— Attendons un peu.

Page n'avait pas l'intention de bouger. En se penchant vers sa fille, elle lui narra l'épisode de la piscine. A l'époque, Allie avait cinq ans. Et trois ans plus tard, alors que Page était enceinte d'Andy, Allie lui avait causé une nouvelle frayeur, car elle avait failli se faire écraser par un camion, en traversant la rue à bicyclette. Elle lui raconta aussi cette anecdote, en ne la quittant pas des yeux une seconde.

L'aube teintait d'or pâle le sommet des collines de Marin County. Allison semblait plongée dans un sommeil paisible, et Page crut percevoir un faible soupir passer à travers ses lèvres aussi blanches que le marbre. On eût dit qu'Allison revenait de loin et que ce long chemin parcouru durant la nuit l'avait épuisée... Alentour, les ombres pâlissaient. La sensation d'un départ imminent s'était diluée dans les premiers rayons du soleil printanier.

— J'en ai vu des miracles dans ma carrière, déclara le Dr Hammerman, les traits éclairés d'un sourire. Cette jeune personne n'a pas encore dit son dernier mot. Et moi non plus.

Les infirmières échangeaient des propos à voix basse. Elles avaient toutes été persuadées que la pauvre petite Mlle Clarke ne passerait pas la nuit.

— Merci, répondit Page, inondée d'une indicible émotion.

Elle venait de vivre la nuit la plus extraordinaire de toute son existence. De toutes ses forces, elle avait soutenu la mourante. Sans crainte ni inquiétude. Comme une flamme de bougie que le vent s'acharnait à souffler, Allie avait failli s'éteindre. Or, la petite flamme brûlait toujours, infime lueur d'espoir dans les ténèbres. Page se pencha pour embrasser les doigts de sa fille, sachant que plus jamais elle n'aurait peur. A sa fatigue se mêlait une certaine exaltation. La main de Dieu les avait protégées pendant le combat effroyable qu'elles avaient livré ensemble contre la mort. L'impression qu'Allie était en sécurité avait triomphé des affreux doutes.

L'esprit en paix, Page reprit le chemin de Ross en voiture, dans la lumière diffuse du petit matin.

9

Le reste de la journée se déroula comme sur un nuage. Pour la première fois depuis la nuit de l'accident, Page se sentit le cœur léger... Etranges sensations, impossibles à décrire ou à expliquer ! Elle éprouvait une sorte de béatitude, une sérénité intérieure, une impression d'harmonie absolue avec le monde environnant que plus rien, aucun péril, aucune misère, ne pourrait entamer.

Brad avait immédiatement remarqué le changement. Dans les grands yeux bleu ciel de Page pétillait une lueur vive, presque joyeuse ; sa longue veillée nocturne n'avait nullement brouillé l'éclat de son teint, ni celui de son regard... Elle lui avait raconté comment, au seuil de la mort, Allison avait rebroussé chemin, comment un parfum de résurrection l'avait enveloppée. Bouleversé, Brad avait donné libre cours à ses larmes. Avant d'emmener Andy à l'école, il déclara qu'il dînerait à la maison. Après qu'ils furent partis, Page appela sa mère. Mme Addison renouvela sa proposition de venir à la rescousse et, de nouveau, Page déclina l'offre. Bizarrement, l'optimisme excessif de sa correspondante ne l'agaça guère, pour une fois. Elle raccrocha, non sans avoir promis de rappeler dans quelques jours, après quoi elle tâcha de se remémorer l'expérience extraordinaire qu'elle avait vécue : la parfaite fusion avec Allie, la certitude, au-delà du moindre doute, que cette dernière était en sécurité entre les mains d'une puissance supérieure. Dès lors, sa présence constante à l'hôpital ne lui parut plus indispensable.

Elle se doucha, se mit au lit, sombrant aussitôt dans un sommeil réparateur. Elle se réveilla juste à temps pour faire un saut aux urgences, avant d'aller chercher Andy à l'école.

Allison avait été transportée entre-temps aux soins intensifs où Page pénétra, avec l'impression que toutes deux revenaient d'un très long voyage. En s'asseyant près du lit, elle lui prit la main.

— Bonjour, chérie. Bienvenue parmi nous.

Elle savait qu'Allie l'entendait. Qu'une partie de son subconscient enregistrait ses paroles.

— Tu m'as fait une bonne blague, hier soir, petite coquine. Et je suis contente de te revoir, Allie, parce que je t'aime.

L'espace d'une seconde, elle crut apercevoir un sourire fugitif sur les lèvres pâles et closes... Le sourire espiègle d'Allie. Elle l'avait imaginé, naturellement, mais elle sut en même temps que la communication passait entre elles, au-delà des mots.

— J'ai besoin de toi ici, ma petite fille. Nous t'attendons tous, tu sais... Oh, Allie, dépêche-toi de guérir. Tu nous manques terriblement.

Elle lui parla longuement, à voix basse, dominée par la certitude que sa fille l'entendait.

Trygve arriva au moment où Page traversait le hall bruyant en direction de la sortie. Il la regarda, étonné. « Transfigurée ! » songea-t-il. C'était bien le mot qui convenait. La jeune femme s'avançait d'un pas alerte, ses cheveux blonds flottant sur ses épaules, un sourire lumineux sur les lèvres, le premier depuis des jours et des jours.

— Mon Dieu, Page, que vous est-il arrivé ?

— Je ne sais pas. Je vous raconterai tout une autre fois.

— Comment va Allison ?

— Mieux... Non ! Pareil. Elle a survécu à la deuxième intervention. Nous avons failli la perdre hier soir, mais aujourd'hui son état s'est stabilisé. A propos, je suis passée voir Chloé. Elle vient de se rendormir. Quand je l'ai vue, elle se plaignait du manque de confort, ce qui est à mon avis bon signe. Elle a vraiment meilleure mine.

— Dieu merci ! Reviendrez-vous plus tard ? interrogea-t-il avec un intérêt non dissimulé.

— Je ne crois pas. J'ai promis à Andy de l'accompagner à son entraînement de base-ball. Ce soir, je resterai chez moi, à moins que Mlle Allison ne recommence à faire des siennes.

Au fond, elle ne le pensait pas. Des expériences comme celle de la nuit précédente ne se produisaient qu'une seule fois au cours d'une vie.

— Je vous verrai demain, alors ?

La déception se lisait sur son visage.

— Oui. Je viendrai dès que j'aurai conduit Andy à l'école.

Il la regarda grimper dans son antique voiture.

L'après-midi avec Andy fut agréable, bien qu'il ne marquât aucun point pendant le match. Il se hissa à la place du passager dans la voiture, un cornet de glace à la main. Cela rappela à Page le samedi précédent. Il était difficile de croire que cinq jours plus tôt, ils menaient une vie normale. Cinq jours avaient passé depuis l'accident, quatre depuis la découverte de l'infidélité de son mari. Une éternité.

Brad ne rentra pas dîner ce soir-là ; néanmoins, il se donna la peine de la prévenir par téléphone. Il devait rester tard au bureau, afin d'étudier un dossier urgent. Il serait plus commode qu'il passât la nuit en ville. Le dossier en question avait pour nom Stéphanie, Page n'en douta pas un instant, mais elle raccrocha sans commentaire, sans même s'énerver.

Elle mit Andy au lit, puis composa le numéro de Jane. Tout excitée, sa voisine lui répéta une sombre histoire que lui avait rapportée le jour même une de ses amies ; cette dernière avait fréquenté autrefois Laura Hutchinson. Selon elle, Laura avait eu des problèmes avec l'alcool dans sa jeunesse. Elle avait subi une cure de désintoxication des années auparavant. Apparemment, d'après des informations glanées à droite et à gauche, l'épouse du sénateur n'avait jamais rechuté.

— A moins que ce fameux samedi soir, elle n'ait succombé à ses anciens démons, conclut Jane.

Page eut un haussement d'épaules. Qui pouvait se targuer de pouvoir distinguer lequel, parmi les multiples visages de la vérité, était le bon ? Elle détestait les ragots.

— Elle est probablement innocente, affirma-t-elle dans un esprit d'équité.

— Pas sûr... Les chroniqueurs des feuilles de chou doivent se frotter les mains. Quel scoop, surtout en période électorale !

— Ils vont certainement beaucoup s'agiter. Inutilement, à mon avis. Les potins n'ont jamais servi qu'à brouiller les pistes.

— J'ai cru que ce renseignement t'intéresserait, répliqua Jane, désarçonnée par la réaction mitigée de son interlocutrice. Si Mme Hutchinson est responsable de l'accident, le jeune Chapman sera mis hors de cause.

— Certes ! Seulement on n'a pas le droit de la juger sur une erreur de jeunesse. Merci pour l'information en tout cas.

Elles échangèrent ensuite les habituels propos au sujet d'Allison. Ayant raccroché, Page régla quelques factures et parcourut son courrier, dans le silence ouaté de la nuit.

Le lendemain, la routine avait repris le dessus : déposer Andy à l'école, puis retourner à l'hôpital. Répondre aux demandes de ses deux enfants constituait un exploit dont elle se sentait fière. Andy avait désespérément besoin de sa mère, tout autant qu'Allison.

Les infirmières de l'unité des soins intensifs la saluèrent aimablement. Elles commençaient à bien la connaître et appréciaient sa gentillesse. Elles avaient appris par leurs collègues de l'équipe de nuit que la petite Mlle Clarke avait frôlé la mort, l'avant-veille.

— Comment va-t-elle ce matin ? s'enquit Page.

Elle avait téléphoné à plusieurs reprises dans la nuit pour s'entendre dire qu'aucun changement ne s'était produit.

— Elle est stable, répondit Frances, l'infirmière de service, en lui souriant. Le Dr Hammerman l'a examinée il y a une heure, reprit-elle. Il a eu l'air plutôt satisfait.

— Est-ce que l'œdème a régressé ?

Comment le deviner ? Au profond coma s'était substitué un sommeil plus paisible et la pâleur d'Allison s'était atténuée.

— Oui, un peu. Les chirurgiens ont réussi à réduire la pression.

Page s'assit près de sa fille et lui prit doucement la main, en un geste devenu familier. Aucune amélioration visible n'était survenue depuis la veille. Page, elle, se sentait mieux... Mieux armée pour affronter les événements, plus apte à les comprendre. Sa colère même contre Brad était tombée. Elle n'aurait pas su dire pourquoi. Sauf qu'une singulière métamorphose s'était opérée en elle.

Trygve entra dans la pièce et lui tendit un sac de papier brun contenant des croissants.

— Vous semblez beaucoup mieux, remarqua-t-il en souriant. Je suis heureux de le constater.

L'habitude ! songea-t-il en même temps. L'extraordinaire faculté des humains à s'adapter au pire. Voilà six jours qu'il venait voir Chloé à l'hôpital. Aujourd'hui, cette démarche lui paraissait presque normale. Sa fille avait quitté les soins intensifs pour une chambre individuelle. Dans quelques semaines, elle rentrerait à la maison. Les premières images du cauchemar commençaient à s'estomper.

En quittant Allison, Page fit un détour par la chambre de Chloé. La jeune fille, moins groggy, disait souffrir le martyre dans son carcan de plâtre. Mais des bouquets de fleurs trônaient un peu partout et ses amies avaient été autorisées à lui rendre visite. Jusqu'alors, elle n'avait vu que son père et ses frères. Jamie Applegate avait appelé à plusieurs reprises, et Trygve lui avait suggéré de passer à l'hôpital durant le week-end. Il en était venu à apprécier sa gentillesse et ses bonnes manières. Les Applegate avaient envoyé à Chloé une énorme gerbe de roses resplendissantes.

Pendant que sa fille recevait ses amies, Trygve se tenait dans le couloir.

— Eh bien, sourit Page en s'approchant, on dirait que tout s'arrange.

— Rien de moins sûr, soupira-t-il, espiègle. A mon avis, l'étape numéro deux ne sera pas de tout repos. Mademoiselle exige sa musique, ses amies, voudrait retourner chez nous la semaine prochaine, ce qui est impossible, et elle n'a pas cessé de me harceler pour que je lui lave les cheveux.

— Vous avez de la chance, répondit Page calmement.

Elle aurait donné dix ans de sa vie pour avoir les mêmes problèmes avec Allie.

— Je sais... J'ai entendu dire que vous avez failli perdre Allison la nuit de sa seconde opération.

L'une des infirmières lui avait raconté toute l'histoire.

— Oui, dit Page. Ça a été l'expérience la plus extraordinaire que j'aie jamais eue. (Elle chercha fébrilement ses mots, de crainte de passer pour une folle.) J'ai eu le pressentiment de ce qui allait se passer, avant que l'infirmière vienne me chercher. Je savais que ma fille se mourait, comprenez-vous ? Et de ma vie, je ne me suis jamais sentie aussi proche d'elle. Je lui tenais la main en pleurant, je la voyais s'éteindre, et pourtant une sorte de paix indicible m'avait envahie. Soudain, j'ai perçu une subtile modification. Je l'ai sentie revenir... revenir de très loin... Je n'ai jamais rien éprouvé d'aussi puissant et en même temps d'aussi merveilleux. C'est incroyable !

Trygve n'avait pas perdu un mot de son récit. A présent, il la dévisageait, regrettant de ne pas avoir été à son côté. Il avait su par l'infirmière que, une fois de plus, Brad avait brillé par son absence.

— J'ai déjà entendu de telles histoires, murmura-t-il, au comble de l'émotion. Dieu merci, elle nous est revenue.

— Oui, elle nous a fait une bonne surprise, dit Page avec un sourire chaleureux.

— Et elle nous en fera d'autres, vous verrez.

— Je l'espère, fit-elle d'une voix douce.

— Et Andy ? Est-ce qu'il tient le coup ?

— Pas très bien. Il a eu des cauchemars et... (le ton de sa voix baissa d'une octave) il a mouillé son lit. Le choc émotionnel, sans doute, puis le fait qu'il n'a pas encore vu Allie. Pour l'instant, je m'y oppose.

— J'aurais agi comme vous.

L'aspect cadavérique d'Allie aurait achevé d'effrayer le petit garçon. Chloé avait éclaté en sanglots, lorsqu'elle s'était rendu compte de qui occupait le lit voisin dans la salle de soins intensifs. Elle avait à peine reconnu sa meilleure amie.

— Vous avez raison de préserver Andy d'une épreuve aussi traumatisante.

— D'autant que ses propres parents lui donnent du fil à retordre, confia Page, après un silence. Mes rapports avec Brad n'ont pas cessé de se dégrader et, bien sûr, Andy est terrorisé. Brad n'est pas souvent à la maison ces temps-ci. Il voudrait déménager, je crois.

Elle avait exposé la situation avec un sang-froid dont elle fut la première étonnée. Après seize ans de vie commune, son mari la plantait là, et elle était là, à en parler tranquillement à Trygve. D'ailleurs, ne l'avait-il pas déjà quittée ? Ce matin, il l'avait rappelée pour lui dire qu'il serait absent tout le week-end.

— Vraiment ! C'est trop demander à une seule et même personne, explosa Trygve, sans la quitter des yeux.

— Je n'ai rien dit à Andy pour le week-end. Evidemment, il subodore que quelque chose ne tourne pas rond, et cela le tourmente terriblement.

— Ce n'est pas à Andy que je faisais allusion mais à vous, Page. A tout ce que vous avez enduré. Au début, j'ai attribué l'attitude de Brad à un moment d'égarement dû à l'accident. A présent, si j'ai bien compris, l'affaire est plus grave.

— Il a une liaison depuis huit mois avec quelqu'un dont il semble éperdument amoureux. Le pire, c'est que je ne m'étais rendu compte de rien. J'étais trop accaparée par mes corvées de femme au foyer.

Elle avait adopté un ton badin, qui ne parut pas très convaincant aux oreilles de Trygve.

— Je sais ce qu'on ressent dans ces cas-là, murmura-t-il.

Page haussa les épaules.

— On dit bien que l'amour est aveugle. Je peux dire qu'il est également sourd et stupide.

Brad lui avait infligé une blessure mortelle. Elle se sentait trahie, rejetée. Abandonnée. Affreusement seule.

— Je connais bien ça. Tout le comté était au courant

des frasques de Dana, et je déployais des trésors d'énergie pour me convaincre que notre mariage était solide comme un roc.

— Moi aussi... Je n'ai rien voulu voir.

Elle avait levé sur lui de grands yeux embués de larmes, et il dut se retenir pour ne pas la prendre dans ses bras.

— Et un beau jour, tout m'est tombé dessus en même temps, reprit-elle. Allie, puis Brad... Deux chocs, coup sur coup. Pendant ce temps, mon pauvre Andy essaie d'y comprendre quelque chose. Moi aussi, d'ailleurs, bien que je sois supposée être adulte.

— Ne vous forcez pas à vous comporter en adulte à tout prix. La prochaine fois que vous verrez Brad, décochez-lui un bon coup de pied dans le tibia. Ça fait très mal, et ça vous soulagera.

Sa remarque arracha à Page un rire d'une fraîcheur inattendue.

— Nous nous sommes envoyé des coups bas toute la semaine... Puis, quand j'ai failli perdre Allie, mon problème avec Brad m'est apparu sous un jour nouveau. J'ai compris que rien n'était catastrophique, à part la mort d'un être précieux. Le reste n'a qu'une importance relative... Tout peut être résolu, sauf l'irréversible. Je me sens plus forte, à présent, même vis-à-vis de l'accident d'Allie.

— Je vous crois. L'esprit humain possède de fabuleuses facultés d'adaptation. En lui, nous trouvons les ressources nécessaires pour traverser les épreuves les plus pénibles. (Elle acquiesça et il lui lança un regard presque timide.) Avez-vous des projets pour demain après-midi ?

— Rien de bien défini. Andy n'a pas de match de base-ball pour une fois. Je songeais le confier à ma voisine. Je ne voudrais pas laisser Allie seule toute la journée.

— Venez déjeuner chez nous, tous les deux. Bjorn

adore les enfants. Andy pourrait rester avec nous, si vous avez envie de faire un saut à l'hôpital. Vous reviendriez le chercher après dîner, à moins que vous ne préfériez vous joindre à nous.

Elle le considéra, hésitante, touchée par sa sollicitude.

— Cela ne vous dérangera pas, vous en êtes sûr ? Vous ne vouliez pas rendre visite à Chloé ?

— Bjorn et moi passerons la saluer dans la matinée. L'après-midi, elle recevra ses amies. Jamie viendra également. Je repasserai peut-être brièvement dans la soirée.

— Eh bien, voilà une journée bien remplie.

Du regard, il la suppliait d'accepter son invitation. Il appréciait sa compagnie, aimait bien Andy, et pensait que tous deux avaient besoin de souffler.

— Venez, Page, j'en serais ravi. Andy s'amusera mieux avec Bjorn qu'avec votre voisine.

« Il en oubliera peut-être l'absence de son père », se dit-elle.

— Cela me fera plaisir. Je vous remercie, Trygve.

Deux écolières sortirent de la chambre de Chloé et Trygve se prépara à retourner auprès de sa fille.

— A demain midi, dit-il. Dites à Andy d'apporter son gant de base-ball. Bjorn n'est pas mauvais à la batte.

— Je le lui dirai.

L'invitation suscita chez Andy un enthousiasme modéré. Page lui avait raconté que son père repartait en voyage d'affaires, et une lueur suspicieuse s'était allumée dans les yeux bleus du petit garçon.

— Ah bon... Et il sera absent samedi *et* dimanche ?

Page ramena habilement la conversation sur Bjorn. Andy le connaissait de vue. Il n'avait jamais joué avec lui. Il savait qu'il fréquentait une école spécialisée.

Le lendemain, les Thorensen leur réservèrent un accueil grandiose. Bjorn avait participé à la préparation d'un succulent déjeuner composé de hamburgers-frites.

De plus, Trygve avait fait griller des hot-dogs au barbecue, qu'il accompagna d'une gigantesque salade de riz aux champignons, accompagnée de noix de pécan, carottes, céleri, rondelles d'oignon et persil. Bjorn déclara tout de go que son frère Nick, qui était reparti au collège, réussissait les hot-dogs mieux que personne.

— Nick est un cordon-bleu, conclut-il, et l'expression avait fait rire Andy.

— Où sont tes dents ? s'enquit Bjorn, intrigué.

— La petite souris les a volées, expliqua Andy.

Ils avaient l'air de bien s'entendre. Le fait que Bjorn ait dix-huit ans n'avait nullement impressionné son jeune invité. C'était l'enfant le plus âgé qu'Andy avait jamais connu.

— Le dentiste te les remplacera, décréta Bjorn, très intéressé par le sujet. Le nôtre est vraiment doué. Je me suis cassé une dent l'année dernière et il m'en a fabriqué une autre, exactement la même.

Il montra à son nouveau copain la dent en question.

— Les miennes vont repousser. Tu as dû perdre les tiennes quand tu avais mon âge. Tu ne t'en souviens pas ?

— Oui, peut-être. Je n'ai pas fait attention.

La scène se déroulait sous les regards enchantés de Page et de Trygve. Bjorn et Andy poursuivirent leur bavardage comme s'ils se connaissaient depuis toujours. Ils étaient assis à une table de jardin, dans l'éclatante lumière du printemps.

— Tu joues au base-ball, toi ? demanda Bjorn.

Andy, qui avait englouti deux hot-dogs, se servit un hamburger.

— Ouais ! sourit-il.

— Moi aussi. J'aime bien le bowling. Et toi ?

— Je n'ai jamais essayé. Maman prétend que je ne suis pas assez grand. Il paraît que les boules sont drôlement lourdes.

— Oh, oui, approuva Bjorn. Elles sont plutôt lourdes. C'est papa qui m'emmène au bowling. Parfois, j'y vais avec Nick ou Chloé. Enfin, pas depuis qu'elle est à l'hôpital. Elle s'est cassé les jambes la semaine dernière mais elle reviendra bientôt à la maison.

— Ma sœur est à l'hôpital également, répondit Andy d'un ton sérieux. Elle s'est blessée à la tête.

— Elle l'a cassée aussi ? voulut savoir Bjorn.

Il couvait son petit interlocuteur d'un regard compatissant. Lui-même avait pleuré, lorsqu'il avait vu Chloé, les jambes dans le plâtre.

— Oui, on peut le dire comme ça. Je ne l'ai pas vue, elle ne se sent pas encore très bien.

— Ah bon, fit Bjorn, ravi de découvrir qu'ils avaient deux points communs : le base-ball et des sœurs malades. Cette année, je participerai aux jeux olympiques pour « juniors ». Papa m'aide à m'entraîner.

— C'est chouette ! Quelle est ta spécialité ?

— Le saut en longueur.

Pendant que la discussion battait son plein, Trygve et Page étaient allés s'asseoir à l'ombre d'un chêne touffu, à l'autre bout du jardin.

— C'est un succès ! jubila Trygve. Mentalement, Bjorn a entre dix et douze ans. Andy a le bon âge... et il est adorable.

Le naturel avec lequel Andy avait abordé Bjorn l'avait profondément touché.

— Bjorn aussi. Nous avons des gosses formidables... Dommage que nos deux bouillantes demoiselles aient tout fichu en l'air avec leur satané mensonge.

Une semaine plus tôt leur vie se déroulait sans la moindre anicroche. Il avait suffi d'une minute pour que tous soient catapultés en enfer... Elle jeta un regard à Trygve, remarquant pour la première fois combien il était séduisant.

— Comme j'aurais voulu pouvoir remonter le temps, dit Trygve.

Page était allongée sur une chaise longue, son petit visage triangulaire tourné vers la lumière, nimbé par le halo blond de sa chevelure.

— Ressasser le passé n'apporte pas toujours la réponse à nos questions. Pour ma part, je préfère me propulser dans le futur, ajouta-t-elle en souriant. J'aurai alors laissé loin derrière moi ces mauvais moments.

— Avez-vous remarqué que les mauvais moments sont beaucoup plus longs que les bons ?

Ils éclatèrent d'un même rire.

— Oh, oui ! Je souhaite me retrouver, par un coup de baguette magique, au jour où Allie ira mieux.

— Cela finira bien par arriver, l'encouragea-t-il. Mais il faut vous armer de patience.

— Je le sais. Le médecin m'a prévenue. Il lui faudra des années pour redevenir normale.

— Ça se pourrait. Bjorn a porté des couches-culottes jusqu'à l'âge de six ans. A onze ans, il avait toutes les difficultés du monde à traverser la rue sans risquer de se faire écraser. Il s'est brûlé en faisant la cuisine à douze ans. Les progrès se sont accomplis très lentement. Très progressivement. Vous rencontrerez probablement les mêmes problèmes avec Allie. Chaque pas en avant sera une sorte de victoire.

Il se tut, craignant d'en avoir trop dit. Tous deux savaient qu'Allison ne redeviendrait peut-être jamais normale. Que si elle survivait à ses blessures, elle resterait probablement plus diminuée que Bjorn.

— Oh, Trygve, je préfère la garder dans n'importe quel état plutôt que de la perdre.

— Je comprends.

Elle serait bien restée sur cette chaise longue jusqu'à la fin des temps. Néanmoins, elle se leva. L'hôpital, le hall bondé, le couloir sinistre menant aux soins intensifs, la soufflerie régulière du respirateur, tout lui revint avec précision. Il fallait y aller. Par ailleurs, Chloé avait réclamé une pile de magazines ainsi que sa trousse de maquillage, et Page avait promis de les lui apporter.

Les deux garçons jouaient au base-ball sur la pelouse, lorsqu'elle prit sa voiture. Par le rétroviseur, elle vit Trygve qui agitait la main, debout sur le perron, et pour la première fois depuis longtemps, elle eut un soupir de contentement. En plein désastre, elle avait au moins trouvé un ami. Sa présence lui faisait l'effet d'une île verdoyante au milieu d'un océan déchaîné.

Ce jour-là, un calme reposant régnait à l'hôpital. Page laissa errer son regard sur Allie, figée dans son coma, vivant grâce au respirateur. Son état était considéré comme critique mais stable. Page prit place sur le tabouret, lui raconta sa journée, sans cesser de lui murmurer des mots tendres... Aucune réaction, bien sûr.

Une tout autre ambiance animait la chambre de Chloé. Jamie Applegate était là. Il avait apporté un lecteur de C.D. et les deux adolescents écoutaient leurs chanteurs préférés. Un nouveau bouquet resplendissait sur la commode. Le jeune homme se leva à la vue de Page, et demanda poliment s'il pourrait bientôt voir Allison.

— Non... non... pas encore... je vous ferai signe dès que les visites seront autorisées.

Elle retourna chez Trygve en fin d'après-midi. Engagés dans une partie de cartes, les deux garçons riaient aux éclats. Ils jouaient en trichant, ce qui rendait bien sûr le jeu hilarant. Trygve s'agitait devant ses fourneaux.

— Vous aurez l'honneur de goûter à une fameuse recette norvégienne, annonça-t-il. Ragoût de pâtes aux boulettes de viande.

— Les boulettes sont extra ! cria Bjorn en traversant la cuisine, Andy sur ses talons, en route vers l'étage où ils comptaient regarder un film en vidéo.

— Je ne crois pas qu'Andy ait envie de rentrer maintenant, reprit le maître de maison. Je crains que vous ne soyez obligée de partager notre repas... Comment se porte Chloé ? demanda-t-il en surveillant ses casseroles d'où s'échappait un fumet délicieux.

— Très bien. Jamie lui tenait compagnie. Vous avez raison, ce jeune homme est bien sympathique. Ils écoutaient de la musique quand je suis partie... On ne peut pas en dire autant de ma pauvre Allie, ajouta-t-elle, et son sourire s'effaça. Samedi dernier, il y a huit jours exactement, elle me demandait de lui prêter mon sweater de cachemire rose.

Samedi dernier, à cette heure-ci. L'idée lui traversa l'esprit pour la première fois. Les infirmières avaient découpé le fameux sweater, dès l'arrivée de la blessée à l'hôpital, ce dont Page se moquait éperdument. Elle voulait seulement sa fille.

— J'aimerais pouvoir vous aider.

Ils s'étaient assis à la table de la cuisine. Trygve avait servi deux verres de vin blanc frappé qu'ils dégustèrent pensivement.

— Vous m'avez beaucoup aidée, déjà. L'avenir ne s'annonce pas brillant, soupira-t-elle. Au train où vont les choses, Brad ne tardera pas à déménager. Ce sera dur pour Andy... pour moi aussi, quoi qu'il advienne d'Allie...

Elle laissa sa phrase en suspens. L'exaltation de la veille cédait progressivement le pas à de nouveaux doutes, qu'elle s'efforça d'ignorer. La semaine écoulée lui avait appris un tas de choses : la résignation, l'acceptation, la patience.

— A votre avis quelle sera la réaction d'Andy si Brad se décide à partir ?

— Ne dites pas *si*. Dites plutôt *quand*. Il a l'air de savoir ce qu'il veut pour une fois. Ce sera dur pour Andy. Il adore son père. Naturellement, il ne se doute encore de rien, mais...

— Souvent, les gosses vous surprennent. Ils comprennent tout, à leur manière.

— Vous avez sans doute raison.

Les garçons retraversèrent la cuisine au pas de course.

— Dites, les cow-boys ! appela Trygve. Le repas est prêt. Il leur intima de se laver les mains, puis récita les grâces avec Bjorn. Page baissa la tête, se laissant imprégner par les mots réconfortants de la prière. Sans trop savoir pourquoi, elle pensa à son enfance : les Addison n'étaient pas pratiquants. Ils n'allaient jamais à la messe sauf en de rares occasions.

— Je vais au catéchisme tous les dimanches, expliqua Bjorn à son nouvel ami. On nous parle de Dieu. Un type sympa. Il te plairait, j'en suis sûr.

Page réprima un sourire, jetant un coup d'œil à la dérobée vers Trygve. Il souriait aussi.

Après dîner, Trygve entraîna son invitée sur la terrasse inondée de la splendide lumière orangée du couchant. Débarrasser la table faisait partie des attributions de Bjorn. Andy resta dans la cuisine pour l'aider.

— Bjorn est un garçon extraordinaire, dit-elle doucement, les yeux fixés sur les collines verdoyantes.

— En effet. Heureusement, Nick et Chloé pensent la même chose. Ils s'occuperont de leur frère quand je ne serai plus là. J'ai projeté de lui louer un appartement, plus tard, mais il n'est pas encore prêt.

Et Allie ? se demanda-t-elle avec angoisse. Si Allie restait handicapée, Andy hériterait d'une lourde charge. Elle n'y avait encore jamais songé. Elle n'avait pas eu le temps. Tout s'était soudain précipité, le chaos avait fait irruption dans son univers, bouleversant à tout jamais l'ordre des choses.

— ... amusant de vous avoir avec nous, disait Trygve. J'en suis réellement enchanté, Page.

— Moi aussi. Grâce à vous, nous avons pu nous détendre, oublier un instant toute cette pagaille.

— La pagaille ne durera pas éternellement.

— Pour l'instant, je n'en vois pas le bout. Je ne sais même pas quelle direction je dois prendre... Les choses vont si vite... elles me dépassent. Il y a à peine une semaine, j'étais une autre femme, menant une autre vie... Aujourd'hui, j'avoue ne rien comprendre. Je patauge dans une mare de confusion.

Trygve lui prit la main qu'il garda longtemps entre les siennes. L'aura fragile qui émanait de toute sa personne l'incitait à la protéger.

— Jusqu'ici, vous vous êtes très bien débrouillée. La règle d'or en période de grande tension consiste à avancer *lentement*. Un pas après l'autre.

Il entendit son rire clair, alors qu'elle renversait la tête en arrière.

— Moi, je vais lentement, s'esclaffa-t-elle. Je suis bien la seule, d'ailleurs, car le reste s'effondre à une telle allure que je n'ai même pas le temps de ramasser les morceaux.

Le rire de Trygve fit écho au sien, et pendant un long moment, ils contemplèrent en silence la riche lumière pourpre du crépuscule.

— La vie n'est pas aussi simple qu'elle en a l'air, soupira Trygve. On se croit à l'abri de tout et brusquement on se retrouve dans l'œil du cyclone... il n'y a plus qu'à attendre que ça se passe. On tire des satisfactions insoupçonnées à réparer les dégâts.

— J'aimerais tant vous croire.

Le soleil avait disparu derrière les collines, et Trygve contempla un instant le ciel embrasé.

— Je suis plus heureux aujourd'hui, affirma-t-il avec honnêteté. Jamais je n'aurais cru que j'y arriverais. Je me fiche éperdument de me remarier... Mon seul regret, c'est de ne pas avoir d'autres enfants. Mais on ne peut pas tout avoir, n'est-ce pas ? Si je ne rencontre pas la bonne personne, je me contenterai de ma vie actuelle. Je me sens parfaitement bien dans ma peau, j'adore mes gosses et mon travail... Avant, je passais le plus clair de mon temps à poursuivre un bonheur inaccessible avec Dana. J'allais d'échec en échec, bien sûr, et m'en rendais responsable. Je me complaisais dans ma misère, par une sorte d'entêtement auquel j'ai fini par renoncer. En acceptant de perdre Dana, j'ai gagné la paix intérieure. C'est ça, le bonheur... Vous le constaterez plus tard, vous aussi. Vous avez des enfants merveilleux, un talent fou, une personnalité hors du commun. Vous méritez d'être heureuse, Page, et vous le serez, avec ou sans homme.

— Pouvez-vous me le mettre par écrit, s'il vous plaît ?

— Je persiste et signe ! Tout va s'arranger, vous verrez.

— J'ai hâte d'y être, dit-elle doucement.

Il la regarda longuement, puis se pencha vers elle et elle eut soudain l'impression qu'il allait l'embrasser... Les deux gamins déboulèrent alors sur la pelouse, munis de la batte et du gant de base-ball.

— Holà, petits chenapans ! cria Trygve. Il est trop tard pour jouer. Allez plutôt regarder la télé. Bientôt, ce sera l'heure de se coucher, tu entends, Bjorn ?

L'instant magique avait été rompu. Page se demandait si elle n'avait pas rêvé, lorsque Trygve se tourna de nouveau vers elle.

— Voulez-vous nous laisser Andy pour la nuit ? Allez-vous retourner à l'hôpital ?

— Je préfère rentrer à la maison. Brad viendra peut-être chercher son fils demain. Dans ce cas, je passerai l'après-midi avec Allie. Et vous ? Irez-vous voir Chloé ce soir ?

Leur existence se résumait en aller et retour à l'hôpital. Tous deux se démenaient pour s'occuper en même temps de leurs autres enfants, ce qui, parfois, les vidait de toute leur énergie.

— Oui, je ferai un saut, répondit-il.

— Nous allons rentrer, dit Page à contrecœur.

Ils restèrent néanmoins assis, en silence, au clair de lune, humant les parfums grisants de la forêt toute proche. Il n'avait plus esquissé le moindre mouvement vers elle, et sur le chemin du retour, elle conclut que ce geste ambigu à son endroit n'était qu'un pur produit de son imagination. Trygve tenait par-dessus tout à son indépendance. Il avait sa vie. Dana lui avait assené un coup de poignard dans le dos... Comme Brad ! Curieusement, leurs destins semblaient se suivre. Jusqu'alors, elle n'avait pas réalisé que Trygve l'attirait. Un sourire involontaire lui effleura les lèvres et ce fut alors que la voix d'Andy, en provenance de la banquette arrière, lui coupa le souffle.

— M'man, qui est Stéphanie ?

— Pardon ? fit-elle, le cœur battant à tout rompre.

— Tu t'es disputée avec papa à cause d'elle, l'autre jour, j'ai tout entendu. Et puis, papa lui a téléphoné.

— Il s'agit d'une dame qui travaille avec lui, répondit Page d'une voix blanche.

Les paroles de Trygve émergèrent de sa mémoire. Les enfants devinaient aisément les secrets des adultes. Ainsi, il les avait entendus, la nuit de son cauchemar.

— Est-elle gentille ? insista-t-il.

— Je ne la connais pas.

— Alors pourquoi tu as crié après papa ?

Page s'accorda une profonde inspiration, dans l'espoir de contrôler son énervement.

— Je n'ai pas crié après papa pour ça... oh et puis zut ! je n'ai pas envie d'en parler.

— Pourquoi pas ? Elle a l'air gentille au téléphone.

Les doigts de Page se crispèrent sur le volant. Elle exhala un long soupir comme si elle avait reçu un coup de poing dans le plexus.

— Quand a-t-elle appelé ?

— Hier, lorsque vous étiez à l'hôpital. Elle voulait que papa la rappelle immédiatement à son retour.

— L'a-t-il fait ?

— J'ai oublié de lui dire. J'espère qu'il n'est pas fâché contre moi.

— Oh, non, cela m'étonnerait, marmonna Page, alors qu'elle manœuvrait pour garer la voiture dans l'allée.

Le petit garçon suivit sa mère dans la villa vide. Et peu après, alors qu'elle l'aidait à se déshabiller :

— M'man, tu es fâchée contre moi ? s'enquit-il d'une toute petite voix malheureuse.

Elle lui ébouriffa les cheveux. Andy n'était pas responsable de l'inconséquence de son père.

— Mais non, mon chéri. Je suis juste un peu fatiguée.

— Tu es toujours fatiguée, depuis l'accident d'Allie.

— Eh bien, c'est normal, tu ne crois pas ?

— Et contre papa ? Est-ce que tu es fâchée contre papa ?

— Parfois... Ecoute, Andy, tu n'y es strictement pour rien dans nos disputes avec ton père. Tous deux t'aimons tendrement, et...

— Alors c'est Stéphanie qui te met en colère ?

Page sentit sa gorge se dessécher. Andy cherchait visiblement à appréhender une situation qui le préoccupait. Il était trop intelligent pour se laisser berner par des réponses vagues.

— Je ne la connais même pas, se défendit Page, mal à l'aise.

C'était à Brad qu'elle en voulait. Brad, qui avait menti. Brad, qui lui avait brisé le cœur. Tout était sa faute ! Stéphanie n'avait fait que profiter de sa faiblesse.

— Je ne suis fâchée avec personne, mon chéri, reprit-elle. Pas même avec papa.

— Bien, fit-il avec un sourire de soulagement et, affolée, elle se dit qu'ils lui devraient des explications si Brad déménageait prochainement. J'aime bien Bjorn.

— Moi aussi. C'est un gentil garçon.

— Il est mon plus vieil ami. Il a dix-huit ans et il est spécial.

— En effet, sourit-elle. Toi aussi tu es spécial. Et je t'aime, mon petit trésor.

Elle l'embrassa avant de le mettre au lit. Peu après, allongée dans sa chambre, les yeux grands ouverts sur l'obscurité, elle repensa à leur vie... Leur vie que l'orage avait ravagée en une semaine. Huit jours plus tôt, à cette heure-ci, Page croyait Allison au cinéma avec les Thorensen et Brad dans l'avion de Cleveland. Tout paraissait si simple, alors. Et un petit mensonge d'adolescents, un subterfuge innocent, avait tout balayé comme un ouragan d'une violence inouie.

10

Page passa une partie du dimanche à l'hôpital. Elle avait confié Andy à la famille d'un de ses camarades de classe. De bon matin, Brad avait appelé signalant qu'il n'avait pas une minute à consacrer à son fils. Déçu, le petit garçon avait fondu en larmes, et ç'avait été la croix et la bannière pour qu'il consente à se rendre chez son ami.

Trygve fit une apparition dans la salle d'attente des soins intensifs, les bras chargés de sandwiches et de cookies. Il avait laissé Chloé au milieu d'une cour de jeunes visiteurs.

— Bjorn a été enchanté de sa journée d'hier, déclara-t-il en mordant à pleines dents dans un sandwich au thon.

Page hocha la tête, un peu honteuse de sa rêverie romantique de la veille. Trygve paraissait toujours heureux de la voir. Il était gentil, amical... et rien de plus.

— Andy également. Il s'est bien amusé. Il aurait bien recommencé aujourd'hui, mais il était invité chez des amis. Finalement, Brad n'est pas venu le chercher.

— Comment Andy a-t-il pris la chose ?

— Assez mal au début. Ensuite, il a fait contre mauvaise fortune bon cœur.

Ils échangèrent quelques propos anodins, après quoi Trygve regagna la chambre de Chloé. Page récupéra Andy en fin d'après-midi. En route vers la maison, elle lui offrit une glace... Dans un univers qui, en une nuit, semblait avoir basculé dans un désordre de fin du monde, elle s'accrochait à ce genre de petits rituels réconfortants qui, seuls, lui rappelaient leur ancienne félicité.

Brad les surprit en arrivant inopinément. Il décréta qu'il dînerait avec eux, s'enquit des nouvelles d'Allie. Page lui dit la vérité : le fameux « état stationnaire » se prolongeait. Les médecins n'avaient constaté aucune amélioration.

Ils eurent un repas tranquille, tous les trois, dans la cuisine. Et plus tard, dans la soirée, Brad rassembla quelques affaires dans une valise.

— Tu déménages ? demanda Page d'une voix dans laquelle ne perçait aucun étonnement.

En l'espace de huit jours, la rupture semblait consommée.

— Je pars à Chicago pour mon travail.

Il omit d'ajouter que Stéphanie l'accompagnerait.

— Quand ? s'enquit-elle d'un ton résigné.

— Ce soir. Je prends le train.

— Et Allie ?

Si Allie mourait pendant son absence ? Comment parviendrait-il à se le pardonner ? Mais elle connaissait déjà sa réponse.

— Je dois y aller. Il s'agit d'une affaire importante.

— Une vraie ? ne put-elle s'empêcher de ricaner. Pas comme celle de Cleveland ?

— Je t'en prie, Page, ne recommence pas ! s'emporta-t-il. Je suis sérieux.

— Moi aussi.

Elle avait perdu à jamais sa confiance en lui et, sachant qu'il n'y avait pas d'issue, ne manquait pas une occasion pour le mortifier.

— Je continue à exercer mon métier, au cas où tu ne l'aurais pas remarqué. Accident ou pas, il faut que je travaille. Et mon travail suppose des déplacements dans d'autres villes.

— Je sais, dit-elle avant de quitter la pièce.

Il alla embrasser Andy, laissa le nom et le numéro de téléphone de son hôtel sur le bloc-notes, dans la cuisine. Il s'absenterait trois jours mais Page ne broncha pas. D'une certaine manière, ça l'arrangeait. Elle aussi avait besoin de fuir ce huis clos infernal, cette délectation morbide que lui procuraient leurs affrontements.

— Je reviendrai mercredi, dit-il, puis il s'en fut sans un mot de plus.

Ni « je t'aime » ni « au revoir ». Il s'était contenté de claquer la porte derrière lui. L'instant suivant, sa voiture fonçait à vive allure dans la nuit tombante. Il avait juste le temps d'aller chercher Stéphanie avant de se rendre à la gare.

— Tu es fâchée contre lui, m'man ?

Andy, en pyjama, se tenait sur le seuil de sa chambre. Il avait entendu leurs propos, avait décelé dans le ton de leur voix cet aiguillon vénéneux qu'il avait appris à reconnaître et avait enfoui sa tête sous l'oreiller.

— Non, pas du tout, affirma-t-elle, mais son visage n'exprimait que dépit et ressentiment.

Andy couché, elle demeura un moment dans le salon, un livre à la main, dont elle ne parvint d'ailleurs pas à lire une page, en proie à ses obsessions habituelles. Ce qui a été, ce qui n'était plus, ce qu'elle avait perdu... Un coup de fil à l'hôpital, nouveau rite qui à présent gérait sa vie. *Etat stationnaire*. Elle éteignit les lumières et partit se coucher.

Le lendemain, Page accomplit les gestes de son nouveau train-train quotidien comme une somnambule. Déposer Andy à l'école. Se rendre à l'hôpital pour y passer la journée. Frances, l'infirmière en chef, fermait volontiers les yeux sur le règlement et Page pouvait rester des heures durant assise sur le tabouret... Autre routine bien établie que plus rien ne semblait pouvoir altérer. Entre la maison, l'école et l'hôpital, sa vie s'était étrécie comme une peau de chagrin. Ses seules fonctions consistaient à répondre aux besoins d'Andy et à monter la garde près d'Allison.

La machine respirait toujours à sa place mais aujourd'hui on lui avait retiré les bandages des yeux, et l'espace d'une infime fraction de seconde, Page avait cru voir frémir un cil, puis, ayant fixé attentivement le visage inexpressif de sa fille, elle conclut à une invention de son imagination. Rien n'avait bougé sur le visage sans expression qu'elle était en train de contempler fixement, intensément, dans l'attente d'un changement qui n'arrivait jamais.

Mais elle continua à prier en silence jusqu'à ce que la pression d'une main sur son épaule la fît sursauter.

— Madame Clarke ?

Elle leva les yeux sur le visage avenant de Frances.

— Oui ?

— Téléphone ! Vous pouvez prendre la communication dans mon bureau.

— Merci.

Brad, sans doute, dans le rôle du gentil papa inquiet pour sa fille. Elle saisit le combiné. Une voix qu'elle ne reconnut pas fusa dans l'écouteur.

— Ici l'école de Ross, madame Clarke. Excusez-moi de vous déranger. Votre fils a été blessé.

— Mon fils ? fit-elle d'une voix sans timbre, tandis que chaque fibre de son corps se rétractait violemment. Que voulez-vous dire ?

— Je suis désolée, madame Clarke. (C'était la secrétaire de l'établissement et Page ne l'avait pas croisée plus de deux ou trois fois.) Andy a eu un accident. Il est tombé de la barre de gymnastique.

Accident... blessé... blessé... blessé...

Oh, Seigneur, il était mort ! Il était tombé sur la tête,

s'était fendu le crâne ou rompu la colonne vertébrale. Elle éclata en sanglots. Elle ne voulait pas revivre le même cauchemar. Ne pouvaient-ils donc pas comprendre ?

— Que s'est-il... passé ? parvint-elle à bredouiller.

— Il semble qu'il se soit cassé l'épaule. Il est en route vers l'hôpital général de Marin. Si vous descendez aux urgences, vous le verrez.

— Oui, d'accord. (Elle raccrocha en oubliant de remercier sa correspondante et laissa errer alentour un regard égaré.) Mon petit garçon... mon fils... a eu un accident.

Frances la fit asseoir et lui tendit un verre d'eau.

— Allons, calmez-vous. Il n'a probablement rien de grave. Où est-il ?

— Sur le chemin des urgences.

— Je vous y accompagne, déclara posément l'infirmière. Venez.

Elle l'escorta au rez-de-chaussée. Page s'appuyait au bras de sa compagne. Des tremblements nerveux l'agitaient. Andy n'était pas encore arrivé. Frances la confia au personnel des urgences avant de remonter en réanimation. La jeune femme se dirigea d'un pas incertain vers l'une des cabines téléphoniques. C'était stupide, mais pour la première fois de sa vie, elle se sentait incapable de faire face aux événements. Lui seul pouvait l'aider, il fallait qu'elle le joigne, il le fallait absolument.

Il répondit dès la deuxième sonnerie, d'une voix distraite. Il devait écrire cet article dont il avait vaguement parlé l'autre soir.

— Allô ?

Dieu merci, c'était lui. Trygve.

— Excusez-moi... de vous importuner... mais il y a eu un accident à l'école.

Il y eut un silence au bout de la ligne, comme si Trygve essayait de mettre un visage sur cette voix apeurée, à l'élocution presque indistincte. Il eut d'abord l'impression que le message concernait Bjorn, puis, soudain, il réalisa qui elle était.

— C'est vous, Page ? Que se passe-t-il ?

— ... sais... pas, hoqueta-t-elle. C'est Andy... j'ai reçu un appel de l'école... il est tombé de la barre de gymnastique...

Le reste se perdit en un sanglot désespéré.

— J'arrive ! Où êtes-vous ?

— Dans la salle des urgences de l'hôpital.

Un lieu devenu tristement familier. Il raccrocha et sauta dans sa voiture qu'il lança à tombeau ouvert en direction de l'hôpital. Il venait de se garer, lorsqu'il aperçut Andy, émergeant d'un véhicule privé. Un instituteur l'accompagnait. Trygve se précipita vers les arrivants. Le petit garçon était d'une pâleur extrême. Il semblait souffrir énormément, mais n'avait pas perdu connaissance.

— Que faites-vous ici, jeune homme ? Cet endroit est réservé aux malades et vous m'avez l'air en parfaite santé, le taquina gentiment Trygve.

— Je me suis fait mal au bras... et au dos... Je suis tombé de la barre d'entraînement, expliqua Andy, tandis que Trygve tenait la porte ouverte en s'effaçant pour laisser passer le petit garçon et son escorte.

Le professeur de gym, en jogging et tennis, un sifflet suspendu autour de son cou, ponctuait les commentaires de son élève par des hochements de tête anxieux.

— Ta maman t'attend, dit Trygve avec un sourire.

Ils virent Page qui arrivait vers eux, blême, tremblante. Des larmes jaillirent de ses yeux sitôt qu'elle aperçut Andy. Toute la force qui l'avait animée jusqu'alors semblait l'avoir brusquement quittée. Trygve l'entoura d'un bras solide, comme pour arrêter ses tremblements. Pendant ce temps, le professeur transporta l'enfant dans l'une des salles d'examen, où une infirmière vérifia scrupuleusement ses réflexes, puis palpa doucement le bras blessé. Elle pouvait sentir sous ses doigts l'os brisé. L'épaule était démise. Elle examina néanmoins les pupilles de l'enfant à l'aide d'une petite lampe, à la recherche d'une contusion cérébrale.

— Attends ici une minute, lui dit Trygve d'un ton léger. Tu es aussi étourdi que Chloé, tu sais. Elle ne peut plus marcher et te voilà avec un bras cassé... C'est du propre ! Je crois que je chargerai Bjorn de vous surveiller, tous les deux.

Andy grimaça un sourire. Son bras le tiraillait violemment et il dut se mordre les lèvres pour ne pas crier. Deux aides-soignantes le pilotèrent vers le service de radiographie, sur une chaise roulante. Trygve retourna auprès de Page.

— Calmez-vous, murmura-t-il. Ça va s'arranger.

Elle tourna vers lui un visage mortellement pâle.

— J'ignore ce qui m'a pris. J'ai paniqué. Je suis désolée de vous avoir appelé.

Elle n'avait pas pu agir autrement. Elle avait un besoin viscéral de sentir Trygve à ses côtés, comme lors de cette nuit cauchemardesque où Allie avait été transportée en réanimation. C'était à Trygve qu'elle avait pensé immédiatement. Pas à Brad. Elle savait qu'elle pouvait compter sur Trygve, et elle ne s'était pas trompée.

— Ne vous excusez pas. Vous avez bien fait.

L'instituteur reparti, Trygve alla près d'Andy. Il lui tint fermement la main, lorsqu'un interne lui remit l'épaule en place avant de lui plâtrer le bras. Il ressortit dans le hall, le bras en écharpe, muni d'un tube d'analgésiques. Le médecin lui conseilla de rester au lit une journée. Le plâtre ne serait pas ôté avant six semaines.

— La radio a révélé une vilaine fracture de l'humérus. A cet âge, il ne risque pas de problèmes à long terme. Le reste est normal.

— Je vous conduis tous les deux chez vous, déclara Trygve.

Page n'était pas en état de prendre le volant. Elle remonta aux soins intensifs chercher son sac, alors que Trygve allait dire bonjour à Chloé.

— Décidément, le mauvais sort nous poursuit, gémit celle-ci. Dis à Andy que je veux bien signer son plâtre.

— Il sera content. A plus tard, ma chérie.

Il regagna le rez-de-chaussée, puis transporta Andy dans ses bras jusqu'à la voiture. La piqûre de sédatif qu'il avait reçue un peu plus tôt commençait à agir, et il s'était mis à somnoler... Il le transporta de la même manière à l'intérieur de la maison, pendant que Page leur ouvrait les portes, et le mit au lit. Andy dormait avant même que sa tête touche l'oreiller. Or, plus que le petit garçon, c'était Page qui inquiétait Trygve.

— Allez vous allonger, vous aussi. Vous avez une mine épouvantable.

— Mon Dieu, j'ai eu si peur. J'ai pensé...

— Je sais très bien à quoi vous avez pensé. Rien de plus normal, après tout ce que vous avez enduré. Il faut vous reposer, allez ! Où est votre chambre ?

Il l'y accompagna, attendit qu'elle se couche, tout habillée.

— C'est trop bête... Je me sens bien maintenant.

— Vous n'en avez pas l'air. Prenez une goutte de cognac. Rien de tel pour vous remettre d'aplomb.

Elle eut un sourire en secouant la tête, puis s'assit dans son lit afin de mieux considérer l'homme qui avait tout laissé tomber pour voler à son secours.

— Vous êtes un ami précieux, Trygve, et je vous en remercie. Je vous ai téléphoné sans même réfléchir. Tout ce que je savais, c'était que j'avais besoin de vous.

Il avait pris place dans le fauteuil confortable près du lit.

— Je suis content que vous m'ayez appelé. N'allez-vous pas prévenir Brad ?

Elle fit non de la tête sans l'ombre d'une hésitation.

— Plus tard, peut-être. Il est à Chicago... Bizarrement, l'idée de le joindre à son hôtel ne m'a même pas traversé l'esprit, ajouta-t-elle, songeuse. Je n'ai pensé qu'à vous. C'était presque comme un réflexe.

Elle tenait à ce qu'il le sache.

— Un excellent réflexe, dit-il en se penchant vers elle. (Une singulière émotion, une sorte d'envie impétueuse qu'il n'avait pas éprouvée depuis des années monta en lui.) Page, reprit-il d'une voix enrouée, je ne voudrais pas vous entraîner dans quelque chose que vous regretteriez par la suite... dont vous ne voudriez pas...

Il la dévisageait intensément, se rapprochant davantage, comme attiré par la puissance magnétique d'un aimant. Elle sut alors que, l'autre soir, dans le jardin, elle n'avait pas rêvé. Il avait été sur le point de l'embrasser... Comme maintenant... Il y avait longtemps que le désir le dévorait, alors que, jour après jour, nuit après nuit, ils se côtoyaient dans les sinistres salles d'attente de l'hôpital.

Les yeux bleus de Page soutinrent vaillamment son regard.

— Je ne sais pas ce que je veux, dit-elle avec sa franchise coutumière. Il y a encore dix jours, je me croyais heureuse en ménage. J'ai soudain découvert que mon prétendu bonheur n'était qu'un mirage. Que mon mariage n'existait plus. Et au milieu de mon naufrage, je vous ai rencontré. Un ami. Un confident. Le seul homme auprès duquel je me sens bien... trop bien, peut-être. Oh, Trygve, je ne sais plus où j'en suis... je ne sais plus rien sauf que...

Les mots expirèrent sur ses lèvres. Lorsqu'il s'extirpa du fauteuil et vint s'asseoir sur le lit, elle n'ébaucha aucun geste pour l'arrêter.

— Chut... ne dites rien... chuchota-t-il en l'attirant dans ses bras.

Ses lèvres se pressèrent contre celles de la jeune femme, ils s'embrassèrent doucement et longuement.

Leurs souffles se mêlèrent, leurs corps se joignirent. Elle répondit à son baiser avec une ardeur qui la laissa pantelante. Cet homme, elle le voulait. Son corps le réclamait. Un désir brûlant la consuma et elle sut que cela n'avait rien à voir avec une vengeance contre Brad. L'homme qui l'embrassait représentait l'unique personne au monde qui l'avait soutenue durant les pires moments de son existence. Sans jamais faillir. Sans jamais l'abandonner.

— Qu'allons-nous faire ? murmura-t-elle lorsqu'il se détacha d'elle, afin d'admirer sa beauté blonde tout embrasée par son étreinte.

— Ne nous précipitons pas pour le moment. Au moins je sais comment ramener un peu de couleur sur vos joues. Vous semblez bien mieux que tout à l'heure, répondit-il avec un sourire éblouissant.

— Non, arrêtez, protesta-t-elle mollement, mais c'était trop tard.

Les lèvres de Trygve cherchèrent les siennes avec une fougue proche de la passion. Il l'embrassa à nouveau. Il n'avait pas ressenti un tel désir depuis Dana... et même avant.

— Je ne m'arrêterai pas, l'informa-t-il. Jamais. J'ai oublié que ça pouvait être aussi bon.

— Moi aussi, fit-elle, avec honnêteté.

Brad ne songeait qu'à son propre plaisir, réalisa-t-elle soudain, abasourdie... Un nouveau baiser de Trygve lui coupa le souffle, lui arrachant un petit cri de bonheur. Heureusement qu'Andy dormait profondément. Elle se sentit fondre dans les bras qui l'étreignaient, tout en se disant obscurément qu'il fallait en rester là. Ni l'un ni l'autre n'était prêt à assumer cette folie ! Elle devait d'abord mettre de l'ordre dans sa vie, avant de recommencer à aimer. Trygve le savait aussi.

— Mon Dieu, que vais-je devenir ? soupira-t-elle, avec un sourire de jeune fille lors de son premier bal.

Il sourit.

— Vous verrez plus tard. De toute façon, la vie se charge des solutions. Je n'ai pas l'intention de vous bousculer... Je me contenterai de me rendre indispensable, de sorte que vous ne puissiez plus vous passer de moi !

Elle eut un sourire malicieux. Cette fois-ci, c'est elle qui lui offrit ses lèvres.

— Qu'est-ce qui nous arrive ? murmura-t-elle lorsque, enfin, ils se détachèrent l'un de l'autre.

— Nous avons dû attraper un virus aux soins intensifs.

La peur, le chagrin, l'incertitude les avaient rapprochés. Des liens invisibles s'étaient tissés entre eux, au fil de ces atroces heures d'attente. Leur angoisse commune avait créé une complicité qui se passait de mots. On eût dit les survivants d'une gigantesque catastrophe et cette victoire sur la terreur, ils ne la devaient qu'à eux-mêmes et à personne d'autre. Surtout pas à Brad.

— La vie est pleine de surprises, conclut-elle d'un air pensif. Je suppose qu'il nous faudra patienter. Brad n'a pas encore pris de décision concernant son avenir.

— A mon avis, il doit avoir des projets dont il ne vous a pas encore parlé. Mais vous, Page ? Savez-vous maintenant ce que vous voulez vraiment ?

Il la scrutait d'un air interrogateur. Un long chapitre de son existence venait de s'achever. Il était difficile de lui arracher une réponse immédiate.

— Chaque fois que je vois Brad, je réalise un peu plus que tout est fini entre nous. Il vit pratiquement avec sa petite amie. Mais je suis encore sa femme.

— Prenez votre temps, répondit-il avec douceur.

Lui aussi était passé par là. Il comprenait parfaitement la situation. Et il n'avait pas l'intention d'exercer la moindre pression sur elle. La décision lui appartenait. « Pourvu qu'elle la prenne vite ! » pria-t-il mentalement. Il n'avait jamais rencontré une femme comme elle.

La sonnerie du téléphone interrompit brutalement leur discussion. Page sursauta. Son cœur battait la chamade. Qui cela pouvait-il être, en dehors de l'hôpital ? Elle sentit la main de Trygve sur son avant-bras, lorsqu'elle décrocha.

— Allô ? dit-elle, d'une voix prudente, redoutant ce qu'elle allait entendre.

Elle rouvrit les yeux en secouant la tête. Ce n'était pas l'hôpital, mais sa mère. Mauvaises nouvelles ! articula-t-elle silencieusement à l'adresse de Trygve. Après moult réflexions, Mme Addison s'était résolue à se porter au secours de sa cadette. Avec Alexis, naturellement.

— Ne vous dérangez pas, je t'assure que tout va bien, insista Page inutilement. Pour l'instant, l'état d'Allison est stationnaire.

— Ça pourrait changer d'un jour à l'autre. De toute façon, Alexis veut te parler. David lui a donné le nom d'un chirurgien plastique fabuleux, pour plus tard.

— Oui, peut-être, si nous avions besoin...

Le plus important semblait avoir échappé à sa sœur aînée. Alexis portait un intérêt illimité à l'apparence physique. L'aspect de sa nièce comptait bien davantage que sa vie.

— Maman, vous ne devriez pas vous déplacer. Je le pense sincèrement, reprit-elle en s'efforçant de montrer un calme qu'elle était loin de ressentir.

Oh, non, la présence de sa mère et de sa sœur était la dernière chose au monde qu'elle souhaitait.

— Ne discute pas ! coupa sèchement Mme Addison. Nous serons là dimanche.

— Mais maman, c'est impossible. Je n'aurai pas une minute à moi. Je dois m'occuper sans cesse d'Allie, et Andy vient d'avoir un accident.

Elle poussa un soupir, cherchant désespérément un

argument, n'importe lequel, capable de les dissuader de débarquer chez elle.

— *Quoi* ? s'écria sa mère à l'autre bout de la ligne, pour une fois désarçonnée.

— Rien de sérieux. Il s'est cassé un bras. J'ai besoin de tout mon temps pour mes enfants, comprends-tu ?

— Voilà pourquoi nous venons, ma chérie. Pour t'aider.

— C'est très gentil, mais ça tombe vraiment mal.

— Nous arriverons dimanche à deux heures de l'après-midi. David enverra à Brad un fax avec tous les détails. A bientôt.

La communication fut interrompue et Page s'assit pesamment, les yeux fixés sur Trygve.

— Si vous saviez, dit-elle d'une petite voix malheureuse.

— J'ai deviné. Maman arrive de la côte Est. Et cela semble vous causer quelques soucis.

— Des soucis ? Vous plaisantez ? Tâchez d'imaginer la visite de Dalila à Samson, ou de Goliath à David, à moins que ce ne soit celle de l'aspic à Cléopâtre. Nom d'un chien, voilà une semaine que je m'escrime à la raisonner... En plus, elle emmène ma sœur avec elle.

— Que vous détestez ! dit-il en essayant d'apprendre l'histoire de sa famille en une leçon.

— Qui me déteste... Alexis n'aime qu'une seule personne sur terre. Elle-même. Elle est l'être le plus narcissique de la création. Elle n'a jamais eu d'enfants et a épousé une sommité de la chirurgie esthétique à New York. A quarante-deux ans, elle a changé deux fois la forme de ses yeux, trois fois celle de son nez. Elle s'est fait refaire les seins, a eu recours à je ne sais plus combien de liposuccions, ainsi qu'à un lifting. Tout en elle est parfait, de la pointe des cheveux au bout des ongles. Elle passe le plus clair de son temps devant son miroir. Alexis ne s'est jamais sentie concernée par qui que ce soit, tout comme ma mère. Laissez-moi vous résumer le scénario : ces gentes dames viendront se faire dorloter tout en s'assurant que tout va bien du côté d'Allison. La souffrance est un mot qu'elles ont définitivement banni de leur vocabulaire.

— D'après le portrait que vous venez de brosser, elles ne sont pas du genre à tendre une main secourable.

Amusé par sa description, il l'embrassa en riant sur le bout du nez. Ses propres parents avaient voulu venir pendant une semaine. Retraités, ils étaient retournés en Norvège et Trygve avait gentiment décliné leur proposition. Il regarda Page, qui paraissait franchement déprimée.

— *Secourable* n'est pas un adjectif qui les caractérise, marmonna-t-elle d'une voix morne.

Elle s'était redressée mais Trygve la saisit dans ses bras.

— Où allez-vous ?

— Mettre le feu à la chambre d'amis.

Il l'embrassa avec une impétuosité qui lui fit tout oublier, jusqu'à sa mère.

— J'ai une meilleure idée, chuchota-t-il d'une voix rauque, tout contre la peau sensible de son cou.

Page ferma les yeux, inondée d'un plaisir insensé. Comment était-ce possible ? En dix jours elle avait perdu le seul homme qu'elle avait jamais aimé et, soudain, elle se pâmait dans les bras de quelqu'un d'autre. Un ami, un homme qu'elle avait commencé par estimer et que, maintenant, elle désirait avec une soif inextinguible.

— Non... pas encore... murmura-t-elle entre deux baisers, se sentant chavirer.

Il la relâcha, puis lui sourit.

— Je le sais, petite fille. Je ne suis pas idiot ! Nous avons tout notre temps. Je ne suis pas pressé.

— Pourquoi pas ? fit-elle semblant de s'offusquer.

Il la scruta droit dans les yeux d'un air grave.

— Parce que, si tu viens à moi, j'ai l'intention de te

garder longtemps, mon amour. Je ne veux pas te perdre.

Leurs lèvres s'unirent à nouveau. Une éternité s'écoula avant qu'elle ne recouvre ses esprits. Il ferait mieux de partir, le supplia-t-elle, avant qu'Andy ne les surprenne dans sa chambre.

Il lui promit de revenir en fin d'après-midi, peut-être avec Bjorn.

— J'irai voir Allie, l'assura-t-il. Restez avec Andy.

Il s'occuperait de tout, ajouta-t-il. Même du dîner.

— Puis-je faire quelque chose d'autre pour vous ? cria-t-il de sa voiture, alors qu'elle se tenait sur le perron.

— Oui !

— Quoi ?

— Tuer ma mère !

Il démarra avec un rire. Peu après, il roulait tranquillement à travers Ross, le visage éclairé d'un sourire de collégien.

11

Brad ne put cacher sa contrariété lorsque Page lui annonça l'accident d'Andy.

— Le bras droit, dis-tu ? Es-tu certaine qu'il va bien ?

Une pointe de blâme vibrait dans sa voix, bien qu'il n'exprimât pas ouvertement son mécontentement.

— Oui, le bras droit. Une vilaine fracture qui devrait, compte tenu de son jeune âge, cicatriser facilement. L'épaule demande plus d'attention. Le pauvre chou est interdit de base-ball pendant un an.

— Oh, merde ! râla Brad au bout du fil.

Il semblait aussi bouleversé que lors de l'accident d'Allie. On eût dit qu'une malédiction pesait depuis quelque temps sur les Clarke, une accumulation de drames qui avait porté l'angoisse qui l'habitait à son paroxysme.

— Je suis désolée, Brad.

— Ouais... marmonna-t-il, soulagé, au fond, de se trouver à Chicago. Et Allie ?

— Rien à signaler. Je ne l'ai pas vue depuis ce matin. J'ai dû rester à la maison avec Andy.

Elle omit d'ajouter que Trygve et Bjorn leur avaient apporté un délicieux dîner la veille au soir et, curieusement, lorsque son père le réclama au téléphone, Andy passa également sous silence ce détail. Malgré ses sept ans, il avait compris que la visite des Thorensen ne manquerait pas de hérisser son père. Il n'avait pas perdu l'espoir de voir ses parents se réconcilier. Son instinct l'incitait à éviter de jeter de l'huile sur le feu.

La veille au soir, il avait été ravi de jouer avec Bjorn dans sa chambre où Lizzie les avait rejoints. Bjorn s'était extasié devant la collection de posters des stars du base-ball de son jeune hôte, puis il avait voulu jouer aux cartes mais, trop fatigué, Andy avait préféré s'allonger. Page et Trygve avaient adopté une attitude purement amicale durant le dîner. Pourtant, un subtil changement avait eu lieu et Andy l'avait parfaitement senti, sans pouvoir toutefois l'analyser. Une sorte de courant chaleureux, un sourire vite réprimé chaque fois qu'ils échangeaient un regard, comme s'ils ne pouvaient pas cacher leur bonheur d'être ensemble.

Lorsqu'ils furent partis, Andy et Page regardèrent tristement disparaître les feux arrière de la voiture puis ils s'en furent se coucher dans le même lit et, cette fois, Andy ne mouilla pas le matelas. Depuis l'accident d'Allison, il avait vécu dans l'attente d'une nouvelle catastrophe. Blotti contre sa mère, assommé par les analgésiques, il s'endormit aussitôt. Page l'enlaça en lui caressant ses cheveux fins, blonds et soyeux. Ses pensées allaient de Brad à Trygve et, comme la spectatrice d'une pièce de théâtre ignorant le dénouement, elle chercha en vain un sens au drame qui se jouait, malgré elle. Trygve, l'ami cher, qui l'attirait comme un aimant. Et face à lui, Brad, son mari depuis seize ans. Elle avait peine à croire qu'une autre le lui avait pris et, pourtant, la vérité sautait aux yeux... Page ne l'avait jamais trompé, ne lui avait jamais menti et même maintenant, elle avait scrupule à se donner à Trygve, bien qu'elle en mourût d'envie. On ne cède pas à un homme parce qu'on a été quittée, lui soufflait sa petite voix intérieure. Une relation doit être bâtie sur une base solide. Et propre.

A son retour de Chicago, le mercredi soir, Brad affichait une expression distante, voire glaciale, traitant Page comme une étrangère. Il resta invisible toute la nuit du jeudi, sans téléphoner, et le vendredi, lors d'un bref passage à la maison, il lui adressa à peine la parole. Leur mariage était arrivé à son terme, il aurait été ridicule de prétendre le contraire. Brad portait sur lui l'empreinte de Stéphanie : cravates de soie à rayures, costumes à la mode, nouvelle coupe de cheveux... Page avait noté ce changement sans rien dire. Peu lui importait que Brad tire sur la corde, elle n'irait pas vers Trygve en épouse délaissée. Elle répondrait à son amour d'une manière responsable, lorsqu'elle serait libérée des chaînes du passé. Le pire, c'était que Brad évitait toute discussion comme la peste. Le seul sujet qui accaparait son attention — et qui semblait le sortir de ses gonds — concernait l'arrivée imminente de sa belle-mère.

— Bon sang, comment as-tu pu te laisser embarquer dans cette galère ? Et avec ta sœur, par-dessus le marché. J'espère que tu as embauché un coiffeur à domicile !

Il avait laissé sa colère exploser le vendredi soir, alors qu'il se préparait à sortir, soi-disant avec des clients.

— J'ai tout tenté pour les décourager, se défendit Page. Il n'y a rien eu à faire. Allison est dans un état critique, on ne peut pas les empêcher de la voir. De toute façon, elles m'ont mise devant le fait accompli.

Elle redoutait autant que Brad leur arrivée. Le souhait de Mme Addison de voir sa petite-fille aurait pu paraître raisonnable dans un autre contexte. Sauf que Maribelle et Alexis n'avaient rien de raisonnable. Brad les détestait et, au fond, elles lui rendaient la monnaie de sa pièce tout en feignant de l'adorer. Il en savait trop sur le passé des Addison, et Maribelle en avait toujours voulu à Page d'avoir trahi des secrets, qui, selon elle, n'auraient jamais dû franchir le strict cercle familial.

— Tu n'as qu'à les mettre devant le fait accompli à

ton tour. Dis-leur que nous ne pouvons pas les recevoir ici, grommela Brad, furibond.

— Je ne peux pas refuser l'hospitalité à ma mère et à ma sœur tout de même, répondit-elle, mal à l'aise.

Elle avait pris la fuite des années auparavant mais n'était pas parvenue à rompre complètement les ponts.

— Alors, débrouille-toi, puisque tu as décidé de n'en faire qu'à ta tête.

Elle le regarda, les joues empourprées de colère.

— Parle pour toi, mon cher. Evidemment, elles peuvent constituer une gêne pour le genre de vie que tu mènes si ouvertement.

Ils s'affrontèrent d'un regard hostile, prêts à se déchirer. La guerre recommençait, plus féroce que jamais.

— Mon travail m'oblige à rester tard au bureau et à recevoir des clients.

— Tu parles ! Comme à Cleveland ! Comme à Chicago, peut-être !

Du regard, il lui intima de se taire. Se sachant dans son tort, il devenait susceptible. D'ailleurs, il ne supportait plus aucune pression.

— Cela ne te regarde pas ! lâcha-t-il d'un ton cassant.

— Ah oui ? Et pourquoi donc ?

— Les choses vont trop vite pour moi.

« Pour moi aussi », se dit Page.

— Je souhaite me calmer, continua-t-il, avant de procéder à des choix d'une importance capitale... Je ne suis pas prêt à déménager.

— Vraiment ? fit-elle, essayant de moduler sa question sur un ton ironique.

Son cœur s'était emballé. Y avait-il du nouveau ? Ne filait-il plus le parfait amour avec Stéphanie ? Une partie d'elle-même demeurait désespérément attachée à Brad. Elle attendit, à l'affût d'une réponse.

— Je n'en sais rien, grommela-t-il après un silence. Déménager représente un grand pas en avant et je ne me sens pas encore capable de l'accomplir... Tout cela me perturbe énormément, Page, essaie de me comprendre.

Il avait peur de prendre une décision définitive et de partir pour de bon, songea-t-elle, peur de revenir. Il lui faisait l'effet d'un funambule sur un fil d'une extrême fragilité. Un pas en avant ou en arrière risquait de l'entraîner dans une chute dont il ne se remettrait jamais. Renoncer à Stéphanie était hors de question. Et quitter Page signifiait quitter Andy... Il y avait longuement réfléchi lors d'une de ses nuits blanches et avait eu l'impression que son cœur se briserait, si cela devait arriver. Stéphanie n'adhérait nullement à ses états d'âme... Elle ne pouvait pas comprendre. Où était le problème ? s'était-elle écriée, à bout de patience. Andy viendrait leur rendre visite et voilà tout. Tous les enfants de divorcés finissaient par s'adapter parfaitement à leur nouvelle situation. Mais pas Andy, Brad le savait.

— Je n'en sais rien, répéta-t-il misérablement.

Il s'était assis sur le bord du lit, passant et repassant ses longs doigts dans sa chevelure comme chaque fois qu'il se sentait la proie d'une angoisse, sous le regard écœuré et attristé de Page, inconscient des nouvelles blessures qu'il lui infligeait.

— Attendons et nous verrons, proposa-t-elle d'une voix incertaine. Pourquoi n'irais-tu pas consulter un avocat ?

— Non. Pas encore, dit-il en secouant la tête.

Il nageait dans la confusion la plus totale. Incapable de quitter Page, ne voulant pas perdre Stéphanie... Stéphanie l'avait envoûté. Elle représentait la jeunesse, l'espoir dans l'avenir, un peu comme Allie.

— Je ne vois pas quoi te suggérer, à part un juriste.

— Moi non plus... murmura-t-il, en la fixant droit dans les yeux. Accepterais-tu de... de patienter un certain temps ? Ou est-ce trop dur, pour toi ?

— Je ne suis pas certaine de le pouvoir. Cela ne peut

pas durer éternellement, Brad. Ni même « un certain temps ».

— Oui, bien sûr, admit-il d'une voix lasse.

Stéphanie n'avait pas cessé de le harceler. A mesure que l'indécision de Brad s'éternisait, elle ne lui laissait plus un instant de répit. Elle entendait se faire épouser au plus vite et lui posait chaque jour des ultimatums qu'il ne pouvait accepter. C'était vrai que l'accident avait détruit tout ce qu'il avait partagé avec Page. Chaque minute qui passait détériorait le peu qui restait, d'une manière irréversible. Leur mariage, leurs enfants, leur relation, leur confiance avaient été balayés. Alors que Page représentait le passé, Stéphanie incarnait le futur... Et ce soir-là, dans le vaste lit conjugal, le passé se ranima brusquement en lui.

Andy dormait, la porte de leur chambre était close. Page lisait dans son coin, et soudain, il se mit à l'embrasser passionnément, enflammé par une excitation inhabituelle. Elle voulut le repousser mais il ne lâcha pas prise. Son désir exacerbé eut bientôt raison des réticences de Page. Avant qu'elle puisse réagir, il avait remonté la fine étoffe de sa chemise de nuit sur ses longues jambes galbées et se pressait contre elle, brûlant de fièvre. Sa résistance fondit alors comme la glace près du feu. Après tout, Brad était son mari et encore quelques semaines plus tôt elle était éperdument éprise de lui.

Il la pénétra doucement, avec une lenteur exquise, mais dès qu'il fut en elle, sa passion s'éteignit d'un seul coup. Il déploya un effort surhumain pour ranimer l'ardeur qui, l'espace d'un instant, l'avait brûlé jusqu'au tréfonds de son âme. Sans résultat. Son désir était mort.

— Excuse-moi, souffla-t-il, en se détachant d'elle pour s'abattre sur le côté, furieux contre lui-même.

Un silence suivit. Page était restée immobile. A présent, elle regrettait de lui avoir cédé. Elle n'avait nulle envie d'être la solution de remplacement tout juste bonne à satisfaire les élans sexuels de cet homme, fût-il son mari. Elle avait assez souffert comme ça.

— Tu ne peux pas mentir à ton corps, Brad, dit-elle au bout d'un moment, d'une voix triste. La voilà peut-être la réponse que tu cherchais.

— Je suis ridicule, fulmina-t-il.

Il s'était levé et arpentait la pièce comme un fauve en cage, mais Page détourna les yeux de la longue silhouette musclée. On pouvait feindre l'affection. On ne pouvait tricher avec le désir. Elle l'avait passionnément aimé, mais elle savait à présent que tout était fini entre eux. A jamais.

— Il faudrait que tu te prennes en charge avant que la situation ne se détériore davantage, lui conseilla-t-elle avec sagesse.

Il acquiesça. Durant l'année passée, il avait, à maintes reprises, fait l'amour à Page, en sortant des bras de Stéphanie, sans le moindre problème. Or, depuis que Page savait, tout avait changé. Il regrettait presque d'être passé aux aveux mais il avait une telle soif de liberté ! Stéphanie l'avait ensorcelé. Leur entente était parfaite à tous points de vues. Dernièrement, elle avait menacé de le quitter s'il ne se décidait pas à vivre avec elle. Pourquoi hésitait-il encore ? Il aurait voulu enfermer Page dans une cage, passer un an avec Stéphanie, puis revenir comme si rien ne s'était passé. Oui, c'était un rêve et les rêves n'existaient pas, il le savait bien.

— Oui, je ferais mieux de déménager, murmura-t-il en se rasseyant sur le lit.

Il eut soudain envie de revoir Stéphanie, sur-le-champ, afin de se prouver que sa défaillance était passagère.

— Je crois qu'il faut mettre un terme à tes tergiversations. A ces allées et venues inopinées qui perturbent Andy au lieu de le rassurer. Les enfants sont particulièrement sensibles à tout ce qu'ils ne considèrent pas comme « normal ».

— Je sais... je sais... (Plus rien ne se déroulait normalement depuis deux semaines.) Laisse-moi le temps de me retourner.

Elle ébaucha un vague geste affirmatif, puis s'en fut prendre un long bain relaxant. Le simulacre d'amour auquel Brad l'avait soumise avait fait surgir, plus impérieux que jamais, le souvenir des baisers de Trygve. Oh, non, elle n'irait pas le relancer parce que Brad la rejetait, ni par réaction à l'accident d'Allie. Leur relation, si toutefois elle évoluait vers un sentiment plus profond, ne devait en aucun cas résulter d'une déception... Après la trahison de Brad, elle savait qu'elle aurait du mal à redonner sa confiance à un homme, même à Trygve.

Brad dormait lorsqu'elle sortit de la salle de bains, et le lendemain matin, quand elle se réveilla, il était déjà parti. Il avait laissé un mot évoquant une vague partie de golf et indiquant qu'il ne rentrerait pas dîner. Bien sûr, il avait délibérément omis de mentionner le nom du club... Instantanément, Page flaira le mensonge. Effrayé par son fiasco amoureux de la veille, il s'était sûrement précipité chez Stéphanie, afin de tester sa virilité... Elle froissa rageusement le message, et le téléphone se mit à sonner.

— Bonjour, Page, je venais aux nouvelles.

Sachant qu'avec son bras cassé Andy était interdit de base-ball, Trygve l'invitait gentiment chez lui, afin que Page soit libre de ses faits et gestes.

— Ma femme de ménage, qui sera là, surveillera nos deux petits chenapans. Je voudrais passer voir Chloé.

— Andy sera ravi, répondit Page, reconnaissante. A quelle heure puis-je vous l'amener ?

— Quand vous voudrez. Vous n'aurez qu'à le déposer en allant à l'hôpital. Je vais le dire à Bjorn, qui sera fou de joie. Il avait envie de rendre visite à Chloé mais une fois sur place, il n'a de cesse de repartir. Il touche à tout, ce qui met les infirmières hors d'elles.

Une heure plus tard, Page laissait un Andy enchanté chez les Thorensen. La femme de ménage promit de ne pas quitter des yeux les deux garçons. Son gentil sourire gagna immédiatement la sympathie de Page. Bjorn attendait son ami avec impatience. Ils s'installèrent aussitôt devant la télévision, alors que Trygve grimpait dans la voiture de Page, qui démarra en direction de l'hôpital.

— Où en êtes-vous avec Brad ? voulut-il savoir sur le chemin. Mais peut-être devrais-je m'occuper de mes affaires ?

Il avait tout de suite décelé l'ombre qui obscurcissait les yeux azuréens de Page. Celle-ci lui dédia un sourire timide, presque un sourire d'excuse. Bizarrement, sa brève étreinte avec Brad lui avait procuré un sentiment de culpabilité à l'égard de Trygve.

— Difficile à dire. Visiblement, nous vivons les ultimes soubresauts de notre vie commune. Or, Brad semble avoir peur de l'admettre, une fois encore.

— Et vous ? Etes-vous prête à tout flanquer par terre ?

Il s'était juré de ne jamais la bousculer mais il lui fallait une réponse. Elle lui jeta un regard oblique.

— Pas tout de suite... je veux dire sans précipitation... je... (Elle s'interrompit un instant, en quête d'inspiration, puis reprit :) Je ne veux pas commettre une erreur que nous regretterions plus tard, Trygve.

— Vous avez raison, répondit-il calmement, en se penchant pour lui embrasser la joue. Prenez tout votre temps. Et si, d'aventure, vous et Brad vous remettiez ensemble, j'en serais désolé, bien sûr, mais je resterais toujours votre ami. Vous pourrez toujours compter sur mon dévouement.

La voiture s'immobilisa sur le parking de l'hôpital. Page éteignit le moteur avant de se tourner vers son passager.

— Qu'ai-je fait pour mériter une telle chance ?

— La chance n'a rien à voir là-dedans. Nous avons payé cher nos illusions, tous les deux. Mariages ratés — le mien encore plus que le vôtre —, l'accident, où nous avons failli perdre nos enfants. Peut-être que nous avons gagné un billet pour le pays du bonheur.

Page hocha lentement la tête. Il ne se trompait pas. L'accident avait saccagé leurs existences mais sans doute l'avenir se montrerait-il plus clément. C'était encore trop tôt pour l'affirmer.

— Je t'aime, Page.

Il l'attira dans ses bras, tout contre son cœur, et l'embrassa. Puis ils restèrent un long moment enlacés, à l'intérieur de la voiture, dans la rutilante lumière de mai. Deux semaines exactement s'étaient écoulées depuis l'accident.

Ils se séparèrent dans le hall, chacun se rendant auprès de sa fille. Il vint lui apporter un petit en-cas au service de réanimation quelques heures plus tard, puis l'accompagna vers l'une des salles d'attente où il lui tendit un sandwich à la dinde et un gobelet de café. Une fois de plus, elle fut touchée par sa sollicitude. Sa tendresse. Sa façon de la protéger et de la respecter. Autant de choses dont elle ressentait cruellement la nécessité.

— Comment va Allie aujourd'hui ?

Page répondit par un haussement d'épaules. De nouveau, le découragement l'avait emporté sur l'espoir. Elle avait aidé le kinésithérapeute à masser les membres amaigris d'Allie. Mais l'état de sa fille continuait de décliner inexorablement.

— Elle a perdu du poids, finit-elle par murmurer. J'ai l'impression qu'il y a des siècles qu'elle est dans le coma. J'avais espéré un miracle, je crois, même un tout petit.

Mais rien ne s'était produit. Dix jours après sa deuxième opération, Allie était toujours maintenue en vie artificiellement. Elle n'allait pas vraiment plus mal, l'œdème avait régressé, mais elle n'avait pas ouvert les yeux.

— D'après les médecins, cette situation risque de se prolonger. Peut-être pendant des mois, dit-il doucement. Il ne faut pas baisser les bras.

Bien sûr, il n'affrontait pas les mêmes problèmes avec Chloé. Celle-ci serait réopérée l'année suivante. Et elle allait devoir renoncer à son rêve de devenir danseuse étoile. Or, elle ne courait plus aucun danger, contrairement à Allison, suspendue entre la vie et la mort. Le cœur serré, il regarda Page en se disant qu'elle n'était pas au bout de ses peines.

— Je ne baisse pas les bras, dit-elle en grignotant le sandwich qu'il lui avait apporté. Seulement, je me sens si... si impuissante.

— Et vous l'êtes, pour le moment. Vous faites tout ce que vous pouvez, Page, tout comme les médecins.

— Ils ont dit que s'il n'y a aucun signe d'amélioration bientôt, elle risquait de rester indéfiniment dans le coma.

— Mais elle peut aussi en sortir. Il y a eu d'autres cas analogues, par le passé.

Les yeux de Page s'étaient embués. Son endurance avait atteint son extrême limite.

— Oh, Trygve, je n'ai plus le courage de continuer.

Ses nerfs lâchèrent, et elle posa la tête contre la poitrine de Trygve, secouée de sanglots. Chacune de ses larmes la soulageait de sa colère contre Brad, son inquiétude pour le bras cassé d'Andy, sa terreur de perdre Allie.

— Allons, vous vous débrouillez très bien, ma chérie, la consola-t-il en la serrant dans ses bras. Vous faites de votre mieux. Le reste est entre les mains de Dieu.

Elle saisit le mouchoir qu'il lui tendait et se moucha.

— Alors, qu'il se dépêche !

— Donnez-lui un peu de temps.

— Il a créé le monde en sept jours et il lui a fallu une seconde pour détruire ma vie.

— Tenez bon et votre foi vous sauvera.

La foi en quoi ? En qui ? Sans Trygve, elle n'aurait jamais surmonté cette effroyable succession de coups du sort. Brad avait opté définitivement pour la fuite. Elle avait su par les infirmières qu'il était venu deux ou trois fois aux soins intensifs. Il n'était jamais resté plus de dix minutes. Sa terreur de la souffrance et de la déchéance physique le poussait hors de la pièce lugubre et silencieuse où seul le bruit des machines rythmait le temps, comme une horloge menaçante... Il s'était montré plus coopératif à la naissance d'Andy. Mais ils étaient plus jeunes, alors, et puis la couveuse représentait la vie, alors que dans la salle de réanimation régnait le parfum funèbre de la mort.

Afin de redonner un peu de tonus à Page, Trygve se mit à la taquiner au sujet de sa mère. Maribelle Addison débarquerait le lendemain, et cette seule idée décuplait la nervosité de la jeune femme.

— Pourquoi la détestez-vous à ce point ?

Cela ressemblait si peu à Page.

— Je vous en supplie, ne réveillez pas mes vieux démons. Disons que j'ai eu une enfance difficile.

— La plupart des gens peuvent en dire autant. Je porte encore, sur les fesses, les cicatrices d'une bastonnade que mon vieux père m'a administrée, je ne sais plus à quelle occasion.

— Quelle horreur !

— L'éducation de l'époque, que voulez-vous ! Il recommencerait bien, s'il avait des enfants maintenant. Parfois, je me demande par quel miracle je suis devenu un père aussi libéral... Enfin, mes parents sont bien plus heureux depuis qu'ils sont retournés en Norvège.

— Iriez-vous vivre là-bas ? interrogea-t-elle, oubliant un instant son inquiétude pour Allie.

— Jamais de la vie ! Aux rigueurs des hivers interminables je préfère le soleil radieux de la Californie.

— Moi aussi.

Pour rien au monde elle ne retournerait à New York. Et si c'était à refaire, elle repartirait, abandonnant tout, jusqu'à ses ambitions artistiques. Elle aurait pu continuer à peindre ici aussi. Seulement elle ne s'était pas accordé ce luxe. Brad, la maison, leurs enfants, leurs amis, l'avaient trop accaparée des années durant. Elle avait fini par se rallier à l'opinion de son mari. L'art passait après ses devoirs d'épouse et de mère. Elle songea vaguement à la fresque qu'elle avait promise à la directrice d'école et qu'elle n'avait pas eu le temps de réaliser.

— Agrémentez donc d'une de vos merveilleuses peintures ce lieu si déprimant. Les gens l'admireraient tout en restant en salle d'attente. Cela leur remonterait le moral.

— Pourquoi pas ? avait-elle répondu, rougissant, l'œil rivé sur l'un des murs grisâtres qui leur faisait face.

Pourvu qu'Allie soit sortie de l'hôpital avant que la fresque soit terminée... La voix chaleureuse de Trygve la tira de ses réflexions.

— Aurai-je l'honneur de faire la connaissance de Mme Addison durant son séjour dans nos contrées ?

Elle répondit par un rire, en levant les yeux au ciel.

— Voyons, Page, elle ne peut pas être si mauvaise que ça.

— Non. Elle est pire. Maman a banni de son univers tout ce qui lui déplaît. Elle a l'art et la manière d'occulter le désagréable. Voir Allie constituera un fameux défi pour elle.

— Vous voyez ? Elle est prête à faire des efforts. Et votre sœur ?

Un nouveau rire échappa à Page.

— Alexis est spéciale. Elles sont toutes les deux spéciales. Quand je me suis installée sur la côte Ouest, je ne les ai pas vues pendant quelques années. Après le décès de mon père, j'ai eu l'idée géniale d'inviter ma mère chez moi. Lourde erreur ! Elle et Brad n'ont pas cessé de se chamailler comme chien et chat. Maman dissimule une incroyable agressivité sous une apparence passive. Bien sûr, elle n'a pas cessé de critiquer la façon dont j'élevais Allison.

— Elle ne pourra pas s'en plaindre cette fois-ci.

— Non, mais tout le reste y passera. L'hôpital ne sera pas assez luxueux à son goût, les médecins manqueront de compétence. Sans parler du plus important : le coiffeur du quartier qui n'arrivera pas à la cheville de leur coiffeur new-yorkais.

— Nooon ! Elles ne peuvent pas être aussi snobs !

— Disons qu'elles manquent de simplicité !

Sous l'humour corrosif, il devina quelque chose d'incroyablement douloureux qu'il n'osa essayer de découvrir. Page personnifiait la générosité ; elle ne pouvait détester ces deux femmes sans une bonne raison. Des secrets de famille, conclut-il pensivement. Des réminiscences d'une enfance qui comportait d'étranges zones d'ombre.

Chacun s'en fut visiter sa fille et vers dix-sept heures, Page, en quittant Allison, passa la tête par la porte entrebâillée de Chloé. Celle-ci se plaignait à Jamie des appareils d'élongation, des broches et des poids qui la faisaient atrocement souffrir, mais elle avait une mine superbe, et Page le lui dit.

— Comment va Allie ?

Elle se faisait un sang d'encre pour sa meilleure amie.

— Pareil, répondit Page. Et toi ? Combien de soupirants comptes-tu parmi les jeunes internes ? lui demanda-t-elle en souriant.

Le rire cristallin de Chloé s'égrena dans la pièce.

— Oh, mais tous ! intervint Trygve. Ils sont capables de traverser la ville pour lui ramener une pizza à minuit.

Page éclata d'un rire qui s'éteignit presque aussitôt.

Elle aurait bien voulu qu'Allison fasse les mêmes caprices. Ses pensées glissèrent vers les Chapman, et elle réprima un frisson. Au moins, Allie était encore en vie. Alors que pour eux, il n'y avait plus aucun espoir.

Jamie déclara qu'il les avait rencontrés par hasard une semaine plus tôt.

— Ils n'ont pas l'air bien. M. Chapman m'a dit qu'il avait entamé des poursuites contre le journal qui avait terni la mémoire de Phillip... J'ai eu moi-même la visite d'un reporter. Il voulait savoir comment on se sent lorsqu'on est le seul rescapé d'une catastrophe.

Peu à peu, l'intérêt de la presse se tourna vers des sujets plus brûlants. Au fil des semaines, on commença à jeter aux oubliettes la collision entre la voiture de quatre adolescents et celle d'une femme de sénateur... Un livreur apporta la pizza que Trygve avait commandée pour sa fille. Jamie ayant accepté de la partager avec Chloé, Page et Trygve prirent congé. Peu après, ils roulaient en direction de la résidence des Thorensen, dans les lueurs diaprées du couchant.

— Resterez-vous dîner avec nous ? demanda-t-il, plein d'espoir, mais elle secoua la tête.

— J'aurais bien voulu, vous le savez. Mais je rentre à la maison, au cas où Brad nous ferait l'aumône d'une visite. Andy s'en voudrait s'il le ratait.

Insensible aux protestations de Bjorn et d'Andy, elle reprit le chemin de la villa. Brad, qui commençait à exceller dans le rôle de l'Arlésienne, ne se montra pas de la nuit. Ce ne fut que le lendemain matin, assez tard, que Page entendit sa clé dans la serrure de l'entrée. Elle l'accueillit, les poings sur les hanches, dans le vestibule qu'il traversait d'un pas nonchalant. Toutes ses bonnes résolutions balayées par le vent impétueux d'une colère justifiée, elle explosa :

— Non mais de qui te moques-tu avec tes airs de pauvre gamin irrésolu ? (Elle le singea rageusement :) « J'sais-pas-si-je-veux-rester, j'sais-pas-si-je-veux-partir. » Je te préviens, mon petit vieux, je ne marche plus dans tes sales combines.

— Je suis navré. J'aurais dû t'appeler. Je ne sais plus ce qui s'est passé mais je n'ai pas pu.

Il savait parfaitement ce qui s'était passé. Il avait loué une chambre d'hôtel avec Stéphanie et celle-ci ne l'avait pas quitté. Il avait eu droit à une scène, le lendemain, lorsqu'il avait dit devoir « faire un saut chez lui ». Mais la fureur de Stéphanie n'était que broutille, en comparaison de celle de Page... Il était presque midi et elle se préparait à partir pour l'aéroport avec Andy.

— Ecoute, je suis désolé, murmura-t-il, de guerre lasse.

Il s'était cru assez fort pour imposer sa volonté, et il avait l'impression d'être le jouet de ses propres manigances.

— Tu ne me demandes pas si Allie est toujours vivante ? demanda Page d'un ton cruel.

— Oh, mon Dieu... est-elle... oh, Page...

Sous le regard glacial de son épouse, il porta les mains à ses yeux brillants de larmes.

— Non, elle n'est pas morte. Mais si elle l'avait été où aurait-on pu joindre son père ? Tu n'as même pas daigné nous passer un coup de fil.

— Ah, garce !

Il claqua violemment la porte de leur chambre derrière lui. Andy éclata en sanglots. Ses parents n'avaient pas cessé de se déchirer depuis... depuis si longtemps, lui semblait-il.

— Ne pleure pas mon chéri, murmura Page en se penchant pour le prendre dans ses bras.

Brad ne ressortit pas de la chambre et elle n'alla pas le chercher. Bien plus tard, Page et Andy prirent le chemin de l'aéroport en silence. Durant le trajet, Andy demeura étrangement calme. L'image de Brad rentrant comme si de rien n'était à la maison fit grincer des dents Page. Il avait l'air rajeuni, tout guilleret, presque heureux de vivre, jusqu'à ce qu'il l'ait aperçue... Andy avait cessé de pleurer et regardait distraitement le paysage par la fenêtre. Page en eut le cœur serré.

Sa mère et Alexis figuraient parmi les premiers débarqués du vol de New York. Mme Addison s'approcha la première. Ses cheveux blanc argenté s'enroulaient en un macaron sur la nuque, son costume bleu marine mettait en valeur sa silhouette longiligne. Alexis suivait, blonde créature de rêve impeccablement coiffée, maquillée comme un modèle de couverture de magazine féminin. Elle portait un ruineux tailleur Chanel, des accessoires Hermès en croco noir, et embrassa consciencieusement l'air près des joues de Page, avant de murmurer un « hello » circonspect à l'adresse d'Andy.

— Tu as une mine superbe, mon chou ! s'exclama Maribelle Addison d'une voix optimiste, sans regarder Page. Où est Brad ?

— A la maison. Il est désolé de n'avoir pu venir, il travaille énormément en ce moment.

Les bagages glissaient sur le tapis roulant. Une montagne de valises et de sacs Gucci qu'un porteur entassa sur deux chariots pour les porter jusqu'à la voiture.

— Comment va Allison ? demanda précautionneusement Alexis sur le chemin du retour.

— Elle est toujours dans le coma.

Page venait de se lancer dans une description de l'état actuel de sa fille, quand sa mère l'interrompit.

— Il a fait un temps magnifique à New York... Et, grâce à sa nouvelle décoration, l'appartement d'Alexis est tout simplement divin.

— C'est formidable, dit Page.

Rien n'avait changé. Pas le plus infime détail. Le mystère résidait dans son attente absurde, chaque fois, de retrouver deux personnes différentes. Toute sa vie, elle avait rêvé d'une mère attentive, chaleureuse, *mater-*

nelle. Et elle avait espéré qu'un beau matin Alexis, renonçant à son air de poupée Barbie, se mettrait à avoir un cœur à la place d'un iceberg. Mais la métamorphose n'avait jamais eu lieu. Maribelle ne racontait que des choses agréables. Alexis, quant à elle, trop obnubilée par sa propre beauté, ouvrait à peine la bouche. Mais de quoi pouvait-elle parler avec David ? Chirurgien plastique de renom, ce dernier passait le plus clair de son temps à exercer ses talents sur sa jeune épouse, qui se prêtait volontiers à cette expérience passionnante.

— Avez-vous eu beau temps ? s'enquit sa mère.

Ils étaient en train de franchir le Golden Gate où la vie d'Allison avait été détruite. Une vague de nausée soulevait l'estomac de Page chaque fois qu'elle se retrouvait sur le pont gigantesque.

— Le temps ? fit-elle d'une voix blanche.

Qui se souciait du temps ? Elle s'épuisait en visites à l'hôpital, quand elle ne se disputait pas avec Brad.

— Euh... il a fait assez beau, bredouilla-t-elle. Je n'ai pas vraiment remarqué.

— Eh bien, Andy, comment va ton bras ? Quelle bêtise, mon Dieu ! poursuivit Maribelle, alors que le petit garçon montrait à sa tante les signatures qui recouvraient son plâtre.

Bjorn y avait dessiné un petit chien qui tenait plutôt du hamster et Andy ne pouvait s'empêcher de sourire en le regardant. Il éprouvait une réelle affection pour Bjorn et tirait une très grande fierté de leur amitié. Il avait maintes fois répété à ses camarades de classe qu'il avait un copain de dix-huit ans et, naturellement, personne ne l'avait cru.

Brad les attendait à la maison, ce qui ne manqua pas de surprendre Page. Il accueillit les arrivantes avec une cordialité merveilleusement simulée et transporta même leurs innombrables bagages à l'intérieur de la maison. Mme Addison occuperait la chambre d'ami. Normalement, Alexis aurait dû dormir avec elle, mais cette fois-ci elle exprima le souhait de disposer de la chambre d'Allison. Page ouvrit la bouche pour refuser. Elle n'avait rien déplacé depuis la funeste nuit de l'accident et ne supportait aucune intrusion dans ce qu'elle considérait secrètement comme un sanctuaire.

— Oui, bien sûr, la devança Brad.

La jeune femme se força à taire ses réticences. La présence de quelqu'un d'autre en ce lieu ne faisait que rendre l'absence d'Allie plus cruelle encore.

Alexis réclama une boisson. De l'eau d'Evian sans glaçons, précisa-t-elle. Sa mère demanda une tasse de café et un croque-monsieur. Elles se faisaient servir comme si tout leur était dû, Page en avait l'habitude. Elle prit la direction de la cuisine sans un mot.

Il était seize heures trente à la pendule. La nécessité de se rendre à l'hôpital se faisait sentir d'une manière impérative. Page n'avait pas vu sa fille de la journée. Sa mère et sa sœur voudraient sûrement l'accompagner. Elle attendit que les deux femmes veuillent bien la rejoindre au salon. Sa mère lui fit compliment des nouvelles housses du canapé, ainsi que de ses fresques.

— Tu fabriques de si jolies choses, ma chérie.

A l'instar de Brad, sa mère avait catalogué la passion de Page pour la peinture dans la catégorie des hobbies. Elle s'était violemment opposée au bref passage de sa fille à Broadway. Dieu merci, elle n'avait pas recommencé les mêmes enfantillages en Californie.

Page lui jeta un coup d'œil anxieux.

— Il est grand temps que nous allions à l'hôpital. J'imagine que vous voulez voir Allie.

Au regard que ses deux invitées échangèrent, elle réalisa qu'une fois de plus, elle s'était trompée. L'hôpital ne figurait pas sur leur agenda.

— Nous avons eu une journée si harassante, soupira Maribelle Addison en se renversant sur le canapé.

Alexis est morte de fatigue... Elle a eu un mauvais rhume dont elle sort à peine... Il serait préférable que nous y allions demain matin.

— Ah... oui... euh... j'avais juste pensé...

Comment une idée aussi stupide avait-elle pu lui traverser l'esprit ? Sa mère et Alexis avaient sûrement une peur bleue des hôpitaux, sans parler des salles de réanimation. Elles étaient simplement venues pour se donner bonne conscience.

— Eh bien, nous irons demain, décida Mme Addison. Ce sera mieux, ne croyez-vous pas, Brad ?

Celui-ci avala sa salive. Pendant qu'il les attendait, Stéphanie l'avait bombardé de coups de fil menaçants. Ou il l'emmenait dîner en ville, ou ils pouvaient se dire adieu. Elle savait qu'en agitant l'épouvantail de la rupture, elle arrivait toujours à ses fins.

— Oui, vous avez raison, Maribelle... Vous êtes fatiguées toutes les deux. Par ailleurs, voir Allie n'est pas très réjouissant.

— Parfait ! lâcha Page, sur le point d'exploser. Moi j'y vais. Je rentrerai vers dix-huit heures pour m'occuper du dîner.

Brad la rattrapa, alors qu'elle saisissait son sac.

— Tu t'occupes un peu d'Andy ? s'enquit-elle.

— Oui, d'accord, mais quand tu reviendras, je dois sortir. Cela te convient ?

— Ai-je le choix ? ironisa-t-elle.

— Il faut que j'aille en ville, pour me procurer certains journaux dans lesquels l'agence a acheté des espaces publicitaires.

Elle haussa les épaules, écœurée par ce mensonge flagrant. En repassant par le salon, elle dit au revoir à sa mère. Alexis se reposait dans la chambre d'Allison.

Elle fulmina durant tout le trajet, se traitant de fichue idiote. Puis un rire nerveux la secoua. Elle avait réussi à se mettre dans de beaux draps ! Allison était dans le coma, Brad avait une maîtresse, Andy s'était cassé un bras. Pour couronner le tout, sa mère et sa sœur s'étaient installées chez elle... La définition classique du cauchemar !

Elle croisa Trygve dans le hall éternellement bondé.

— Comment se porte la reine mère ?

Page émit un rire moqueur.

— Elles sont si prévisibles que c'en est presque amusant.

— Où sont-elles ? demanda-t-il, étonné de ne pas les voir.

— Ma mère est plongée dans la contemplation de mon nouveau canapé. Ma sœur se repose. Elle a l'air plus anorexique que jamais... Elle est arrivée à l'aéroport affublée d'un tailleur Chanel, un sac et des chaussures en croco noir. Et des bagages Gucci, naturellement.

— Je suis très impressionné. Je suppose qu'elles n'ont pas eu le courage de venir jusqu'à l'hôpital.

— La fatigue du voyage ! dit Page d'un ton railleur. Alexis se remet péniblement d'un rhume. Et quant à Brad, il a trouvé le moyen de leur expliquer que le spectacle d'Allison n'avait rien de réjouissant.

— Oh, mon Dieu !

— Vous avez tout compris. Demain sera peut-être le grand jour, à moins qu'Alexis décide de se faire les ongles.

— Et vous, qu'est-ce qui vous est arrivé ? Comment avez-vous échappé au nombrilisme ? Pourquoi n'êtes-vous pas chez le coiffeur à longueur de journée au lieu de peindre des fresques et de conduire des voitures de ramassage scolaire ?

— Il faut bien un vilain petit canard dans chaque famille, je suppose.

— J'ose espérer que vous aviez un allié en la personne de votre père.

— Pas vraiment, murmura-t-elle, le regard détourné. Je suis une aberration au sein d'une famille de gens chic.

Quand nous étions petites, ma sœur prétendait que j'étais une enfant adoptée. Malheureusement, elle mentait. Rien ne m'aurait fait plus plaisir.

— Nick disait la même chose à Chloé, dit Trygve en riant. Les gosses adorent se torturer avec ce genre de mauvaise plaisanterie.

— Dans mon cas, ç'aurait été une bénédiction. (Un rapide coup d'œil à sa montre la fit sursauter. Elle était terriblement en retard, compte tenu qu'elle allait devoir préparer le dîner.) Je monte chez Allie.

— Je suis passé la voir. Elle était avec le kinésithérapeute. La séance s'est déroulée normalement.

— Merci... (Il se pencha vers elle, leurs lèvres s'effleurèrent rapidement.) Je suis contente de vous avoir vu.

— Moi aussi, cria-t-il, alors qu'elle s'éloignait en direction des ascenseurs.

Elle trouva Allison dans le même état, s'assit près du lit blanc entouré de machines pendant une heure. Grand-mère et tante Alexis étaient à la maison, lui dit-elle. Puis, elle lui répéta les dernières réflexions d'Andy sur différents sujets. Encore et encore, elle lui rappela combien elle l'aimait. Elle lui narra à peu près tout, sauf que son mariage était en train de tomber en poussière, parce que Brad avait une petite amie... Elle déposa un tendre baiser sur le front pâle. Avant de s'en aller, elle contempla longuement les pansements. Les paroles de Brad lui revinrent en mémoire. Le spectacle était loin d'être réjouissant. Page s'y était habituée, néanmoins.

Le chemin du retour s'effectua dans un morne abattement. Comme si toute énergie avait été drainée hors de son corps. La fatigue s'abattit comme une chape de plomb sur ses épaules, lorsqu'elle ouvrit la porte d'entrée.

Elle pouvait entendre la voix de sa mère, quelque part dans la demeure. Alexis était pendue au téléphone. Elle avait appelé David à New York, afin de se plaindre du service déplorable dans l'avion. Pas un mot au sujet d'Allison. Seul Andy lui demanda de ses nouvelles, alors que Page s'attaquait au dîner.

— M'man, est-ce qu'elle va se réveiller un jour ? questionna-t-il en la fixant de ses grands yeux inquiets.

Elle délaissa un instant ses occupations, pour le serrer dans ses bras.

— Je ne sais pas, mon trésor. Personne ne peut le dire. J'espère qu'elle sortira de son coma, oui... (Elle s'efforçait de rassembler les mots. Andy avait le droit de savoir la vérité.) Tu sais, si jamais elle se réveille, elle pourrait être comme avant ou... rester mentalement diminuée. Comme Bjorn. On n'en sait rien encore.

— Comme Bjorn ? s'étonna-t-il, sans comprendre.

— Plus ou moins...

La ronde infernale des pronostics refit soudain surface. *Handicapée psychomotrice, Attardée, Aveugle.*

— Eh bien, à quoi riment ces messes basses ? les interrompit sa mère en pénétrant dans la cuisine.

— Nous parlions d'Allison.

— Justement, j'ai dit à Andrew qu'elle ira de mieux en mieux, déclara Maribelle avec un large sourire qui donna à Page des envies de meurtre.

Elle ne permettrait à personne de duper Andy.

— Nous n'en sommes pas sûrs, répondit-elle fermement. On ne le saura que quand elle sortira du coma, si toutefois elle en sort.

— C'est comme si elle dormait, sauf qu'elle ne se réveille pas, expliqua Andy à sa grand-mère.

Brad apparut à l'entrée de la cuisine. Il avait enfilé une tenue de soirée. Page se mordit les lèvres, étouffant un commentaire acerbe.

— A plus tard, dit-il tranquillement à sa femme, qui haussa un sourcil.

— Vraiment ? Ne compte pas sur moi pour t'attendre.

— Merci, fit-il d'un ton crispé, en caressant les cheveux de son fils. Bonne nuit, Maribelle.

— Passez une bonne soirée, mon cher. Ce qu'il est beau ! se pâma-t-elle, lorsqu'il fut parti. Tu as une chance folle, ma fille.

Page se contenta de serrer les dents.

Comme elle l'avait prévu, le repas fut pénible. Alexis mastiqua laborieusement une feuille de laitue, tout en découpant à l'infini un minuscule morceau de viande, auquel finalement elle ne toucha pas. Maribelle menait la conversation en parlant de ses amis, de son appartement new-yorkais, et du fabuleux jardin d'Alexis à East Hampton.

— Elle a trois jardiniers japonais, mon Dieu, tu verrais ça. Une pure merveille.

A l'enthousiasme de sa chère mère, l'intéressée n'afficha qu'indifférence. Rien ne la passionnait vraiment, en dehors des nouvelles collections de Chanel. Naturellement, aucune des deux femmes ne mentionna Allison de toute la soirée.

Toutes deux se retirèrent dans leur chambre de bonne heure. Le décalage horaire leur avait fourni un bon prétexte pour laisser Page avec la vaisselle sale sur les bras. Elle rangea tout, l'oreille aux aguets, sursautant chaque fois qu'un bruit feutré provenait de la chambre d'Allison. Page ferma la porte de sa chambre désireuse de ne plus rien entendre. A ses yeux, l'intrusion de sa sœur dans la chambre d'Allie était un véritable sacrilège.

Elle resta longtemps éveillée, la tête emplie de souvenirs. Le passé surgit du fond de son subconscient : sa vie misérable en famille, l'enfer qu'elle avait vécu jusqu'à son départ. Il en était toujours ainsi. Chaque fois qu'elle les revoyait, les fantômes du passé ressuscitaient.

Il était minuit passé, quand Brad rentra. Page veillait encore, toutes lumières éteintes. Elle le regarda dans l'obscurité.

— Tu t'es bien amusé ?

Tous deux savaient où il avait été. Il se figea au milieu de la pièce enténébrée, comme s'il s'accordait un temps de réflexion avant de répondre.

— Pas vraiment. Il ne s'agit nullement de la situation idyllique que tu imagines.

— Moi non plus, je ne m'amuse pas.

— Je sais combien cela doit être dur pour toi, dit-il doucement, et l'espace d'une fraction de seconde, elle crut que l'ancien Brad était revenu. Sans doute ai-je eu tort de tout t'avouer. D'un autre côté, il nous aurait été impossible de vivre éternellement dans le mensonge.

L'ennui, c'était qu'elle aurait pu. Elle n'avait rien vu venir.

— J'essaie de trouver une solution qui arrange tout le monde, reprit-il. Ce n'est pas facile.

— Il n'existe pas de solution satisfaisante pour tous. Pour l'instant, l'état d'Allison t'empêche de prendre une décision.

— Je le sais.

Si seulement Stéphanie acceptait de le laisser souffler ! Si seulement elle voulait bien comprendre. Naturellement, n'ayant jamais rencontré Page ou Allison, elle ne pouvait compatir à leurs malheurs. Elle ne souhaitait qu'une chose : avoir Brad tout à elle. Et elle ne comptait pas attendre plus longtemps. Pendant un an, elle s'était prêtée à ce jeu de cache-cache, que maintenant elle abhorrait, se contentant d'un occasionnel voyage d'affaires, d'un rare week-end volé à sa famille. A présent, elle ne se contenait plus. Elle avait vingt-six ans et, selon elle, il était grand temps de se marier et d'avoir des enfants. Et Brad Clarke était l'homme qu'il lui fallait... Il se glissa silencieusement près de Page, n'osant la toucher de crainte d'affronter un nouveau fiasco. Elle ne s'endormit pas avant trois heures du matin. A sept heures, elle était debout pour réveiller Andy. Le petit garçon avait entraîné le labrador dans son lit. Brad, déjà debout, douché, rasé et habillé, avala rapidement une tasse de café. Il avait hâte de s'éclipser. Une réunion d'affaires le retiendrait en ville au déjeuner, déclara-t-il, et Page ne lui posa aucune question. Au moins, il avait eu la décence de rentrer la nuit précédente, lui épargnant ainsi des explications qu'elle n'avait nullement envie de fournir à sa mère, à condition bien sûr que celle-ci ait remarqué l'absence de Brad.

Elle déposa Andy à l'école, revint à la villa où elle se mit à trier son courrier en attendant que sa mère et sa sœur soient prêtes. A onze heures, elles ne s'étaient toujours pas montrées. Alexis avait fait sa gymnastique mais elle avait encore ses bigoudis. Elle s'était baignée, puis maquillée. Elle ne serait pas « visible » avant une bonne heure, répondit-elle, lorsque Page alla tambouriner à sa porte.

— Maman, je veux aller à l'hôpital.

— Mais bien sûr, mon chou, nous voulons aussi y aller. Tu n'as qu'à nous préparer un léger repas et puis nous t'accompagnerons.

Page serra les poings. Cette fois-ci elle déjouerait tous leurs pièges. Elle ne se plierait pas à leurs caprices. Elles étaient soi-disant venues voir Allison et en fait elles ne pensaient qu'à elles, comme d'habitude.

— Nous pouvons grignoter un morceau à la cafétéria, si vous avez faim.

— Oh, non, cette nourriture ne convient pas à l'estomac délicat d'Alexis... Tu connais bien la cuisine des hôpitaux.

— Je regrette, je n'y peux rien.

Il était midi moins cinq, elle avait perdu la moitié de la journée et Andy terminait ses cours à quinze heures trente.

— Peut-être préféreriez-vous prendre un taxi après le déjeuner ou même y aller avec Brad ce soir ?

— Bien sûr que non. Nous irons avec toi.

Elles finirent par sortir de leurs chambres à midi et demi. Alexis, exquise dans une robe Chanel de soie blanche qu'elle avait coordonnée à des chaussures à talons et sac de cuir noir, avait parachevé sa mise avec un délicieux chapeau de paille unie mais qui semblait totalement incongru, compte tenu de leur destination. Sa mère avait revêtu un ensemble rouge vif. On eût dit qu'elles étaient sur le point d'aller prendre un brunch dans un restaurant new-yorkais branché plutôt que de rendre visite à une mourante.

— Vous êtes ravissantes, complimenta Page avec complaisance, alors qu'elles s'installaient en voiture.

Elle portait un de ses vieux sweaters avec un jean fraîchement lavé et repassé, et les mocassins qu'elle n'avait pas quittés depuis deux semaines. Elle avait jugé que c'était une tenue que convenait parfaitement aux halls et salles d'attente dans lesquels elle passait le plus clair de son temps et puis, l'élégance n'était pas ce qui la préoccupait le plus actuellement.

Mme Addison émit des commentaires sur la chaleur tout le long du chemin, puis voulut savoir quel endroit Brad et Page avaient choisi pour leurs vacances d'été. Elle espérait qu'ils viendraient sur la côte Est. A Long Island, il y avait une pléthore de pimpants petits cottages à louer.

Page se gara, puis les guida vers les urgences. Elle regrettait amèrement que sa mère et Alexis soient venues à Ross. Leur présence n'était pas souhaitable et lui semblait même inacceptable. Bien sûr, Allison était leur petite-fille et nièce mais, aux yeux de Page, elles ne la méritaient pas.

L'ascenseur. Le sinistre couloir aux portes battantes. Des infirmières les saluant au passage. Enfin, l'unité des soins intensifs. Page les dirigea calmement vers le lit d'Allison. Elle vit sa mère blêmir, entendit presque son souffle se bloquer au fond de sa gorge. Elle lui offrit une chaise que Maribelle refusa d'un signe de la tête. Le choc émotionnel l'avait transformée en statue de pierre et, émue, Page l'enlaça. Alexis n'avait pas osé s'approcher. Elle s'était figée sur le seuil de la porte.

La soufflerie du respirateur brisait seule le silence, semblable à quelque forge maléfique. Au bout de quelques minutes, la mère de Page se tourna vers sa fille aînée qui n'avait pas bougé de sa place. Sous son maquillage, Alexis était mortellement pâle.

— Je ne crois pas que ta sœur doive rester ici, murmura-t-elle.

« Allie non plus », aurait voulu rétorquer Page, mais elle acquiesça. Pourquoi ne se sentaient-elles concernées que par elles-mêmes ? Pourquoi n'exprimaient-elles jamais un sentiment humain ? Pendant une fraction de seconde, sa mère avait consenti à voir Allison telle qu'elle était. L'instant suivant, elle cherchait refuge auprès d'Alexis. Il en avait toujours été ainsi. Mme Addison ne s'était jamais aperçue de la peine de Page. Sauver Alexis constituait son unique souci. Alexis, qui avait endossé le déguisement d'une poupée de luxe en habits ruineux et regardait le monde à travers le masque de son maquillage parfait.

Elles se retrouvèrent dans le hall. Maribelle avait passé un bras autour des épaules de sa fille aînée.

— J'oublie parfois ce qu'elle est devenue, s'excusa Page. Un de ses professeurs est venue, l'autre jour, et elle en est repartie bouleversée. Moi, je la vois tous les jours, c'est différent. Je suis désolée.

— En fait, elle a l'air de dormir comme un ange, décréta sa mère, ayant retrouvé quelques couleurs. On dirait qu'elle va se réveiller d'un instant à l'autre.

En vérité, Allie ressemblait à un cadavre branché à un respirateur. C'était la raison pour laquelle Page refusait à Andy une visite que pourtant il n'avait cessé de réclamer.

— Pas du tout, répliqua-t-elle d'une voix ferme. Elle a une mine épouvantable.

Elle en avait par-dessus la tête de cet optimisme à tout crin. Sa mère lui tapota la main.

— Ça ira mieux demain. Dis-le-toi bien... Et maintenant, ajouta-t-elle en souriant à ses filles, où allons-nous déjeuner ?

— Je reste ici, déclara Page. (Elle n'avait pas l'intention de sacrifier aux mondanités.) Je peux vous appeler un taxi, si vous voulez. Mais je ne bougerai pas d'ici.

— Cela te changerait les idées, tu sais. Brad ne reste pas assis ici toute la journée, non ?

— Non. Mais moi, si.

Une grimace de dépit que personne ne remarqua, lui avait déformé la bouche.

— Je vous invite en ville, insista sa mère.

— Pas pour moi, non. Je vous appelle un taxi.

— A quelle heure rentres-tu ?

— J'irai chercher Andy. Il veut assister à un match de base-ball. Je serai de retour vers dix-sept heures.

— Alors, à plus tard.

A tout hasard, elle leur apprit qu'il y avait une clé dans l'un des pots de fleurs, sur la terrasse, au cas où elles rentreraient avant elle. Rien de moins sûr. Après déjeuner, elles feraient certainement une razzia chez Magnin.

Elle retourna auprès d'Allison. Trygve arriva au milieu de l'après-midi. Il jeta un regard alentour, à la recherche des deux invitées de Page.

— Où sont-elles ?

— La fiancée de Frankenstein et sa maman sont en ville. Oh, elles ont un tas de choses à faire : déjeuner, shopping, coiffeur...

— Ont-elles vu Allison ?

— Oui, pendant environ dix minutes. Maman a failli tourner de l'œil, ma sœur n'a pas été capable de passer la porte. Elle était verte. Elles en ont conclu qu'un bon repas les remettrait de leurs émotions.

— Ne soyez pas si dure. Cela n'a pas dû être facile pour elles.

— Ça ne l'est pas pour moi non plus. Mais je suis là. Elles voulaient m'emmener déjeuner.

— Ce n'était peut-être pas une mauvaise idée.

Elle haussa les épaules. Il ne les connaissait pas.

Page retourna à la maison avec Andy vers dix-sept heures. Comme elle l'avait prévu, sa mère et sa sœur arrivèrent une heure plus tard, les bras chargés de paquets. Elles avaient songé à offrir un flacon de parfum à Page et avaient acheté un adorable peignoir en dentelle pour Allison.

— Il est magnifique, maman, je vous remercie.

Elle ne prit pas la peine de leur expliquer qu'Allie ne pourrait pas le porter et, d'ailleurs, elles n'auraient pas compris pourquoi. Elles avaient découvert des soldes fabuleux chez Magnin.

— Tu n'as pas idée des trésors qu'on peut dénicher, s'exclama Maribelle, inconsciente de l'expression atterrée de Page.

— Tant mieux, dit cette dernière froidement.

A l'évidence, elles avaient totalement oublié le but de leur voyage.

Page prépara le dîner où Brad brilla par son absence. Il n'avait pas daigné appeler. Elle marmonna une vague excuse qui passa inaperçue. Et plus tard, elle trouva Andy en larmes, dans sa chambre. Elle s'assit au bord de son lit et tenta de le consoler mais il lui coupa la parole d'une voix apeurée.

— Vous êtes de nouveau fâchés, papa et toi, n'est-ce pas ?

— Pas vraiment, mentit-elle. Il est simplement occupé.

— Ce n'est pas vrai ! Je vous ai entendus vous disputer.

— Les mamans et les papas ont parfois des problèmes, dit-elle doucement, en ravalant ses larmes.

— Vous n'en aviez pas avant... Bjorn m'a dit que ses parents se disputaient tout le temps. Puis sa maman est partie. Elle est en Angleterre et il ne la voit presque jamais.

— Ce n'est pas la même chose... Est-ce qu'elle lui manque ?

— Non, répondit Andy sans hésiter. Il dit qu'elle était méchante avec lui. Il aime beaucoup plus son père. Moi aussi j'aime bien son père... il est gentil.

Elle hocha la tête mais, de nouveau, il s'accrochait à elle, au comble de l'angoisse.

— Est-ce que papa aussi s'en ira en Angleterre, m'man ?

— Non, bien sûr que non. Pourquoi irait-il là-bas ?

— Je ne sais pas. La mère de Bjorn y est bien allée... Est-ce qu'il va nous quitter, m'man ?

— Je ne le crois pas.

C'était la première fois qu'elle avait recours au mensonge.

Elle resta près de lui, jusqu'à ce qu'il se soit endormi. Peu après, sa mère lui demanda une tasse de thé à la menthe.

— Sois gentille d'apporter une bouteille d'Evian et un peu de camomille à ta sœur, si cela ne te dérange pas.

— Pas du tout, murmura Page.

Elle regagna la cuisine en réprimant un sourire moqueur. Décidément, elles n'avaient guère changé. Elle non plus, puisqu'elle se complaisait toujours dans le rôle de Cendrillon.

12

La semaine s'écoula au ralenti, comme dans un mauvais rêve. Page passait ses journées à l'hôpital, après avoir conduit son fils à l'école. Pendant ce temps, sa mère et sa sœur allaient d'une boutique de luxe à l'autre, à San Francisco. Leur circuit comprenait Hermès, Chanel, Tiffany, Cartier, Saks, et elles dévalisèrent joyeusement Magnin. Elles se firent coiffer par le célèbre M. Lee, déjeunèrent tous les jours dans les établissements les plus chics : Trader Vic's, Postrio, sans oublier le fameux restaurant panoramique qui surplombait Neiman-Marcus. Tous les deux jours, elles s'obligeaient à faire un saut aux soins intensifs où elles ne restaient pas plus de cinq minutes.

Après leur première visite, ayant ressenti les effets pernicieux d'un nouveau rhume, Alexis préféra attendre dans le hall, afin de ne pas contaminer Allison. Mme Addison, plus courageuse, prenait l'ascenseur conduisant à la salle de réanimation où, pendant quelques minutes, elle tenait compagnie à Page, sans jamais poser un regard sur Allison. Le programme de la journée constituait son sujet de prédilection : où irait-on ? Dans quel restaurant servait-on des spécialités régionales ? Est-ce que Page ne voulait pas les accompagner pour une fois ? A la fin de la semaine, devant les refus catégoriques de sa fille, Maribelle lui proposa de l'emmener dîner un soir avec Brad.

Page fit part de l'invitation à son mari, lors d'un de ses rares passages à la maison. C'était vendredi après-midi et la présence envahissante de sa mère et de sa sœur commençait à lui porter sur les nerfs. Brad s'était merveilleusement adapté à la situation qui lui permettait de disparaître toute la journée. Durant toute la semaine, il n'avait dîné qu'une seule fois à la maison. Il rentrait après minuit, pour disparaître aux aurores, avant que les autres soient levés et une fois, il resta dehors toute la nuit sans aucune explication.

— Maman voudrait nous inviter au restaurant, déclara Page, en déployant des trésors d'énergie pour conserver son calme. A vrai dire, je ne crois pas que je le supporterai.

— Pourquoi pas ? Elle s'est améliorée avec l'âge.

— Qu'est-ce que tu en sais ? glapit Page, hors d'elle. Tu ne les as pratiquement pas vues, depuis leur arrivée. Comment diable en es-tu venu à cette brillante conclusion ? Tu n'es jamais là.

— Pour l'amour du ciel, ne recommence pas ! Je ne suis pas leur baby-sitter. Ta mère est ici pour voir Allie, du moins c'est ce que j'ai cru comprendre.

Lui-même avait espacé ses visites à l'hôpital, sous le sempiternel prétexte de son travail.

— Erreur ! Ma mère se paie des vacances sur mon dos. Ses journées se déroulent agréablement chez Chanel, Hermès ou Cartier. Et elle est enchantée de son séjour.

— Tu aurais tout intérêt à faire un peu de lèche-vitrines avec elle ! rétorqua-t-il d'un ton agressif. Tu serais sûrement de meilleure humeur et tu ressemblerais peut-être un peu plus à ta sœur.

Il regretta aussitôt ses paroles mais il était trop tard. Un rire amer secoua Page.

— Parlons-en, de ma sœur ! A force de se faire

sculpter par le scalpel de son mari, elle n'a plus rien d'humain. Si tu désirais une poupée mannequin à la place d'une femme, tu aurais dû m'avertir avant de me demander en mariage.

Elle écumait, mais la remarque de Brad l'avait marquée au fer rouge. Après trois semaines au chevet d'Allison, elle avait totalement négligé son apparence. Du reste, elle s'en moquait éperdument. Tout ce qu'elle voulait, c'était qu'Allie sorte de son coma.

Après une vive discussion, Brad consentit à dîner « en famille » le samedi suivant. Ils se rendirent en ville, chez Mason's, à Fairmont. Page avait ramassé sa lourde chevelure blonde en catogan et avait revêtu une simple robe noire. Elle ne s'était pas maquillée. Elle était l'image même de la tristesse. Et de la déception. Alexis, parée comme une reine, dans un splendide modèle de Givenchy en soie magnolia dont le profond décolleté dévoilait ses superbes seins, fit sensation.

— Tu es ravissante, lui dit Brad.

Elle sourit. Aucune chaleur n'animait ce sourire inexpressif. Pas même un quelconque désir de séduire. Tout son univers tournait autour de sa personne, de sa beauté, de sa garde-robe. Son mari l'avait très bien compris. On eût dit un corps sans âme, une coquille vide, un mirage aux contours parfaitement ciselés.

Durant le dîner, Maribelle annonça qu'elle prolongerait son séjour d'une huitaine. « Oh, non, mon Dieu, non ! » songea Page, la gorge sèche. Voilà une semaine qu'elle se pliait à leurs quatre volontés, leur fournissant, suivant leurs caprices du moment, infusions de camomille, thés à la menthe, sandwiches chauds, sandwiches froids, demi-bouteilles d'Evian, déjeuners, lunchs, dîners, sans oublier les oreillers et les draps changés tous les deux jours. Elle avait même dû faire le tour des magasins de Marin County pour acheter une couverture électrique à sa mère, qui craignait la fraîcheur de la nuit. Elles ne répondaient jamais au téléphone, étaient incapables de régler les postes de télévision dans leurs chambres, ne savaient pas cuire un œuf sans faire appel à Page. Aucune des deux ne se sentait à l'aise avec Andy. Et leurs visites à Allie n'avaient pas dépassé le quart d'heure en une semaine.

— Je crois que vous devriez rentrer à New York après le week-end, suggéra Page d'un ton ferme.

Sa mère battit des cils, d'un air de majesté outragée.

— Nous n'allons tout de même pas te laisser toute seule avec Allison, voyons.

Page resta sans voix. Brad, qui semblait avoir opté pour la galanterie, fit la conversation à Maribelle et renouvela ses compliments à Alexis, qui n'avait pratiquement pas ouvert la bouche de la soirée... De retour à la maison, lorsque leurs invitées disparurent dans leurs chambres, Brad déclara qu'il allait ressortir.

— A onze heures du soir ? s'étonna Page.

Mais pour quelle raison s'étonnait-elle ? songea-t-elle aussitôt. Leur mariage n'était plus qu'une mascarade, une sorte d'absurde respect des convenances. Une comédie qu'ils continuaient à se jouer et sur laquelle le rideau ne tarderait pas à tomber. Elle le vit hocher la tête.

— Excuse-moi, Page. J'ai l'impression de me tenir au bord d'un précipice.

— Je sais, répondit-elle en dégrafant sa robe. Comme Allison.

— Ça n'a rien à voir.

Tout était là, au contraire. L'accident avait agi comme un détonateur. Comme une explosion qui, dans un souffle terrifiant, aurait aboli seize ans de mariage.

Page disparut dans la salle de bains. Lorsqu'elle en ressortit, Brad avait pris la poudre d'escampette. Elle fut tentée d'appeler Trygve, puis se ravisa. Son problème, elle devait le résoudre seule. Le sommeil la fuyait mais elle demeura allongée dans la chambre obscure, les yeux anormalement secs, l'esprit enfiévré.

Le lendemain, alors qu'elles prenaient le petit déjeuner, sa mère se mit à louer son gendre. Quel homme racé, bien élevé et quel bon mari et bon père. Page avala sans rien dire sa tasse de café, qui lui laissa un arrière-goût amer dans la bouche.

— Je vais à l'hôpital, dit-elle. Je te confie Andy.

Maribelle ébaucha un mouvement de panique.

— Andy ? Mon Dieu ? Il est si jeune. Et s'il a envie d'aller aux toilettes ?

On avait du mal à croire qu'elle avait élevé deux enfants et qu'elle avait épousé un médecin.

— Andy a sept ans, maman. Il se débrouillera tout seul. Il pourrait même vous faire la cuisine.

Il fallait bien que quelqu'un s'occupe d'elles à temps complet, fulmina-t-elle en grimpant dans sa voiture.

Heureusement, Trygve était à l'hôpital. Ils eurent une longue discussion dans l'une des petites salles d'attente. Page baissait la tête, abattue, découragée.

— Je n'en peux plus, gémit-elle. Le fait qu'elles soient là me démoralise complètement.

— Mais pourquoi ? Qu'est-ce qui vous déprime à ce point ?

— Tout. La façon dont elles se comportent. Leurs exigences. Leur égoïsme forcené. Elles sont si emcombrantes. Je déteste même l'idée qu'elles puissent s'approcher de mes enfants.

— Seigneur, elles ne sont quand même pas des monstres, dit-il, désarçonné par sa véhémence.

Quelque chose, au sein de cette famille, avait irrémédiablement blessé Page, mais quoi ?

— C'est à cause d'elles, que je suis venue ici. En fait, je suis partie avec Brad. Mais j'aurais quitté New York de toute façon. Afin de m'éloigner, de mettre le plus de distance possible entre elles et moi.

Elle avait cru leur échapper en épousant Brad. Un mauvais calcul, en définitive, mais comment aurait-elle pu le deviner à l'époque ?

— J'en ai par-dessus la tête, reprit-elle. Brad est odieux, la tension entre nous est insoutenable. J'ai peur que ce soit trop dur pour Andy. Ce n'est pas juste.

— Je sais. Andy en a touché deux mots à Bjorn. Il a dit que vous vous disputiez tout le temps. Il pense qu'Allie est bien plus malade que vous ne voulez le lui dire.

— Ma mère a entrepris de lui inculquer son optimisme. Elle ne cesse de lui répéter qu'Allie va bien... Ses allégations m'exaspèrent.

Il scruta le petit visage aux joues creusées, aux pommettes décolorées par la fatigue. « Elle a épuisé ce qui lui restait d'énergie », s'alarma-t-il. Les trois semaines d'agonie qu'elle venait de vivre avaient exacerbé sa sensibilité. Visiblement, elle était à bout de forces.

— Quand vont-elles repartir ? demanda-t-il.

Il n'avait pas les moyens de l'aider, de l'alléger de ce fardeau supplémentaire. C'était l'ami invisible dont les visiteuses de Page ignoraient jusqu'à l'existence.

— Je leur ai suggéré de rentrer après le week-end. Ma mère a prétendu qu'elle ne voulait pas me laisser toute seule avec Allie.

Un rire semblable à un sanglot la secoua. Il lui enlaça les épaules d'un bras vigoureux avant de l'embrasser.

— Je suis navré. Allie vous cause suffisamment de soucis. Soyez patiente, ma chérie, à l'orage succède toujours l'accalmie.

— Pas dans mon cas, apparemment. Je suppose qu'il s'agit d'une mise à l'épreuve. Sauf que je me sens flancher.

Des larmes jaillirent de ses yeux et il l'embrassa une nouvelle fois, au cœur de la petite pièce vide.

— Vous avez une grande force en vous, Page.

Elle s'était blottie contre lui, en quête d'un peu de réconfort. Paupières closes, elle secoua la tête.

— C'est ce que vous pensez, soupira-t-elle. Dieu,

quelle fatigue ! Oh, Trygve, quand tout cela va-t-il s'arrêter ?

— D'ici un an, tout sera oublié.

— Je ne vivrai pas jusque-là.

Il lui prit le menton, la forçant à relever la tête, afin de mieux sonder ses yeux limpides.

— Je compte sur vous ! dit-il solennellement. Et il n'y a pas que moi, vous savez.

Elle hocha la tête, puis ils demeurèrent assis un long moment dans un silence complice, avant qu'elle ne se lève pour se rendre auprès d'Allison.

Les sonneries du téléphone s'égrenaient dans la villa, au moment où Page fit irruption dans le vestibule. Au bout du fil, une de ses relations venait aux nouvelles. Sa fille avait fait partie du même groupe de danse qu'Allison. Elle était au courant de l'accident et demandait si elle pouvait se rendre utile à quelque chose. Page la remercia, pressée de raccrocher.

— N'hésite pas à m'appeler si tu as besoin de quelque chose, insista son interlocutrice... A propos, que se passe-t-il entre Brad et toi ? Allez-vous divorcer ?

— Non. Pourquoi ?

Le sang de Page s'était mis à bouillonner dans ses veines. Ses oreilles bourdonnaient. A l'assurance avec laquelle sa correspondante avait posé la question, elle devina qu'elle savait quelque chose.

— Peut-être aurais-je dû me taire, mais je l'ai aperçu à plusieurs reprises en compagnie d'une jeune fille... d'une vingtaine d'années. Au début, je me suis dit qu'il s'agissait d'une amie d'Allie, mais je me suis rendu compte par la suite qu'elle est plus âgée. Elle habite à un bloc de chez moi et j'ai eu l'impression que Brad vivait avec elle... En fait je les ai vus faire du jogging ce matin, avant le déjeuner.

Formidable ! Il ne manquait plus que ça. La petite communauté cancanière de Ross faisant des gorges chaudes à son sujet... *Une fille de l'âge d'Allie...* Seigneur ! La honte lui enflamma les joues, ses épaules se voûtèrent. Elle se lança dans une explication nébuleuse, avec la sensation d'avoir pris deux mille ans... Mais non, chère amie... Bien sûr, qu'elle la connaissait. Il s'agissait d'une... une jeune femme très douée, une des collaboratrices de Brad. Oh, mais oui, ils faisaient souvent du jogging ensemble et ils en profitaient pour passer en revue leurs projets.

Elle finit par reposer le combiné, épuisée. Son interlocutrice n'avait pas eu l'air convaincue mais Page aurait préféré mourir plutôt que d'avouer à quiconque que Brad avait une liaison... Sa colère se tourna contre la femme qui avait osé l'appeler, sûrement dans l'espoir de glaner des informations. C'était si mesquin !

— Comment se porte Allison aujourd'hui ? interrogea sa mère, quand Page pénétra dans la cuisine.

— Pareil... Et vous ? Comment vous êtes-vous débrouillées avec Andy ? A-t-il trouvé tout seul les toilettes ?

Elle sourit et sa mère émit un petit gloussement amusé.

— Bien sûr. C'est un petit garçon adorable. Il a concocté un fameux déjeuner pour sa tante et moi, et nous l'a servi dans le jardin.

Andy jouait dans sa chambre. Il leva le regard, sitôt que sa mère passa la tête par la porte entrebâillée. Ses grands yeux interrogateurs, où depuis quelque temps brûlait constamment une lueur inquiète, firent se serrer le cœur de Page. Elle s'assit sur le lit, lui ébouriffa les cheveux mais même ce geste familier leur parut incongru, comme un rire joyeux au milieu d'un incendie.

— Ça s'est bien passé avec ta grand-mère ?

— Elle est rigolote, sourit-il. Elle ne sait rien faire. Tante Alexis non plus, parce qu'elle a les ongles trop longs. Elle n'arrive même pas à décapsuler une bouteille d'Evian. Grand-mère m'a demandé de lui remonter sa montre. Elle ne voit pas clair et elle n'avait pas ses lunettes sous la main.

— Tous les prétextes sont bons pour se faire servir.

Ils échangèrent un sourire de connivence mais tout de suite la lueur d'inquiétude se ralluma dans les prunelles claires d'Andy.

— Et papa ? Où est-il ?

— En train de travailler en ville.

— Un dimanche ?

Il était loin d'être idiot.

— Il a énormément de travail, mentit-elle comme toujours.

— Il vient dîner à la maison, ce soir ?

— Je ne sais pas.

Andy grimpa sur ses genoux et elle le serra contre son cœur. Elle aurait voulu lui dire qu'elle l'aimerait jusqu'à la fin des temps, quoi qu'il advînt de son père. Mais elle dit :

— Je t'adore, champion.

Peu après, elle s'attaqua aux préparatifs du dîner. A sa surprise, Brad fit une apparition inopinée... Poli, bien élevé, presque naturel. Evitant soigneusement de croiser le regard de Page, mais faisant montre d'une cordialité feinte vis-à-vis de leurs invitées. Il s'offrit pour organiser un barbecue en leur honneur, demanda à Andy de l'aider à griller des hamburgers, des steaks et du poulet, pendant que Page dresserait la table dans le jardin. Maribelle se montra enchantée. Alexis décréta qu'elle ne mangerait pas de viande et pria Andy de lui apporter une demi-bouteille d'Evian. La soirée s'annonçait agréable.

Page s'arrangea pour se trouver seule avec Brad, devant le barbecue, pendant que les autres avaient commencé à déguster les grillades.

— Il paraît que tu t'adonnes aux saines joies du jogging, lâcha-t-elle à mi-voix.

— Qui te l'a dit ? grommela-t-il d'un air rageur et coupable à la fois.

— Qu'importe ?

— Mêle-toi de tes affaires, marmonna-t-il.

Elle lui lança un regard noir.

— Ce sont mes affaires, justement. Je ne te laisserai pas détruire ma vie, ni surtout celle d'Andy et d'Allie. Tu prends ton fils pour un crétin ou quoi ? Il a tout compris, figure-toi. Il sait tout.

— Parfait ! Qu'est-ce que tu lui as dit, espèce de garce ?

S'en attendre de réponse, il s'élança comme une tornade à l'intérieur de la maison. Furieuse, Page voulut éteindre le gril et ne parvint qu'à se brûler. L'instant suivant, Andy partait en courant sur les traces de son père. Le petit garçon était en larmes. Il avait entendu la querelle de ses parents. L'un d'eux à un moment donné avait prononcé son nom. Oh, il avait bien compris que tout était sa faute. Sa faute, si ses parents se disputaient, sa faute si Allie avait été blessée et pas lui. Voilà pourquoi son père lui en voulait, il en fut soudain convaincu. Brad parut à la porte de la cuisine, portant les steaks sur un plat, qu'il déposa sur la table avec une violence inutile. Désespéré, Andy se rassit. Oui, tout était sa faute... Les Clarke se mirent à dîner dans un calme absolu. Et comme toujours, Maribelle et Alexis ne s'aperçurent de rien.

— Vous êtes un vrai cordon-bleu, mon cher ! s'écria Maribelle à l'adresse de Brad. (Les steaks étaient succulents et l'atmosphère empoisonnée.) Alexis, mon chou, tu devrais en goûter une bouchée.

Alexis fit non de la tête, trop heureuse de picorer ses trois feuilles de laitue. Andy avait baissé le nez dans son assiette et Page tenait un glaçon entre ses doigts brûlés où une vilaine ampoule s'était formée.

— Tu as mal, m'man ?

— Non, mon chéri, je me sens beaucoup mieux.

Brad ne desserra pas les dents de tout le repas. Pas une fois son regard ne s'attarda sur sa femme. Persuadé qu'elle avait révélé à Andy son affaire de cœur, il dut se contenir pour ravaler les insultes qui lui montaient à la gorge.

L'affrontement reprit dans la cuisine, plus âpre et plus violent, tandis qu'ils vidaient les assiettes avant de les empiler dans le lave-vaisselle. Aucun des deux ne remarqua Andy, se tenant, tremblant comme une feuille, à l'autre bout de la cuisine.

— Tu le lui as dit, hein ? Tu n'as pas pu t'empêcher de me dénigrer à ses yeux !

— Non, non et non ! hurla-t-elle. Au contraire, je lui mens sans arrêt pour te couvrir... D'ailleurs, tu ferais bien de le lui dire toi-même. Tu n'es jamais là. Que veux-tu qu'il en pense ? Sans oublier les potins qui doivent aller bon train dans Ross... Il le saura à l'école un de ces jours.

— Bon sang ! Ça ne le regarde pas non plus ! vitupéra Brad.

Il s'était rué hors de la cuisine dont il claqua la porte avec fracas. Les yeux brillant de larmes, Page finit de ranger les assiettes. La porte se rouvrit sur sa mère.

— Félicitations, ma chère. Le repas était exquis... Nous nous sentons si à l'aise chez vous, Alexis et moi.

Page la regarda, incrédule, comme si par la grâce d'un songe, elle s'était retrouvée catapultée dans un univers surréaliste.

— Je suis contente que vous ayez apprécié. Brad est expert en steaks.

Sans doute viendrait-il leur faire des grillades le dimanche, après son remariage.

— Vous formez un couple si uni, renchérit Maribelle, le visage illuminé d'un large sourire.

Page relâcha son torchon et considéra sa mère.

— En fait, maman, les choses ne vont pas si bien que ça entre nous. Je suis sûre que tu l'as remarqué.

— Pas du tout. Vous êtes inquiets pour Allison, tous les deux, quoi de plus normal ? Dans quelques semaines, ta fille ira mieux et tout rentrera dans l'ordre.

— Rien de moins sûr... marmotta Page, après quoi elle croisa les bras sans cesser de fixer le visage impassible de Mme Addison.

« Dis-lui donc la vérité ! lui souffla sa voix intérieure. On verra bien si elle continue à faire la sourde oreille. »

— Brad a une liaison depuis un certain temps, maman. Nous sommes tous sous pression.

— Allons, mon chou, tu te fais des idées ! Brad n'est pas un coureur de jupons. Il ne mettrait jamais votre mariage en danger.

— C'est ce qu'il est en train de faire, précisément, insista Page, d'une voix plate.

— L'éternelle crainte des femmes ! philosopha Mme Addison. Si tu veux mon avis, tu t'es tout simplement laissée submerger par le problème d'Allison.

Allison a un problème ? Tu veux parler du fait qu'elle est dans le coma depuis trois semaines et demie ? Ah ! Ce problème-là !

— Tu sais, entre ton père et moi, ça n'a pas toujours été rose, reprit sa mère calmement. Nous avions parfois des opinions différentes sur tel ou tel sujet... Rien de sérieux, naturellement. Tu devrais te montrer plus compréhensive.

Interdite, Page dévisagea sa mère. Elle voulait bien évoquer avec elle l'obscur secret de famille qui avait hanté toute son adolescence, mais comme à l'accoutumée, Maribelle prétendait que cela n'avait jamais existé.

— Je n'en crois pas mes oreilles, dit-elle d'une voix rauque.

— C'est pourtant vrai. Comme chaque couple, ton père et moi avons connu des moments difficiles.

— Quels moments difficiles ? Enfin, maman, aurais-tu oublié ce que nous avons enduré ?

— J'ignore de quoi tu veux parler, murmura Maribelle en tournant les talons, prête à quitter la cuisine.

— Maman ! hurla Page, les yeux brûlants de rage. Cesse donc cette comédie. Tu sais très bien qui tu as épousé, et ce qu'il nous a fait subir des années durant. Comment peux-tu continuer à te complaire dans le mensonge ? Regarde-moi, je t'en supplie.

Maribelle se retourna lentement. Aucune expression n'altérait le masque lisse de son visage. Revenu par la porte de service, après avoir rangé le barbecue, Brad se figea sur le seuil. Le visage de sa femme racontait une histoire qu'il n'avait pas envie d'entendre. Ayant saisi de quoi il s'agissait, il essaya maladroitement de s'interposer.

— Peut-être pourriez-vous en parler une autre fois.

Page se tourna vers lui, comme une furie.

— Tu es la dernière personne au monde qui a le droit de me dire ce que je dois faire ou pas. Contente-toi de tes parties de jambes en l'air et fiche-moi la paix. Et elle, elle n'a pas le droit de me raconter des histoires. (Elle s'était de nouveau tournée vers sa mère.) Tu ne me feras plus marcher dans ce petit jeu-là ! hurla-t-elle. Tu as bel et bien été sa complice. Non seulement tu l'as laissé abuser de moi mais tu l'as aidé. « Nous sommes là pour rendre papa heureux, hein, ma chérie ? » voilà ce que tu me disais. Je n'avais que treize ans. *Treize ans !* Tu m'as forcée à coucher avec mon père. Et Alexis, quant à elle, n'était que trop heureuse que ce soit mon tour et plus le sien. Parce qu'elle a dû se plier à ces aimables fantaisies dès l'âge de douze ans. Comment oses-tu affirmer aujourd'hui qu'il ne s'est rien passé ?

Maribelle ouvrit la bouche mais aucun son ne franchit ses lèvres blanches. Son teint avait viré au gris et Brad remarqua qu'elle tremblait violemment.

— Quelles accusations injustes, Page ! dit-elle,

comme si on lui arrachait chaque mot. Terribles et fausses, tu le sais. Qu'est-ce qui te pousse à proférer ces affreuses calomnies contre ton père ? Il n'aurait jamais touché ses propres enfants.

— Il ne s'est pourtant pas gêné et tu étais parfaitement au courant. (Des sanglots trop longtemps refoulés jaillirent, mais Brad n'osa l'approcher.) J'ai passé des années à essayer d'oublier. A me guérir. Je t'aurais pardonné si tu avais exprimé un regret, le plus infime remords, mais non ! Tu te contentes d'expédier tous ces pénibles souvenirs aux oubliettes !

Alexis fit irruption dans la cuisine, inconsciente du redoutable face-à-face qui opposait sa sœur à leur mère. Elle venait de parler à David au téléphone et jeta alentour un regard affairé.

— Je prendrais bien une infusion de camomille, déclara-t-elle suavement.

Avec un gémissement, Page s'appuya contre le rebord de la table.

— Je ne vous crois pas ! hurla-t-elle soudain, secouée par une nouvelle crise de larmes. Vous vous êtes si bien caché la vérité et pendant si longtemps que vous êtes devenues incapables de regarder la réalité la plus flagrante en face. Toi, tu n'es même pas fichue de t'ouvrir une bouteille d'eau ! Comment pouvez-vous vous mentir à ce point ?

Pour la première fois, une vague expression qui ressemblait à de la peur altéra les traits parfaits d'Alexis.

— Je suis désolée, bredouilla-t-elle... Je peux me passer de camomille.

— Prends-la ! cria Page en lui lançant une bouteille d'Evian à travers la pièce, qu'Alexis attrapa au vol. Maman était en train de m'expliquer que notre père ne nous a jamais violées quand nous étions petites. T'en souviens-tu, Alexis ? Ou es-tu devenue amnésique, toi aussi...

Dans le silence lourd qui suivit, elle regarda tour à tour les deux femmes.

— Il m'a traînée dans son lit jusqu'à l'âge de seize ans. J'avais même menacé de le dénoncer à la police, vous ne vous rappelez pas ? Mais vous étiez de son côté. On ne lave pas son linge sale en public, n'est-ce pas ? Je ne vous pardonnerai jamais votre attitude.

Elle leur en avait voulu davantage depuis qu'elle avait eu des enfants. De violents sanglots l'étouffèrent, et elle s'appuya contre l'évier en suffoquant. Brad esquissa un vague mouvement vers elle, puis fit marche arrière. Elle lui avait tout raconté, bien sûr, mais ce brusque règlement de comptes le mettait mal à l'aise.

— Qu'est-ce que tu racontes ? murmura Alexis, horrifiée. Papa était docteur.

— Ah oui ! lança Page à travers ses larmes. Le bon docteur Addison ! Il m'a fallu des années pour me résoudre à consulter un gynécologue, surtout pendant ma première grossesse. C'était un type fabuleux, papa, un homme merveilleux, un scientifique de grande réputation.

— C'était un saint ! répliqua Maribelle d'un ton énergique.

Machinalement, Alexis s'était rapprochée de sa mère et les deux femmes s'étaient enlacées, comme pour faire front contre l'adversité. A l'évidence, elles combattraient farouchement les allégations de Page. Celle-ci les enveloppa d'un regard empreint de commisération.

— Tu sais ce qui est triste, Alexis ? Tu as disparu, après cette merveilleuse tranche de vie familiale. Tu as épousé David à l'âge de dix-huit ans. Nouvelle identité, nouveau visage, nouveaux seins, de manière à ne plus être l'ancienne Alexis. Tu t'es transformée en quelqu'un d'autre, à seule fin d'oublier ce que tu as été.

— Allons, Page, s'interposa Brad. Tu te fais du mal inutilement.

— Ah oui ? Parce que les autres ne m'en ont pas fait ?

Toi, le premier, Brad, tu ne t'es pas privé. Ce serait plus distingué, naturellement, de proclamer partout que tout est parfait et merveilleux, alors que tu découches pratiquement tous les soirs. Eh bien, jamais je ne m'enfouirai la tête dans le sable. J'en mourrais ! Je refuse de me laisser bercer d'illusions comme vous autres !

— L'idée que certaines personnes se réfugient dans leur propre monde devant une situation trop pénible ne t'a jamais effleurée ? demanda-t-il d'une voix chevrotante.

— J'y ai longuement réfléchi.

— Ils ont besoin d'une cachette pour se terrer.

— Peut-être. Mais moi, j'aime vivre au grand air.

— Je sais, dit-il doucement. J'ai toujours apprécié cet aspect de ton caractère.

Sa mère et sa sœur en avaient profité pour s'éclipser discrètement. Page ferma les yeux. Sa respiration était saccadée.

— Ça va ? s'enquit Brad.

Il savait à présent qu'il ne pourrait jamais lui donner ce dont elle avait besoin.

— Je suis contente de leur avoir dit leurs quatre vérités. Je me suis toujours demandé si elles mentaient ou si elles avaient fini par croire à leurs balivernes.

— Quelle importance ? Ta mère n'admettra jamais la vérité, Page. Encore moins Alexis.

Elle hocha la tête, puis se redressa, comme libérée d'un grand poids. Elle poussa le battant de la porte de service et sortit dans l'air humide de la nuit, qu'elle aspira à pleins poumons. Le besoin de voir Allie l'assaillit. Il était tard, mais elle avait hâte de se rendre au chevet de sa fille. Elle alla prévenir Brad, puis s'en alla sans un mot de plus.

Un quart d'heure plus tard, elle s'asseyait près du lit étroit. Cette fois-ci, elle resta muette, les yeux fixés sur

Allie... Allie qui, depuis trois semaines, lui manquait cruellement.

— Madame Clarke, vous allez bien ? interrogea l'une des infirmières de nuit, étonnée de la voir assise là, à neuf heures du soir.

Page ébaucha un oui de la tête. Elle demeura immobile sur le tabouret à côté de la silhouette blanche. Une demi-heure plus tard, Trygve pénétra dans la pièce emplie du bruit régulier des machines.

— Je savais que vous seriez ici, fit-il. Je pensais à vous.

Il lui sourit, puis remarqua ses yeux rouges. Visiblement, elle avait pleuré.

— Vous allez bien ?

— Plus ou moins, soupira-t-elle en haussant les épaules. J'ai piqué une sacrée crise de nerfs, ce soir.

— A-t-elle servi à quelque chose ?

— Pas vraiment, à part que je me suis défoulée.

— Alors, disons qu'elle n'aura pas été inutile. Voulez-vous un café ?

Elle leva vers lui un petit visage ravagé par le chagrin et les insomnies. De nouveau, elle haussa les épaules, mais elle le suivit le long du couloir éclairé au néon, sous le regard compatissant de l'infirmière de garde.

— Que se passe-t-il ? questionna Trygve gentiment, alors qu'elle avalait pensivement une gorgée de café chaud.

— Je ne sais pas très bien. Je crois que j'ai craqué. Allie... Brad... ma mère... c'est plus que je n'en peux supporter.

— Qu'est-il arrivé ?

— Rien d'extraordinaire. Ma mère nous jouait son éternel refrain de la vie en rose et ça m'a rendue folle. J'ai eu sans doute tort, mais j'ai essayé de lui faire comprendre qu'entre Brad et moi les relations étaient nettement moins idylliques que ce qu'elle imaginait.

Alors, elle n'a pas trouvé mieux que de rappeler mon père à mon bon souvenir...

Elle s'interrompit un instant, ne sachant comment poursuivre, et il attendit, n'osant le lui demander.

— Mon père... reprit-elle, hésitante, en s'accordant une nouvelle gorgée de café, euh... mon père et moi avons eu une relation plutôt bizarre.

Ses yeux se fermèrent sur les larmes qui, silencieusement, se mirent à couler. Les mots se dérobaient, comme chaque fois qu'elle abordait ce sujet douloureux, mais elle ne pouvait plus se taire.

— Ne vous sentez pas obligée de m'en parler si vous n'en avez pas envie.

Elle le regarda à travers ses larmes.

— Si, j'en ai envie, murmura-t-elle. J'ai peur aussi... Voyez-vous, il... il a abusé de moi quand j'avais treize ans. Il m'a obligée à coucher avec lui jusqu'à l'âge de seize ans. Ma mère était au courant... Et elle m'a forcée à continuer. Peut-être pour épargner Alexis. Il avait fait la même chose avec elle pendant quatre ans. Ma mère le craignait. C'était un homme malade. Un grand pervers. Il la battait, alors elle s'inclinait. Elle disait que nous devions « le rendre heureux », afin qu'il ne nous maltraite pas... C'était elle qui l'emmenait dans ma chambre, elle qui refermait la porte...

Sa phrase se perdit dans un sanglot. Trygve l'attira dans ses bras.

— Mon Dieu, Page, quelle horreur...

— Il m'a fallu des années pour surmonter mon dégoût. J'ai quitté la maison à dix-sept ans. J'ai travaillé comme serveuse, pour payer mon loyer. Ma mère m'en a voulu. J'avais brisé le cœur de mon père, m'a-t-elle dit, lorsqu'il est mort, et pendant un certain temps, elle a réussi à me faire croire que je l'avais tué... Peu après, j'ai rencontré Brad à New York. Nous nous sommes mariés et nous sommes venus ici. J'ai suivi une psychanalyse grâce à laquelle j'ai trouvé la paix de l'esprit.

Mais ma mère continue à soutenir que rien ne s'est passé. Je n'ai jamais compris pourquoi. Comment elle a pu supporter ces rapports si malsains... Ce soir, elle a dépeint mon père comme un saint. Alors, j'ai explosé.

— Cela ne m'étonne pas, murmura-t-il en la serrant dans ses bras et en lui caressant doucement les cheveux. Vous êtes encore trop bonne de la revoir.

— Je l'évite, la plupart du temps. J'ai accepté qu'elle vienne à cause de l'accident d'Allie. Mais c'est plus fort que moi. Chaque fois que je la vois, je me retrouve à treize ans. Elle n'a pas changé. Pas la moindre remise en question. Et Alexis non plus.

— Comment s'en est-elle sortie ?

— Quand il a commencé avec moi, il l'a laissée tranquille. Elle s'est mariée à dix-huit ans. A l'époque j'en avais quinze. Elle s'est enfuie avec un homme de quarante ans. Ils sont toujours mariés... Il est homosexuel, ce qui arrange parfaitement ma sœur. Elle cherche en lui une figure paternelle. L'ancienne Alexis n'existe plus. J'ai subitement compris la raison de toutes ses opérations esthétiques. Elle est devenue quelqu'un d'autre. Et tout comme notre mère, elle fait semblant de nager dans le bonheur.

— A-t-elle consulté un psychiatre ? fit-il, étonné que Page ait survécu à l'odieux inceste dont elle avait été victime.

— Je ne crois pas. Chacune s'est débrouillée avec son petit holocauste personnel à sa manière. Alexis moins bien que moi, je l'avoue. Elle est anorexique, boulimique, n'a jamais eu d'enfants. Elle n'est plus qu'un mannequin de vitrine. Habillée, elle est superbe. David dépense des fortunes pour elle... Nous sommes très différentes, conclut-elle.

— Totalement... Bien que vous soyez également superbe, habillée, sourit-il.

— Pas de la même façon. L'unique passion d'Alexis c'est son apparence. Son visage, son corps. Elle est constamment au régime, se purge, s'affame, sans parler de son obsession de la propreté.

— Autrement dit, elle s'enferre dans sa névrose.

— Oui... Elle se cache pour ne pas souffrir, dit Page d'un ton triste.

Mais elle se sentait plus légère, comme débarrassée d'un lourd fardeau.

— J'ai en vain cherché ce qui pouvait rendre votre mère si antipathique à vos yeux. Je me suis même demandé si vous ne plaisantiez pas.

— Maintenant, vous savez. Loin d'elles, je me préserve de leur folie. Malheureusement, de temps à autre je suis obligée de les revoir.

Il acquiesça, bouleversé par son récit, quand l'une des infirmières apparut.

— Madame Clarke, téléphone.

Elle se leva à contrecœur. Sa mère, présuma-t-elle. Mme Addison devait avoir besoin de quelque chose, car jamais elle ne ferait allusion à leur confrontation de tout à l'heure. C'était Brad à l'autre bout de la ligne.

— Page souffla-t-il, hors d'haleine. C'est Andy.

— Qu'y a-t-il ? Il s'est blessé ? (La terreur resurgit, plus atroce que jamais. Sans s'en apercevoir, elle vivait dans la hantise constante d'une mauvaise nouvelle, d'un nouveau malheur.) Qu'y a-t-il, Brad ?

— Il a disparu.

— Tu as bien regardé dans sa chambre ?

C'était ridicule. Où aurait-il pu aller ? Il s'était sans doute endormi avec Lizzie, et Brad ne l'avait pas vu.

— Bien sûr que j'ai regardé ! cria Brad. Il est parti, je te dis. Il a même laissé un mot.

— Que dit-il ? demanda-t-elle, en serrant de toutes ses forces la main de Trygve.

— Je n'en sais trop rien... c'est presque illisible... Il dit en gros que nous nous disputons par sa faute et qu'il voudrait que nous soyons heureux... (Brad parlait bizarrement, comme s'il allait fondre en larmes.) Je viens d'appeler la police. Tu ferais mieux de rentrer, ils ne vont pas tarder. Il a dû nous entendre... Oh mon Dieu, Page, où peut-il bien être ?

— Je n'en ai pas la moindre idée, dit-elle dans un murmure apeuré. Il se cache peut-être dehors ? L'as-tu cherché dans le jardin ?

— J'ai passé les environs au peigne fin. Il n'est nulle part.

— Est-ce que ma mère est au courant ?

Comme si cela pouvait changer quoi que ce soit.

— Oui, répliqua Brad, d'un ton irrité. A son avis, Andy est probablement allé chez un de ses amis... A dix heures du soir, à son âge !

— Après quoi, elle et Alexis se sont retirées en t'assurant que demain tout allait s'arranger.

Il émit un rire nerveux, malgré lui.

— Au moins, elles ne nous réservent jamais aucune surprise.

— Eh oui, certaines choses sont irréversibles.

— Page, s'il te plaît, tu viens ?

— Oui, j'arrive.

Elle raccrocha et regarda Trygve avec un air affolé.

— Andy... a fait une fugue. Il a laissé un mot disant que tout est de sa faute... Oh, Seigneur, pourvu qu'il ne lui soit rien arrivé. Des tas de gosses de son âge se font enlever aujourd'hui.

— Ma chérie, calmez-vous. La police le retrouvera, il n'a pas pu aller loin. Voulez-vous que je vous raccompagne ?

— Je ne crois pas que ça soit une bonne idée.

Il l'escorta jusqu'à sa voiture et l'embrassa.

— Ils le retrouveront, Page.

— Je l'espère... Mon Dieu, oui, je l'espère.

— Moi aussi.

Il suivit du regard la vieille guimbarde qui s'enfonçait dans la nuit.

Les policiers avaient envahi la villa, lorsqu'elle arriva. Ils étaient en train de noter un tas d'informations : les noms des amis d'Andy, l'école à laquelle il était inscrit, les vêtements qu'il portait au moment de sa disparition.

Un groupe d'agents, des lampes de poche à la main, fouillait le jardin. Page leur donna deux photos de son fils. Naturellement, ni sa mère ni Alexis ne se montrèrent. Rien ne perturberait jamais leur bonheur, si illusoire soit-il. Tout, plutôt que d'affronter une réalité déplaisante. Un jeu qu'elles jouaient à merveille car malgré le remue-menage dans la maison et les lueurs des lampes torches, leurs portes restèrent closes.

Enfin, la voiture de police partit faire le tour du quartier. Ils revinrent un quart d'heure après en demandant si le petit garçon s'était montré. Au moment où ils s'en allaient de nouveau, le téléphone se mit à sonner. C'était Trygve.

— Il est ici, dit-il à Page d'une voix calme. Bjorn l'a caché dans sa chambre. Je les ai grondés, bien sûr, mais Andy refuse de retourner chez vous, sous prétexte que la maison est trop triste maintenant.

En larmes, Page se tourna vers Brad.

— Il est chez Trygve.

— Pourquoi là-bas ? s'étonna-t-il, les sourcils froncés.

— Bjorn est son copain. Il y est allé parce que, ici, c'est trop triste... (Ils échangèrent un regard consterné et, de nouveau, Page parla dans le récepteur.) Je viens le chercher tout de suite, dit-elle, avec un soupir de soulagement.

Trygve toussota.

— Il ne veut pas revenir.

— Mais pourquoi ?

— D'après lui, son père aurait préféré qu'il soit à l'hôpital à la place d'Allie... Il prétend que vous avez eu une scène de ménage et que son père était furieux contre lui.

— Il était furieux contre moi, pas contre Andy. Brad pense, à tort d'ailleurs, que j'ai dévoilé sa liaison à son fils.

— Andy ne le comprend pas. De plus, il a confié à Bjorn qu'à son avis, Allie est morte et que vous ne voulez pas le lui dire. Il a l'impression que vous êtes tous en train de lui mentir... Je suis désolé, Page, mais je crois qu'il faut que vous le sachiez.

— J'en conclus que je dois l'autoriser à voir sa sœur.

— A vous de décider. J'ai emmené mes fils voir Chloé parce qu'ils sont plus âgés, bien sûr, et qu'avec Bjorn je n'avais pas d'autre choix. Sans oublier que Chloé était en meilleur état qu'Allie.

— Nous viendrons le chercher.

— Bjorn et moi le ramènerons, dès qu'il aura fini sa tasse de chocolat chaud.

— Merci, dit-elle, reconnaissante.

Brad s'était réfugié dans le salon, et elle alla le mettre au courant.

— Il est vrai que nous lui devons quelques explications, dit-il d'une voix malheureuse.

— Oui. Nous l'avons laissé dans l'incertitude. On ne peut pas continuer à lui raconter n'importe quoi... Et je l'emmènerai voir Allie, ajouta-t-elle péniblement.

Elle reprit le téléphone, afin d'avertir le commissariat que l'enfant avait été retrouvé.

Une demi-heure plus tard, Andy passait le porche accompagné de Bjorn et de Trygve. Il avait une petite figure pâle, des yeux apeurés. Page fondit en larmes sitôt qu'elle l'aperçut, puis le saisit dans ses bras.

— Je t'en supplie, Andy, ne recommence plus jamais ça. *Jamais*, tu m'entends ? Tu aurais pu faire une mauvaise rencontre... ou Dieu sait quoi.

— Vous étiez fâchés contre moi ! répondit-il en pleurant, pendu à son cou, le regard tourné vers Brad, qui luttait pour ravaler ses larmes.

— Je n'étais pas fâchée contre toi. Papa non plus. Et

Allie n'est pas morte. Elle est très très malade, exactement comme je te l'ai raconté.

— Alors pourquoi je ne peux pas la voir? demanda-t-il, suspicieux.

— Tu la verras. Dès demain.

La petite figure pâle s'illumina d'un sourire.

— Demain? Pour de vrai?

Il s'était adressé à Trygve et à Bjorn, comme pour les prendre à témoin. Il ignorait que sa sœur qu'il adorait ne le reconnaîtrait pas, ne lui parlerait pas.

— Il a cru que sa sœur était morte, expliqua Bjorn à sa place.

— Je sais, répondit Page. Je te remercie d'avoir pris soin de lui.

— C'est normal. Andy est mon copain.

Elle les conduisit vers la chambre d'Andy. Bjorn l'aida à le mettre au lit. Il embrassa son ami, puis s'en fut retrouver son père dans la cuisine.

— Est-ce que papa va s'en aller? questionna nerveusement Andy, alors qu'elle éteignait les lumières.

— Je ne sais pas. Il n'a encore pris aucune décision. Je te tiendrai au courant... Mais quoi qu'il arrive, nous t'aimons tendrement, lui comme moi. Il s'agit d'un problème entre nous.

— C'est la faute d'Allie, alors?

Il cherchait, avec son raisonnement d'enfant de sept ans, à découvrir l'origine de la tempête qui avait dévasté leur foyer.

— Non, ce n'est la faute de personne. C'est arrivé, voilà tout.

— Comme l'accident?

— Comme l'accident. Parfois, les choses arrivent sans que ce soit de la faute de personne.

— Alors pourquoi tu te bagarres avec papa? Je t'ai entendue crier que tu étais fatiguée.

— Nous sommes fatigués tous les deux. Et il y a

d'autres problèmes. Mais tu n'y es pour rien mon chéri, je t'assure. Ce sont des affaires de grandes personnes.

Il hocha la tête sans la quitter des yeux. Les nouvelles n'étaient pas très bonnes mais la vérité valait mille fois mieux que le doute. Il avait eu si peur d'être rejeté.

Page lui sourit.

— Je t'aime beaucoup, beaucoup, mon trésor, et papa t'aime aussi.

Il passa ses petits bras autour du cou de sa mère et déposa un baiser sonore sur sa joue.

— Moi aussi je t'aime, m'man. Je vais vraiment voir Allie ?

— Je te le promets.

Au moment où elle s'apprêtait à le laisser, il réclama son père. Page lui envoya Brad et en profita pour dire bonne nuit à Bjorn et à Trygve.

— Bonne nuit, répondit ce dernier avec un sourire de connivence.

Les liens qui les attachaient s'étaient consolidés, se dit-elle, tandis qu'elle les regardait reprendre leur voiture. Elle n'avait plus aucun secret pour Trygve. Leurs destinées se mêlaient chaque jour davantage. Même leurs enfants s'adoraient. Chloé et Allison. Bjorn et Andy... Brad avait senti l'impalpable courant qui semblait passer de l'un à l'autre.

— Il y a quelque chose entre vous deux ? voulut-il savoir, de retour dans la cuisine.

— Non. D'ailleurs, là n'est pas la question.

— Vous paraissez bien vous entendre.

— Nous avons passé des heures ensemble à l'hôpital. C'est un excellent père. Un très bon ami.

Brad lui lança un regard scrutateur. Soudain, ses yeux s'embuèrent et il détourna la tête.

— Je n'ai pas été à la hauteur, j'en ai conscience, murmura-t-il. Je n'ai pas souvent été à ton côté, je le sais. Seulement, je n'ai pas le courage de la voir. De noter chaque fois combien elle a changé... On dirait que ce n'est plus Allie.

— J'essaie de ne pas trop y penser. Mais ma place est auprès d'elle.

Un silence suivit, pendant lequel Brad considéra sa femme sans cacher son admiration.

— Qu'allons-nous faire ? demanda-t-il, comme s'il se parlait à lui-même, en poussant la porte qui donnait sur le jardin. Allons dehors, si tu veux bien, nous pourrons en parler sans être entendus.

Elle le suivit et ils prirent place sur deux chaises en fonte blanche, dans l'obscurité complice.

— Mes hésitations n'auront servi qu'à perturber Andy, admit Brad à mi-voix. J'espérais qu'avec le temps je parviendrais à trouver une solution équitable. Résultat, je ne suis jamais là, cela te rend furieuse, et je me sens tiraillé entre deux directions opposées. Chaque fois qu'Andy pose son regard sur moi ou que je vois la colère dans ses yeux, ou quand je me sens incapable de rendre visite à Allie...

Sa phrase resta en suspens. Stéphanie le harcelait pour qu'il emménage chez elle mais il n'était pas sûr d'être prêt à sauter le pas.

— Peut-être vaudrait-il mieux que j'aille vivre ailleurs pendant un certain temps, reprit-il. J'aurais préféré rester ici mais ça devient impossible.

Page réfléchit silencieusement. Au début, elle avait espéré qu'il resterait à la maison. Malgré leurs querelles quotidiennes, une partie d'elle-même s'attendait à ce que leurs rapports s'améliorent. Son attente s'était révélée vaine, à présent elle en avait la conviction. Il fallait regarder les choses en face. C'était fini.

Elle avala laborieusement sa salive avant de répondre. Elle avait pesé chaque mot. Un mois plus tôt jamais elle n'aurait cru qu'ils en arriveraient là.

— Je pense qu'il est grand temps que tu déménages.

Sa voix était à peine audible, mais Brad sursauta.

— Vraiment ?

Une fois de plus elle l'avait pris de court. D'un autre côté, une vague de soulagement déferla sur lui.

— Vraiment, répondit-elle lentement. A quoi bon continuer à nous duper tous les deux ? Mettons fin à cette farce que nous nous jouons depuis des jours et des jours. A mon avis, c'était fini entre nous, bien avant que je sache pour Stéphanie. Et c'est tant mieux. Tu n'aurais jamais osé m'avouer ta double vie... Et je n'aurais jamais rien soupçonné.

— Tu as peut-être raison. Sans doute ai-je eu tort de te le dire... J'aimerais bien connaître la bonne réponse.

— Moi aussi, soupira-t-elle, en cherchant la cause du désastre. (L'accident ? Mais n'était-ce pas un simple révélateur d'une situation qui s'était dégradée depuis longtemps ?) J'ai toujours cru que nous formions un couple parfait. Même maintenant, je n'arrive pas à comprendre où est la faille. Qu'avons-nous fait ? Ou qu'aurions-nous dû faire ?

— Rien du tout, répondit-il avec franchise. Je te trompais depuis des années. Sauf que tu n'as jamais rien su.

Elle fronça les sourcils, étonnée. Encore heureux qu'elle ne se soit aperçue de rien plus tôt ! Elle avait eu seize ans de bonheur qu'elle chérissait tendrement.

— Qu'allons-nous dire à Andy ? interrogea-t-elle.

C'était insensé ! Ils étaient assis dans le jardin, en train d'évoquer tranquillement leur séparation comme s'il se fût agi d'une discussion ordinaire.

— La vérité, je suppose... Que je suis un beau salaud !

Elle lui sourit dans l'obscurité. Un beau salaud qu'elle aimait encore, parfois. Trois semaines de discorde avaient suffi à détruire seize ans d'amour. Comme un navire qui prend l'eau avant de sombrer définitivement, leur mariage s'était effondré d'un seul coup.

— Tu vas vivre avec elle ? demanda-t-elle d'un ton serein.

— Pas tout de suite. Elle aurait bien voulu mais j'ai besoin d'une période de transition.

Sa liaison avec Stéphanie reposait sur le mensonge. Il était difficile de construire sur des sables mouvants, songea-t-il pour la première fois... Il se tourna vers Page.

— Quand veux-tu que je parte ?

L'espace d'une seconde, elle souhaita qu'il se ravise, qu'il redevienne celui qu'elle avait pris pour l'homme de sa vie.

— Avant que nous achevions de détruire Andy, répondit-elle avec une légèreté délibérée. C'est-à-dire, le plus vite possible.

Brad ne put s'empêcher d'admirer son sang-froid.

C'était la conversation la plus civilisée qu'ils avaient eue depuis longtemps. L'ultime mise au point avant la rupture définitive.

— J'essaierai de ne pas aggraver les choses, le temps de m'organiser. Je pars à New York demain. Je rentre jeudi prochain... Je pourrai déménager mes affaires durant le week-end. Ta mère reste ici encore jusqu'à quand ?

Il lui serait pénible de rassembler ses bagages avec sa belle-mère dans la chambre d'ami.

— J'ai l'intention de lui demander de débarrasser le plancher demain matin. Il est hors de question qu'elle reste une minute de plus. Sa présence est néfaste autant pour moi que pour Andy.

Le grand nettoyage ! se dit-elle, surprise par sa propre détermination. Tout le monde dehors ! Brad, sa mère, Alexis. Tous ceux qui l'avaient utilisée, bernée, mortifiée.

—... éprouve un immense respect pour toi, disait Brad d'un ton sincère. J'ignore pourquoi nous avons échoué. Je n'étais pas prêt à recevoir tout ce que tu avais à me donner.

Il avait vingt-huit ans quand ils s'étaient mariés mais il n'avait jamais renoncé à sa chère indépendance. Une indépendance cher payée, pensa-t-il soudain.

— Tu te sentiras mieux quand je ne serai plus là, reprit-il.

— Je me sentirai seule... Il n'y a pas de bonne rupture, Brad, ce sera difficile pour nous tous. (Elle le considéra à travers les ténèbres.) Et Allie ? Que ferons-nous avec Allie ?

— Nous n'y pouvons rien. Te savoir assise dans cette pièce sinistre des heures durant me brise le cœur.

— Et si elle ne se réveillait plus jamais ? chuchota-t-elle.

— Je ne cesse d'y penser. L'idée qu'elle ne serait plus la même me terrifie : se réveiller pour ressembler à ce garçon... comment s'appelle-t-il déjà... Bjorn... quelle horreur ! Je t'en supplie, Page. Si elle reste indéfiniment dans le coma, ne reste pas assise ainsi pendant des années. Ça te détruirait.

Trois semaines s'étaient écoulées depuis l'accident. D'après les médecins, elle avait encore toutes les chances d'émerger de sa torpeur.

— Ne laisse pas cette tragédie te pourrir la vie. Tu mérites bien davantage... beaucoup plus que je n'ai pu te donner.

Page ne répondit rien, s'efforçant de ne pas imaginer son désarroi lorsqu'il l'aurait quittée. Elle leva les yeux vers les étoiles... Quelle erreur avait-elle commise et quand ? se demanda-t-elle en frissonnant. Qu'est-ce qui avait désintégré en une minute une union de seize longues années ? Et comment le malheur s'était-il abattu sur eux... et sur Allie ?

13

Le lendemain vint trop vite. Accaparée par les préparatifs du petit déjeuner dans la cuisine, Page attendit ensuite le lever de ses hôtes d'un pied ferme. Tandis qu'elle leur servait thé, lait écrémé et céréales, elle leur annonça tranquillement leur départ. Une semaine était plus que suffisante, déclara-t-elle sans la moindre allusion à l'esclandre de la veille ; par ailleurs, leur visite tombait on ne peut plus mal. En conséquence, prolonger ce séjour s'avérait superflu. Quelque chose d'étrangement distant et ferme dans le ton de sa voix coupa court aux éventuelles remarques. Comme par hasard, David souhaitait ardemment le retour d'Alexis, répliqua Maribelle. Et quant à elle — suis-je sotte, mon Dieu —, elle avait complètement oublié que des peintres venaient refaire son appartement.

Les deux visiteuses inventèrent mille excuses destinées à sauver la face sous l'œil impassible de leur hôtesse. Pour la première fois de sa vie, la nécessité de les chasser de son espace vital avait triomphé de ses anciennes hésitations. Afin d'atteindre son but, elle avait pris les devants. Au grand étonnement de sa mère, Page leur avait réservé deux places en première classe dans le vol de seize heures et avait poussé le zèle jusqu'à louer une limousine avec chauffeur, qui les conduirait à l'aéroport de San Francisco. La voiture serait devant la porte à quatorze heures, ce qui leur laissait largement le temps de flâner dans les boutiques de l'aérogare et même, si elles le désiraient, de rendre une dernière visite à Allison.

— Hélas, il me faut des heures pour boucler mes bagages. Et Alexis commence à souffrir d'une de ses fameuses migraines, expliqua Mme Addison. Naturellement si tu tiens à ce que nous disions au revoir à Allison, nous prendrons le vol de demain.

« Pas tant que je suis vivante », songea Page. Le grand nettoyage qu'elle avait entrepris la veille au soir allait tout emporter. Brad, puis sa mère et sa sœur.

— Allison ne vous en voudra pas, répondit-elle d'un ton badin. Sans saisir la moquerie, Maribelle et Alexis la prièrent de transmettre sans faute à la jeune fille leurs affectueuses salutations.

Lorsque, enfin, elles furent hors de la maison, Page, animée d'une énergie nouvelle, changea les draps, avant de passer l'aspirateur dans toutes les pièces, méticuleusement, comme pour effacer les traces de leur passage.

Les adieux s'étaient signalés par une remarquable absence d'émotion. Sa mère avait mis l'élégant tailleur qu'elle s'était acheté, Alexis s'était coiffée d'un chapeau neuf. Elles avaient soufflé des baisers en l'air, sans effleurer les joues de Page, après quoi elles s'étaient engouffrées à l'intérieur de la rutilante limousine garée devant le perron.

Un soulagement intense submergea Page. Enfin seule, elle entreprit de nettoyer de fond en comble la chambre d'Allison où Alexis avait oublié une impressionnante quantité de laxatifs... Décidément, sa sœur avait battu les records de la névrose, ce dont leur mère se fichait éperdument. Alexis s'acharnait à disparaître, comme pour estomper les images insoutenables de son enfance. A sa manière, puérile et pathétique, elle s'efforçait de redevenir une petite fille.. la petite fille qu'elle avait été avant d'être violée par leur père.

A seize heures, Page récupéra Andy. Elle ne s'était pas sentie aussi bien depuis des semaines. Le petit garçon lui demanda de s'arrêter chez un fleuriste où il voulut prendre un bouquet de roses pour Allie. Elle lui suggéra de les offrir à Chloé, puisque le règlement de l'hôpital interdisait les fleurs au service de réanimation. Andy acquiesça, puis grimpa à son côté, tout excité par la perspective de revoir sa sœur. Sur le chemin, il ne cessa de parler d'elle et Page lui rappela, avec un maximum de diplomatie, qu'Allie était plongée dans un coma profond.

— Je sais, je sais, répondit-il. C'est comme si elle dormait.

— Non, trésor, ce n'est pas la même chose. Elle a la tête bandée, ses bras et ses jambes sont tout maigres, et elle respire grâce à un tuyau planté dans sa gorge, qui la relie à une machine... Tu la trouveras changée. Tu peux lui parler mais elle ne te répondra pas.

— Oui, je sais. Elle dort...

Toute la journée, à l'école, il n'avait cessé d'y songer. Il avait hâte d'y être et sauta de voiture dès que Page se gara. En traversant le hall, elle sentit sa menotte se glisser dans sa main. Ils avaient choisi un ravissant bouquet de roses blanches pour Chloé et Andy avait pris un gardénia qu'il destinait à sa sœur.

— Elle va l'adorer, déclara-t-il, tout fier.

En dépit de ses avertissements, Page vit la surprise se peindre sur la frimousse d'Andy lorsque, enfin, il se tint au pied du lit où gisait sa sœur aînée. Elle essaya de la voir, elle aussi, avec les yeux d'un enfant de sept ans. Comme par un fait exprès, la malade aujourd'hui arborait un teint de cendre. Les aides-soignantes avaient troqué son pansement contre un bandage plus important, d'une blancheur immaculée. On pouvait facilement remarquer l'absence de cheveux et, pour une raison inconnue, les moniteurs lui parurent plus nombreux que d'habitude. Sous le regard attentif de sa mère, le petit garçon avait marqué une pause infime, après quoi il s'avança d'un pas égal vers la forme immobile et déposa le gardénia sur l'oreiller.

— Salut, Allie, murmura-t-il en lui touchant la main. Ne t'en fais pas, je sais que tu dors, m'man me l'a dit.

Il se pencha et posa les lèvres sur la joue livide. A la senteur chimique ambiante se substituait le parfum enivrant du gardénia.

— Papa est à New York aujourd'hui, reprit-il. M'man a dit que je pourrai revenir te voir souvent. Je suis désolé de ne pas être venu plus tôt.

Pas un muscle ne tressaillit sur le visage figé, aucun bruit ne vint rompre le silence, en dehors du chuintement continu des machines, et Page se mit à pleurer sans bruit, tandis que les infirmières hochaient la tête.

— Je t'aime, Allie... la maison sans toi, c'est pas marrant.

Il aurait voulu lui apprendre que leurs parents n'arrêtaient pas de se bagarrer mais préféra ménager la susceptibilité de sa mère.

— J'ai un nouvel ami. Bjorn. Le frère de Chloé. Un garçon de dix-huit ans mais qui fait plus jeune, tu le connais, non ?

Il se retourna vers sa mère, parut surpris de la voir en pleurs.

— Qu'est-ce qui ne va pas, m'man ?

— Rien. Tout va bien, mon chéri.

Elle était si fière de lui ! A présent, elle ne regrettait pas de l'avoir emmené ici. Même si Allie les quittait, il lui aurait au moins dit au revoir. Il n'aurait pas l'impression qu'elle s'était volatilisée dans les airs, au milieu de la nuit.

La voix claire et enfantine poursuivit son babillage que rythmait le staccato incessant des moniteurs. Au bout d'un moment, il se déclara prêt à aller voir Chloé.

Alors, il regarda sa sœur un long moment et se pencha pour l'embrasser.

— A bientôt, d'accord ? Tâche de te réveiller vite, Al, tu nous manques beaucoup, tu sais... N'oublie pas que je t'aime.

Sur ces mots, il prit la main de sa mère et sortit des soins intensifs en portant l'éclatant bouquet de roses neigeuses. Il fallut une bonne minute à Page pour se composer une expression de circonstance.

— Tu es un brave petit gars, tu le savais ? dit-elle en embrassant Andy, le cœur gonflé de fierté.

— Tu crois qu'elle m'a entendu, m'man ?

— J'en suis sûre, champion.

— Je l'espère aussi, dit-il tristement.

Il n'avait pas eu peur, n'avait pas pleuré. Il s'était comporté avec une dignité que l'on n'aurait pas attendue d'un enfant de son âge.

Ils entrèrent dans la chambre de Chloé où, avec un sérieux d'adulte, Andy offrit son bouquet. Bjorn était là, et peu après, les deux garçons se poursuivaient en riant dans les couloirs.

— Bon ! dit Trygve en souriant. Nous ferions mieux de nous en aller, avant que les infirmières ne nous jettent dehors... Comment s'est passée votre visite à Allie ?

— Il a montré beaucoup de courage, répondit Page, encore sous le coup de l'émotion. Il a été absolument parfait. Et il a laissé un gardénia sur l'oreiller de sa sœur.

— Je n'en attendais pas moins de lui. Il a l'air moins angoissé aujourd'hui.

— Et moi aussi. J'ai eu une longue discussion avec Brad au terme de laquelle nous sommes tombés d'accord sur un point essentiel. Il déménagera bientôt. Reste à annoncer la nouvelle à Andy.

— Ce qui ne sera pas facile, dit-il avec compréhension en lui prenant la main. Mais chaque chose en son temps. Ce soir, j'invite nos cow-boys à la pizzeria... A moins que vous ne soyez obligée de faire la cuisine à votre mère et votre sœur.

— Oh, non ! Elles ne sont plus là. Je les ai renvoyées chez elles par le vol de seize heures, dit Page, avec un sourire ravi.

— Tante Alexis est bizarre, intervint Andy, qui n'avait pas perdu un mot de leur aparté. Elle passe ses journées aux toilettes.

En comparaison de la précédente, la soirée se déroula agréablement, presque dans l'allégresse. Bjorn et Andy dévorèrent une énorme pizza en se racontant des histoires tandis que Page et Trygve savouraient ces quelques heures de détente avec un plaisir évident. La jeune femme énuméra ses projets : reprendre la peinture, se faire rémunérer pour ses fresques. Plus tard, lorsqu'Allie irait mieux, elle comptait louer un atelier.

— Voilà une grande idée ! l'encouragea chaleureusement Trygve. Vous avez un talent fou et vous n'aurez aucun mal à vous constituer une clientèle. Vos fresques sont sensationnelles.

Elle aussi était sensationnelle, pensa-t-il, effaré par l'attirance qu'il éprouvait. Hélas, l'heure de se quitter avait sonné. Il devait ramener Bjorn à la maison. Chloé rentrerait dans une semaine ou deux, ce qui occasionnerait un travail supplémentaire. Mais il avait l'intention de s'organiser de manière à réserver à Page une partie de son temps. Il détestait l'idée de la laisser continuer seule ses visites à l'hôpital. Par ailleurs, il tenait à s'occuper le plus possible d'Andy. Le départ de Brad ne manquerait pas d'écorcher la sensibilité à fleur de peau du petit garçon. Il savait par expérience dans quel vide se retrouverait Page, quand son mari serait parti... « Pourvu qu'il n'arrive rien à Allison », pria-t-il silencieusement. Car l'ombre de la mort planait toujours sur la jeune fille endormie...

14

Brad revint de New York le mercredi, mais Page ne le vit pas, car il ne rentra pas de la nuit. Le lendemain, il rendit une brève visite à Allison à l'heure du déjeuner — elle le sut par les infirmières — et, là aussi, elle le manqua. Le même soir, en regagnant la villa avec Andy, qu'elle avait confié à Jane l'après-midi, elle trouva Brad en train de faire ses bagages.

La porte de leur chambre était fermée, mais ils avaient aperçu sa voiture dans le garage et aussitôt, Andy s'était rué à l'intérieur de la maison en criant : « Papa ! papa ! »

Le petit garçon poussa le battant clos, révélant un spectacle qui le laissa sans voix. Il y avait deux grosses malles par terre, une valise sur le lit. Les vêtements de Brad, sortis de la penderie, gisaient pêle-mêle un peu partout. En les voyant, Page éprouva un douloureux pincement au cœur.

Le petit garçon promena les yeux alentour, notant le désordre.

— Papa, qu'est-ce que tu fais ? s'enquit-il d'une voix larmoyante… Tu repars en voyage ?

L'incompréhension se lisait sur ses traits tiraillés par l'angoisse et Page eut pitié de lui. Brad se retourna et leurs regards se croisèrent. Tous deux savaient que ce n'était pas la façon idéale de mettre leur fils au courant de leur séparation. Malheureusement, ils n'avaient pas d'autre alternative.

— En quelque sorte, champion, dit Brad sur un ton qui se voulait léger, en s'asseyant sur le lit et en attirant le garçonnet près de lui. Je déménage.

— Et moi ? demanda Andy, interdit.

Personne ne lui avait dit qu'ils allaient déménager.

— Toi tu resteras ici avec maman...

Il faillit ajouter « et Allie » mais se reprit à temps. Qui pouvait dire si Allie retournerait un jour à la maison ?

— Nous... vous allez divorcer ?

Des larmes brûlantes aveuglèrent Andy, tandis que son père le serrait dans ses bras.

— Nous n'en savons rien encore. Simplement, je pense qu'il vaut mieux que nous ne vivions plus sous le même toit. Nous avons eu un tas de disputes, ta maman et moi ces derniers temps.

— Pourquoi pars-tu, p'pa ? Parce que j'ai disparu cette nuit-là ?

— Non. J'y songe depuis un bon moment. La situation s'est sérieusement détériorée dernièrement, comme tu as pu le remarquer. Les choses ne vont pas toujours selon nos souhaits.

— C'est à cause de l'accident ?

Andy avait désespérément besoin d'une raison. Mais peut-être n'y en avait-il aucune.

— Je n'en sais rien. Parfois, on est obligé de prendre ce genre de décision. Cela ne veut pas dire que je ne t'aime pas. Je t'aime très fort, mon ange, et maman aussi. Nous serons toujours là pour toi. Tu viendras me voir quand tu en auras envie.

Adossée à la porte, dans une attitude figée, Page sentit une boule se former au creux de son estomac. Soudain, elle réalisait les complications à venir. Droits de visite, paperasses, avocats. La lourde machinerie de l'administration se mettrait en marche, broyant définitivement les vestiges de leur ancien amour... Et le partage des affaires ! se dit-elle, paniquée, la division en deux parts égales de tout ce qu'ils avaient accumulé en seize ans : linge de maison, argenterie, serviettes de bain, mobilier, leurs cadeaux de mariage... Une vie entière réduite à néant.

— Où vas-tu habiter, p'pa ? Tu as une maison ?

— J'ai loué un appartement. Je te laisserai un numéro de téléphone où tu pourras me joindre. Et, bien sûr, il y a ma ligne directe au bureau.

Andy fondit en larmes dans les bras de son père.

— Je ne veux pas que tu t'en ailles ! s'écria-t-il misérablement, et Page dut faire un effort pour refouler ses propres larmes.

— J'aurais bien voulu rester, fiston. Malheureusement, ce n'est pas possible.

— Pourquoi ?

Il ne pouvait pas comprendre... Pas plus que Page, d'ailleurs. Comment en étaient-ils arrivés là ? Comment avaient-ils pu être aussi stupides ?

— C'est difficile à dire. Souvent, les choses nous échappent.

— Et tu ne peux pas les rattraper ?

C'était une suggestion raisonnable qui fit éclore un sourire triste sur les lèvres de Brad.

— J'aurais bien voulu, murmura-t-il.

En vérité, il avait hâte d'en finir. Maintenant que sa décision était prise, plus rien ne pouvait le faire changer d'avis, pas même son immense affection pour Andy. Il avait envie de vivre sa vie, dans son propre appartement. Et il voulait Stéphanie. Lorsqu'il lui avait annoncé qu'il quittait la maison de Ross elle avait sauté de joie. Elle aurait aimé qu'ils vivent ensemble tout de suite, mais il lui avait demandé de patienter un mois ou deux.

Les larmes de son fils ternissaient la joie de ce nouveau départ. Ses anciennes hésitations refirent surface un instant. Or, il savait que rester voudrait dire reculer pour mieux sauter. Non, il se sentait prêt à s'en aller, malgré sa tristesse de devoir quitter Andy.

— Ne t'en va pas, p'pa, supplia celui-ci.

— Voyons, mon chéri, ne pleure pas. Je ne t'abandonne pas. Nous nous reverrons autant que cela te fera plaisir.

— Que va dire Allie quand elle reviendra ?

Le petit garçon s'accrochait à des chimères, ses parents le savaient.

— Eh bien, nous lui expliquerons. Et elle comprendra, j'en suis sûr.

Désespéré, Andy s'élança alors vers sa mère, qui le souleva dans ses bras.

C'était la dernière nuit qu'ils passaient ensemble. Les heures s'égrenèrent dans la fièvre des préparatifs. Brad termina ses bagages, tria ses papiers. Le lendemain matin, ils avaient tous les trois l'impression d'être en deuil.

Page prépara un petit déjeuner composé de crêpes et de saucisses auxquels personnes ne toucha. Le programme d'Andy comportait un match de base-ball dans l'après-midi. Son bras cassé l'empêchait de jouer et il implora Brad, une fois de plus, de rester. En vain, car à la fin de la matinée, ce dernier déclara qu'il se rendait en ville. Stéphanie l'attendait.

— Quand est-ce que je vais te revoir, p'pa ? cria Andy, au comble de l'angoisse, tandis que Brad entassait ses bagages dans le coffre de sa voiture.

— Samedi prochain, je te le promets. Ecoute, on fait comme si je partais en voyage, d'accord ? Tu peux m'appeler tous les jours au bureau.

Des sanglots étouffèrent le petit garçon. Les mots, les promesses formaient des notions trop vagues pour lui. Il se mit à pleurer sans retenue dans les bras de sa mère, tandis que la voiture démarrait, puis dévalait la pente en direction de la rue. Page serrait son fils sur son cœur, en larmes elle aussi. Hormis l'accident d'Allie, c'était le pire jour de sa vie. Toutes ces espérances, toutes ces années, tous ces visages heureux avaient disparu à jamais, comme happés par un tourbillon noir.

Ils restèrent longtemps dans le jardin, à contempler les grilles ouvertes sur la rue vide. Les larmes d'Andy semblaient intarissables. Enfin, ils regagnèrent la maison, s'assirent tous les deux sur le canapé, avec la sensation que quelqu'un était mort. Ils avaient perdu deux êtres chers... Vers midi, Mme Addison appela de New York : voix claire, souriante. Elle remercia sa fille cadette de son hospitalité.

— Alexis garde un souvenir enchanté de notre séjour. Nous avons eu grand plaisir à voir Allison. Je suis sûre qu'elle va beaucoup mieux depuis...

— Je te rappelle, coupa Page sèchement.

Elle raccrocha vite, avant de retourner auprès d'Andy. Allongé sur son lit, il arrosait son oreiller de larmes. La gorge de Page se noua. Pourtant, en son âme et conscience, elle se sentait beaucoup mieux depuis que Brad n'était plus là. C'était moins pénible que constater quotidiennement l'ampleur de leur échec.

— Je sais combien tu es malheureux, mon chéri. Mais il faudra t'armer de courage.

Andy roula sur le dos. Ses yeux brillants de larmes se fixèrent sur sa mère.

— Tu voulais qu'il s'en aille, n'est-ce pas ?

A qui la faute ? Andy cherchait frénétiquement une réponse.

— Non, mon trésor, je ne voulais pas. On n'obtient pas toujours ce qu'on veut. La vie est ainsi faite. D'un commun accord, ton père et moi avons décidé de mettre fin à nos disputes.

— Pourquoi ? Pourquoi vous vous disputiez ?

— Je ne sais pas. Nous n'arrivions plus à nous entendre.

Comment expliquer à un enfant de sept ans ce qu'elle-même ne parvenait pas encore à comprendre ?

Un coup de fil de Trygve égaya leur morne après-midi. Mis au courant des derniers événements par Page, il les invita à déguster un de ses fameux ragoûts norvégiens. Au début, Andy se montra réticent. Il ne voulait voir personne, pas même Bjorn. Il finit par céder, monta en voiture à contrecœur, en trimballant avec lui son ours en peluche préféré.

— Bjorn en a un aussi, dit-il à Page. Il l'appelle Charlie.

Bjorn trouva mauvaise mine à son ami, sitôt qu'il l'aperçut. Les deux garçons s'assirent dans le jardin et Andy raconta à son copain ses malheurs.

— Comment a-t-il réagi ? s'inquiéta Trygve.

— Il est complètement retourné, naturellement. Ça a été pire que tout ce que j'avais imaginé. Affreux !

— Je ne le sais que trop bien. (Il n'avait pas oublié le jour où Dana était partie. Tout le monde avait pleuré pendant des heures, y compris lui.) Vous avez l'air lessivée.

— Qui ne le serait pas, essaya-t-elle de plaisanter. Comment se porte Chloé ?

— Elle ne tient plus en place. Elle doit revenir la semaine prochaine, dès que nous aurons installé les rampes d'accès... Elle dormira dans la chambre de Nick qui se trouve au rez-de-chaussée.

Il avait de la chance, ne put s'empêcher de penser Page. Après quatre semaines, Allie était toujours dans le coma. Le peu d'espoir qui restait ne durerait pas longtemps.

Le dîner fut succulent, comme d'habitude. A table, Trygve évoqua le barbecue qu'il organiserait pour la célébration du Memorial Day[1], puis il fit lire à Page son dernier article. Il faisait partie d'une série de chroniques sur la vie politique américaine, qui serait publiées dans le *New York Times*. La sentant tendue, il ne fit aucune allusion à Brad... C'est elle qui en parla, après le repas, alors qu'ils s'étaient installés sur la terrasse envahie par une nuée de moustiques.

— J'ignorais que j'aurais eu autant de peine en le voyant partir, avoua-t-elle.

— Le contraire aurait été surprenant. Vous avez vécu seize ans avec lui. Il m'a fallu des mois pour me remettre de mon divorce... Le temps guérit, dit-on, toutes les blessures.

— J'ai l'impression d'être anesthésiée. Comme si ma vie n'avait plus de sens.

— Au contraire, elle en a un nouveau maintenant. Que se passe-t-il avec Allie? Qu'en pense le Dr Hammerman?

— Ses chances de survie n'ont pas augmenté. Mais si elle ne sort pas du coma, à quoi cela servira-t-il?... Oh, Trygve, je commence à me demander si elle ouvrira un jour les yeux.

Il lui prit gentiment la main, et pendant un long moment, ils contemplèrent le firmament parsemé d'étoiles.

— Gardez espoir, murmura-t-il finalement. J'ai appris un fait plutôt intéressant cette semaine. Je ne vous en ai pas parlé, sachant combien vous étiez occupée.

— De quoi s'agit-il?

— On aurait vu Laura Hutchinson en état d'ébriété à une réception... Enfin, le mot ébriété est un doux euphémisme. Elle était ivre morte! Il paraît que les sbires de son mari l'ont discrètement emmenée, après

1. Avant-dernier lundi de mai. Fête des Américains morts pendant les guerres (*N.d.T.*)

quoi on a étouffé l'affaire. Etrange, vous ne trouvez pas ? Si l'un de nous s'enivrait, on le laisserait cuver tranquillement son alcool. A mon avis, Mme Hutchinson est une véritable alcoolique. D'où les précautions dont elle est entourée... Je n'ai pas cessé de me demander si elle n'était pas ivre cette nuit-là. Sinon, pourquoi s'en serait-elle voulue pour la mort du jeune Chapman ? Elle a fait une énorme donation au nom de Phillip au lycée de Redwood. J'en ai conclu qu'elle se sentait coupable.

— Le sentiment de culpabilité n'est pas une preuve de sa responsabilité... Elle m'a écrit une gentille lettre dans laquelle elle exprime ses regrets pour Allie, répondit Page, sans une ombre de suspicion dans la voix.

— Elle m'a également envoyé un courrier auquel je n'ai pas répondu. Que voulez-vous que je lui dise : « Chère madame, vous avez failli tuer ma fille, qui finira peut-être ses jours dans un fauteuil roulant, mais, tant pis, on passe l'éponge » ?

Il avait parlé sur le ton de la colère, après quoi il regarda Page d'un air songeur.

— J'ai eu une idée qui vous paraîtra sûrement insensée, reprit-il. Parmi mes relations, il y a un reporter qui dirige une rubrique de chiens écrasés... Le genre feuille à scandale. Il pourrait s'avérer une mine d'or de renseignements.

— Que cherchez-vous au juste ? demanda-t-elle, sans cacher sa curiosité.

— Oh, sans doute une aiguille dans une botte de foin. Jusqu'à présent, tout ce qui a un rapport avec l'accident baigne dans le flou le plus total. Disons que je cherche quelque chose de plus concret... Par exemple, si Laura Hutchinson a véritablement un problème avec l'alcool. Nous avons le droit de le savoir.

— Alors, qu'attendez-vous pour faire appel à votre

détective ? Les Chapman recherchent ce genre d'information.

Les parents de Phillip venaient d'entamer des poursuites judiciaires contre les deux journaux locaux.

— Nous formons un joli tandem de fomentateurs de troubles, sourit-il.

— Peut-être qu'elle le mérite, finalement, conclut Page dans un murmure.

15

Les deux semaines qui suivirent passèrent à une vitesse incroyable. Les premiers jours après le départ de Brad furent pénibles. Andy pleura toutes les nuits, et Page dut aller le chercher deux fois à l'école avant la fin des cours. Un soir, elle eut peur qu'il refasse une fugue mais elle le découvrit dans le jardin, Lizzie à ses pieds, soliloquant tristement à l'intention de son ours en peluche qui ne le quittait plus.

Fidèle à sa parole Brad vint le chercher le samedi suivant, mais lorsqu'il le ramena, Andy lui fit une scène. Ils avaient pourtant passé un après-midi de rêve à Marine World [1]. Andy s'accrochait à son père comme un noyé, l'implorant de rester, mais Brad déclara « qu'il avait à faire ». Il l'aurait bien emmené chez lui, mais il était trop tôt pour lui présenter Stéphanie. Celle-ci avait pratiquement investi son appartement, et Andy ne manquerait pas de l'associer au déchirement de la séparation.

La deuxième semaine fut riche en émotions : Andy rendit à nouveau visite à Allie, ils dînèrent deux fois avec les Thorensen, il revit Brad le samedi, et le lendemain Chloé quitta l'hôpital, six semaines après l'accident qui avait failli lui coûter la vie.

1. Parc aquatique (*N.d.T.*)

Trygve la conduisit à la maison que Bjorn avait décorée de panneaux multicolores de bienvenue et de bouquets de fleurs du jardin. La veille, il avait mis au four un énorme gâteau au chocolat et avait concocté, pour le déjeuner, un assortiment des sandwiches préférés des enfants. Revenu du collège pour un long weekend, Nick s'était joint au comité d'accueil.

A peine avait-il installé Chloé sur le vaste canapé du salon, que les visiteurs affluèrent. Jamie Applegate, Page et Andy. Chloé avait la sensation de revenir d'un autre monde. N'était le sourd élancement qui la tenaillait, malgré les analgésiques dont elle avait délibérément diminué les doses, et son incapacité à marcher, elle aurait cru rêver. Sitôt qu'il l'aperçut, les jambes recouvertes d'une courtepointe parme — un cadeau de Page — Jamie sentit les larmes lui piquer les yeux. Le temps n'avait guère atténué son complexe de culpabilité : son meilleur ami était mort, Allison était grièvement blessée, Chloé paralysée, alors que lui, à cause de qui tout était arrivé, en était sorti indemne.

— Comme c'est bizarre, chuchota Chloé, les yeux embués. Nous sommes là, sans Allie et sans Phillip.

Ils avaient mille fois évoqué l'accident, lors des visites de Jamie à l'hôpital. Grâce aux paroles encourageantes de Chloé, il était parvenu à surmonter plus ou moins son écrasant sentiment de faute. Il lui avait avoué qu'il suivait une psychothérapie et elle l'avait encouragé à poursuivre cette démarche.

— Qu'allons-nous faire aujourd'hui ? demanda-t-il.

Durant ces six semaines, ils s'étaient liés d'une profonde amitié. A présent, il savait tout d'elle : la musique qu'elle aimait, ses acteurs et actrices favoris, les noms de ses amis, les gens qu'elle détestait, la maison de ses rêves, lorsqu'elle serait grande, le nombre d'enfants qu'elle souhaitait, l'université où elle comptait faire ses études... Ils se disaient tout, du plus futile au plus important.

— Si on allait danser ! le taquina-t-elle.

Elle n'avait pas perdu son sens de l'humour. Jamie lui prit la main.

— Nous irons, un jour. Je te le promets. Je louerai une énorme Cadillac avec chauffeur et je te conduirai au bal de fin d'année, après quoi nous finirons la nuit dans un dancing.

Elle lui sourit. Jamie combinait le sérieux au touchant. D'une certaine façon, il avait pris la place d'Allie, car Chloé le considérait comme son meilleur ami... plus qu'un simple ami, bien qu'ils n'aient jamais clarifié leurs rapports. Ils savaient simplement qu'ils pouvaient compter l'un sur l'autre.

— Qu'est-ce que vous complotez, vous deux ? dit Trygve en apparaissant par la porte de la cuisine.

— Nous parlions de choses et d'autres, répondit Jamie.

Le père de Chloé avait le don de le mettre parfaitement à l'aise. Jamie lui savait gré de l'avoir laissé fréquenter sa fille. Au début, il avait en peur que leurs rencontres ne cessent quand Chloé quitterait l'hôpital, mais Trygve l'avait lui-même invité à la maison.

— Puis-je me rendre utile ? demanda le garçon.

— Oui, jeune homme. Garde un œil vigilant sur cette petite chipie. Elle pourrait avoir l'idée de sauter pardessus le canapé. Appelle-moi si elle a envie d'aller aux toilettes.

Et lorsque Jamie l'appela précisément pour cette raison, Page l'aida à soulever la jeune fille.

Le retour de Chloé à la maison marquait le début d'un nouveau défi. Page le signala à Trygve, tandis qu'ils buvaient un café dans la cuisine.

— Je sais, j'y ai déjà pensé. Et je me suis organisé en conséquence.

L'infirmité de Chloé la rendait entièrement dépendante de son entourage. L'usage de ses jambes ne lui serait pas rendu de si tôt. La rééducation constituait un long chemin semé d'embûches. Ses journées n'auraient plus rien à voir avec l'existence dorée qu'elle avait connue auparavant.

— J'ai embauché une infirmière plusieurs heures par jour, pour pouvoir sortir et travailler. Bjorn m'est d'un grand secours. Chloé n'a pas encore réalisé l'importance des obstacles, mais j'ai très vite compris. Nous allons nous débrouiller et je suis sûr que nous nous en sortirons.

Page lui adressa un sourire admiratif. C'était un homme solide sur qui on avait envie de s'appuyer, elle la première... Elle quitta la résidence des Thorensen en fin d'après-midi, avec Andy. Ils avaient loué des cassettes vidéo pour passer une soirée tranquille. Page lui servit son menu favori. Ils grignotèrent du pop-corn en regardant la télévision et s'endormirent dans le même lit.

Le lendemain, c'était le Memorial Day. Trygve avait préparé un barbecue et réuni quatre ou cinq amis de Chloé, dont Jamie Applegate et, bien sûr, Page et Andy.

— Ils sont charmants, ces gosses, dit-il en s'asseyant près de Page, portant encore son tablier, un verre de vin blanc à la main.

Il avait les traits tirés. Toute la nuit, il s'était occupé de Chloé.

— Comme ils sont heureux de la revoir ! répondit Page avec un doux sourire, regrettant qu'Allison ne fût pas parmi eux.

En présence de la fille de Trygve, elle ne pouvait s'empêcher de penser à la sienne, et il le savait.

— Nous avons tous eu une drôle d'expérience, soupira-t-il. Parfois, je me dis que plus aucun de nous ne sera jamais pareil. (Surtout Allie, pensa-t-il.) Mais vous, Page ? Où en êtes-vous ?

Ils s'étaient moins vus pendant les quinze derniers jours et elle lui avait terriblement manqué. Fidèle à sa promesse de ne pas la bousculer, il souhaitait lui donner le temps de s'adapter à sa nouvelle situation. Elle l'avait remarqué, avec reconnaissance, bien qu'il lui manquât cruellement aussi.

— Je vais bien, répondit-elle sereinement.

Ç'avait été pire que tout ce qu'elle avait imaginé.

— Vous me manquez, murmura-t-il en la fixant avec intensité.

— Vous aussi... J'ignorais que le départ de Brad laisserait un tel vide. La maison est si triste maintenant. En même temps, j'éprouve un réel soulagement... Parfois je m'estime courageuse. Pourtant, je ressens comme une absence de... (elle chercha le mot juste)... de protection.

— C'est une impression fausse. Vous avez toujours tout pris en charge. Brad n'a pas vraiment le sens des responsabilités.

Il avait raison. Page commençait seulement à s'en rendre compte. Son mari avait réduit ses passages à l'hôpital à une ou deux brèves visites par semaine. Dieu merci, il continuait à voir Andy.

— Je suis d'accord. Mais c'est quand même bizarre, après seize ans de mariage, de se retrouver à la case départ, avec quelques serviettes de bain en moins, la moitié de l'argenterie et pas de grille-pain.

— Eh oui ! s'exclama-t-il dans un rire. Dana a emporté exactement la moitié de nos biens. L'une des deux lampes chinoises, trois des six chaises de la salle à manger, sans parler des couverts en argent. Résultat, ma batterie de cuisine est dépareillée et il m'arrive de pester quand, sur le point de faire une omelette, je m'aperçois que l'ustensile dont j'ai besoin se trouve en Angleterre.

— Je vois... Au début, Brad a décrété qu'il ne voulait rien. Apparemment, Stéphanie est moins bien équipée qu'il ne l'avait pensé. Alors, chaque fois qu'il passe à la maison, il emporte quelque chose. J'ai découvert qu'il avait pris le dessous-de-plat en argent que ma mère m'avait offert.

— Le partage tombe bien vite dans la mesquinerie.

— En effet... gants de four... casseroles... paires de skis... on dirait une foire à la brocante. On liquide tout, objets et sentiments.

Il eut un sourire, puis posa la question qui, depuis des jours, lui brûlait les lèvres.

— Que ferez-vous cet été avec Andy ?

— Cet été... Seigneur, nous sommes presque en juin... Je ne sais pas. Je ne peux pas laisser Allie.

— Si rien ne change, pensez-vous pouvoir vous absenter pendant quelques jours ?

Elle resta un moment silencieuse. *Si rien ne change...* Fallait-il s'habituer à l'idée qu'Allie resterait indéfiniment dans le coma ?

— Qu'avez-vous en tête ? interrogea-t-elle.

— Deux semaines au bord du lac Tahoe. Nous y allons tous les ans. Bjorn adorerait avoir Andy avec lui... et j'adorerais vous avoir près de moi.

— Je n'en sais rien... On verra... Tout dépendra de l'état d'Allie à ce moment-là. Quand partirez-vous ?

— En août.

— Dans deux mois. Un tas de choses peuvent changer d'ici là.

Soit Allison bougerait, soit elle demeurerait plongée à jamais dans sa léthargie.

— Pensez-y, dit-il sans la quitter des yeux.

— Je vous le promets.

Elle lui sourit. Leurs mains s'effleurèrent et tous deux furent traversés par une sorte de décharge électrique. Leur désir, intact, ne demandait qu'à rejaillir, pareil à la lave d'un volcan assoupi.

Ils partirent tard et Andy s'assoupit dans la voiture.

Trygve l'appela après qu'elle eut mis son fils au lit. Elle s'était couchée dans le grand lit solitaire.

— Tu me manques, chuchota-t-il dans l'écouteur

d'une voix rauque, qui arracha à Page un sourire. Une minute sans toi est un supplice.

A l'évidence, le retour de Chloé à la maison allait perturber leur routine. Ils n'auraient plus l'occasion de se croiser à l'hôpital, à moins que Trygve s'y rendît exprès. Et Page avait besoin de temps, afin d'accepter totalement le départ de Brad, leur mariage raté... tout en se languissant de Trygve.

— Quand nous reverrons-nous ? questionna-t-il. J'espère que nous ne passerons pas le restant de nos vies dans des salles d'attente.

Tous deux se rappelaient les heures interminables, et les baisers furtifs qu'ils avaient échangés là-bas.

— Je l'espère également, murmura-t-elle.

— En attendant, que diriez-vous d'un vrai rendez-vous ? Sans enfants, sans infirmières, rien que vous et moi, devant un délicieux repas qui nous changera de la sempiternelle pizza aux poivrons ?

Elle éclata d'un rire amusé. Il y avait des siècles qu'un homme ne lui avait pas fait la cour.

— Pourquoi pas ? Vous voulez dire que je n'aurais pas à m'occuper de la cuisine ?

— Non ! rétorqua-t-il avec emphase. Fini les ragoûts norvégiens, les sandwiches et autres paquets de chips. On parle de choses sérieuses. De mets raffinés pour palais avertis. Le Silver Dove, mercredi prochain, vous convient-il ?

Il s'agissait d'un établissement feutré et romantique, situé au centre de Marin County où l'on pourrait les contacter rapidement en cas d'urgence.

— Cela me convient parfaitement.

Pour la première fois depuis des semaines, un flot de bien-être la submergea. Grâce aux pouvoirs magiques de Trygve, elle se sentait à nouveau jeune et désirable. Malgré ses vieux sweaters, ses jeans passés et ses espadrilles éculées, le miroir bleu de ses yeux lui renvoyait le reflet d'une beauté éclatante.

— Je passerai vous prendre mercredi soir à sept heures et demie.

— Parfait.

Elle confierait Andy aux bons soins de Jane ou louerait les services d'une baby-sitter. Un rire inattendu lui échappa.

— Qu'est-ce qui vous amuse tant ? voulut savoir Trygve à l'autre bout de la ligne.

— Ce sera mon premier rendez-vous depuis dix-sept ans... J'ai complètement oublié comment une femme est censée se comporter dans ce cas.

— Je vous montrerai, n'ayez crainte.

Ils eurent un rire complice, puis bavardèrent encore un long moment, dans le silence feutré de la nuit. Des sujets désormais familiers les réunissaient : leurs enfants, le dernier article de Trygve, le projet de la nouvelle fresque de Page. Le chalet des Thorensen à Tahoe. L'ami reporter, que Trygve avait lancé sur la piste de Laura Hutchinson...

— A demain, dit-il avant de raccrocher, et elle se demanda s'il ne s'était pas trompé de jour.

Le lendemain, il pénétra dans le service des soins intensifs, une gerbe de camélias blancs et un panier de pique-nique à la main. Page assistait le kinésithérapeute, qui procédait à un massage attentif des muscles de la jeune patiente. Les jambes d'Allison avaient perdu leur flexibilité, ses pieds pointaient vers le haut, blêmes et rigides. Elle avait les coudes bloqués, les bras raides, les poings hermétiquement fermés. D'interminables exercices d'assouplissement n'avaient rien donné. Son corps, comme son esprit, ne répondait plus aux stimulations extérieures... L'arrivée inopinée de Trygve fit à Page l'effet d'une bouffée d'oxygène.

— Venez, sortons un peu. Il fait un temps magnifique.

Il l'entraîna hors du bâtiment et elle cligna des

paupières dans la vibrante lumière de juin. Un soleil radieux brillait dans un ciel bleu cobalt. Ils s'assirent sur la pelouse de devant, parmi les étudiants en médecine et les résidents, comme un couple d'amoureux.

— Le printemps dans toute sa splendeur, déclama Trygve, couché dans l'herbe grasse à son côté, alors qu'elle humait le parfum sucré du bouquet qu'il lui avait apporté.

Sans s'en apercevoir, elle avait avancé la main vers le visage de Trygve. Du bout des doigts, elle lui frôla la joue et il leva sur elle un regard au fond duquel brûlait une vibrante passion. Aucun homme ne l'avait dévisagée ainsi depuis des années... Ni même jamais.

— Vous êtes belle ! D'une beauté... que je qualifierais de scandinave.

Le compliment fit venir un sourire juvénile sur les lèvres pleines de la jeune femme.

— Pourtant, je n'ai rien de scandinave. Addison est un nom d'origine britannique.

— Peu m'importe. A mes yeux, vous incarnez une déesse nordique... Quels beaux enfants nous aurions, ajouta-t-il, l'air coquin... Vous en voulez encore ?

Il avait repris un ton sérieux. Il avait envie de tout connaître d'elle, et pas seulement ses angoisses pour Allison. Il voulait sonder ses souhaits les plus secrets.

— J'aurais voulu d'autres enfants, autrefois. J'ai trente-neuf ans et... c'est un peu tard pour mettre un bébé au monde. Par ailleurs, je suis suffisamment prise par mes devoirs vis-à-vis d'Allison et d'Andy.

— Il n'en sera pas toujours ainsi... J'ai quarante-deux ans et je ne ressemble pas à un vieillard. Je voudrais bien fabriquer encore un ou deux petits. Quant à vous, à votre âge, vous pourriez facilement en avoir au moins une demi-douzaine.

— Quelle drôle d'idée ! s'esclaffa-t-elle, puis elle pencha la tête sur le côté, comme si elle réfléchissait à la question. C'est Andy qui serait content. Il m'en parlait justement le jour où Allie a eu son accident. Et puis tout a changé alors.

Il acquiesça. Six semaines et demie plus tard, elle ne vivait plus avec son mari, Chloé ne deviendrait jamais une danseuse, sans parler de Phillip, tué sur le coup, ou d'Allie clouée au lit, peut-être pour toujours.

— En tout cas, j'aimerais bien avoir d'autres enfants, reprit-elle. Au moins un... Pour le moment, Allie a la priorité, et mon travail passe en second. J'ai songé à votre proposition de fresque pour l'hôpital, j'en ai touché deux mots à Frances, l'infirmière en chef, et elle m'a dit qu'elle en parlerait à la direction.

— Je verrais bien une de vos peintures murales chez moi. M'accepteriez-vous comme client ? A condition que vous soyez rémunérée, cela va de soi.

— Avec plaisir.

— Parfait. Réunion de travail demain soir après dîner. Emmenez Andy avec vous.

— Etes-vous sûr que vous ne vous lasserez pas de moi, si nous nous voyons également mercredi ?

— Je ne crois pas que je me lasserai jamais de vous, Page Clarke, même si je vous voyais nuit et jour. Du reste, je m'appliquerai à vous le prouver... (La voyant rougir, il l'attira vers lui et lui prit les lèvres.) Je suis amoureux de toi, Page, murmura-t-il. Eperdument, désespérément, follement amoureux. Et je ne me lasserai jamais de ta présence... jamais, jamais, *jamais !*

Leurs lèvres s'unirent en un long baiser qui les laissa sans souffle. Page se dégagea des bras de Trygve. Ils étaient assis sur le gazon, à s'embrasser comme des collégiens, alors qu'Allison, là-haut... Il fallait qu'elle y retourne. Rien que d'y songer, un frisson glacé la parcourut. Les exercices, les massages inutiles, le respirateur, le silence, l'apathie totale d'Allison, la profondeur de son coma, tout refit surface d'un seul coup. Il lui arrivait de temps à autre de se faire violence pour y retourner, mais elle n'avait jamais failli à son devoir. Les infirmières pouvaient régler leurs montres au rythme de ses visites. Matin et soir, elle était là. Parfois elle revenait dans la nuit et s'asseyait près de la mince forme pâle pendant des heures, en lui caressant la joue sans cesser de lui murmurer des mots doux, inlassablement.

— Je vous accompagne, dit-il.

Ils s'étaient relevés. Trygve la tenait enlacée et elle portait le panier de pique-nique et le bouquet de camélias. Ils montèrent aux soins intensifs, reposés et paisibles.

— Avez-vous bien mangé ? lança l'une des infirmières, une petite nouvelle, tandis que Page se dirigeait vers le lit d'Allie.

Les relents médicamenteux, les sons, les lumières clignotantes, les bruits familiers l'encerclèrent.

— Oui, je vous remercie.

Elle sourit à Trygve qui se tenait à son côté, au pied du lit. Page avait repris les exercices d'assouplissement. C'était la mère la plus dévouée qu'il eût jamais connue. Infatigable, douce, persévérante, parlant gentiment à Allie, lui racontant mille histoires, tandis qu'elle essayait de fléchir ses membres rigides ou de lui desserrer les poings. Elle était en train de lui narrer leur pique-nique sur l'herbe, quand, soudain, l'impossible se produisit. Allison émit un petit gémissement, puis tourna lentement la tête vers sa mère. Page se tut, les yeux écarquillés... L'instant suivant, Allie s'était immobilisée, au milieu du perpétuel ronronnement des moniteurs.

Page se tourna vers Trygve, stupéfaite.

— Elle a bougé ! Oh, mon Dieu, Trygve, elle a bougé !

Deux infirmières s'approchèrent et Page recommença :

— Elle a tourné la tête vers moi !

Des larmes jaillirent de ses yeux. Sous le regard

humide de Trygve, elle se pencha pour couvrir la petite figure blafarde de baisers.

— Tu as bougé, ma chérie. Je t'ai vue. Et je t'ai entendue. Oh, mon bébé, je t'ai entendue.

L'une des infirmières appela le Dr Hammerman à l'interphone. Il apparut dans la minute qui suivit. Page lui décrivit l'incident et Trygve confirma ses propos. Le médecin étudia le tracé encéphalographique de la patiente sur l'un des moniteurs. Les ondes cérébrales avaient enregistré le son et le mouvement.

— Voilà qui est difficile à interpréter, marmonna-t-il, circonspect. Ça pourrait être bon signe mais rien n'est certain. On est en droit de conclure qu'elle est plus près de la conscience. Toutefois, madame Clarke, un geste ou un soupir ne signifie pas automatiquement que son cerveau fonctionne de nouveau normalement. Ne vous découragez pas... c'est peut-être un début. Enfin, je l'espère, ajouta-t-il, prudent, mais rien ne pouvait entamer la joie de Page.

Allie ne bougea plus de la journée. Et le lendemain matin, alors que Page était assise à sa place habituelle, le même incident eut lieu... Un léger soupir, un mouvement fugace de la tête, puis plus rien.

Page s'élança vers la première cabine téléphonique. La secrétaire de Brad lui répondit que M. Clarke était à Saint-Louis. Elle le poursuivit jusqu'à son hôtel, où elle réussit à l'avoir tard dans la nuit. Il parut content, bien que nettement moins enthousiaste qu'elle. A l'instar du Dr Hammerman, il lui rappela qu'il s'agissait peut-être de réflexes purement mécaniques.

— Elle m'entend, Trygve, j'en suis sûre, déclara-t-elle le même soir, d'une voix animée. (Elle et Andy avaient dîné chez les Thorensen.) C'est comme si on se penchait au-dessus d'un puits noir. Pendant longtemps, personne ne répond à vos appels, sauf l'écho de votre propre voix. Et tout à coup, on entend quelqu'un du tréfonds, et on se dit : « Ça y est, il y a quelqu'un, là-dedans. »

Trygve acquiesçait sans un mot, de crainte de lui donner de faux espoirs.

Chaque jour, Allie remuait un peu. Un infime mouvement des doigts ou de la tête, un bras qui se détend, un minuscule déplacement de la jambe. Mais ses yeux demeuraient clos ; aucun signe de compréhension n'altérait ses traits inexpressifs, pas un son ne sortait de ses lèvres blêmes, en dehors d'un vague gémissement de temps à autre. Hammerman restait attentif mais sceptique. Et l'espoir gonflait le cœur de Page.

Le mercredi Trygve passa la prendre à l'heure convenue. Elle avait confié Andy à Jane Gilson chez qui elle irait le récupérer si elle ne rentrait pas trop tard. Jane l'avait mise à l'aise :

— Pour une fois que tu sors, essaie de t'amuser.

Andy dormirait sur un lit de camp, dans la chambre des enfants. Trygve, quant à lui, avait embauché une baby-sitter, qui veillerait sur Chloé.

— Vous êtes superbe !

Il avait détaillé Page d'un œil connaisseur, arrondissant les lèvres en un sifflement admiratif. La jeune femme avait ouvert la porte dès le premier coup de klaxon et descendait maintenant la volée de marches. Elle portait une robe de soie neigeuse sans bretelles, des perles autour du cou, un léger châle bleu pâle, de la même nuance que ses prunelles, ses cheveux flottaient librement sur ses épaules et dans son dos.

— Waow ! s'écria-t-il, alors qu'elle montait en voiture et qu'il démarrait en direction de Corte Madera.

Il avait réservé une table de deux couverts... Un groupe de musiciens jouait de lancinantes mélodies des sixties, quelques couples se mouvaient sur la piste. Ils prirent place à l'écart. Il commanda un chablis, puis chacun étudia le menu. Consommé froid pour commencer. Page se laissa ensuite tenter par la sole à la florentine et Trygve opta pour un magret de canard sur paillasson de pommes sautées. Un délicieux festin dans un endroit au charme romantique, pour une soirée parfaite. Il l'invita ensuite à danser et quand ils s'enlacèrent sur la piste au rythme langoureux du blues, elle sentit contre son corps celui de Trygve, étonnamment fort et souple. Il était un cavalier extraordinaire et leurs pas s'accordèrent immédiatement comme s'ils avaient l'habitude de danser ensemble.

Ils sortirent de l'établissement à onze heures du soir. Une sorte d'ivresse s'était emparée de Page, qui n'était pas due qu'au chablis.

— Cendrillon quitte le bal, murmura-t-elle. Quand vais-je me transformer en souillon ?

— Jamais, ma toute belle.

Ils reprirent le chemin du retour. Trygve avait branché la radio et une douce mélodie emplissait la voiture. Il l'escorta jusqu'à sa porte, se sentant rajeuni. Sur le perron, il l'embrassa et tous deux furent gagnés par la même fièvre.

— Voulez-vous entrer une minute ? demanda-t-elle, le souffle court.

— Vous ne m'accordez donc qu'une minute ? sourit-il.

Elle fit glisser sa clé dans la serrure, et ils entrèrent dans le vestibule mais n'allèrent pas plus loin. Elle n'eut même pas le temps d'allumer le plafonnier, car il l'avait reprise dans ses bras et, de nouveau, leurs bouches se cherchèrent avidement dans l'obscurité veloutée.

— Je t'aime, chuchota-t-il dans le noir. Je t'aime tant...

Il avait attendu deux mois cet instant, dans l'ouragan qui avait dévasté leurs familles. En fait, il l'avait attendu depuis plus longtemps, se dit-il, peut-être toute sa vie.

Un nouveau baiser les réunit, plus ardent que les

précédents. Leur désir darda comme une flamme vive que plus rien ne pourrait éteindre. Sans un mot, il l'entraîna à travers le couloir sombre vers sa chambre, où il se mit à la dévêtir, sans qu'elle esquissât le moindre geste pour l'arrêter.

— Tu es si belle, dit-il quand la robe glissa à terre, formant une petite mare claire et soyeuse sur le tapis. Oh, Page...

Il la dévorait de baisers. Les doigts de la jeune femme s'attaquèrent aux habits de son compagnon et peu après, ils se tenaient nus, dans les rayons obliques de la lune. Il la souleva comme une plume pour la déposer sur le lit, explorant de ses lèvres chaque parcelle de sa peau douce. Sous l'exquise torture elle s'arc-bouta en exhalant un gémissement de plaisir, avant de le guider en elle. Leurs corps se soudèrent en une étreinte passionnée, presque sauvage, trop longtemps contenue. Ensemble ils atteignirent les sommets de l'extase et, soudain, comme dans un éblouissement, chacun crut expirer dans les bras de l'autre, avec une violence qui les laissa sans souffle... Ils restèrent longtemps enlacés dans la position où la volupté les avait surpris, incapables de parler. Enfin, au bout d'un temps infini, Trygve se hissa sur un coude. Ses doigts plongèrent dans les cheveux de Page, ses lèvres se posant doucement sur les siennes.

— Je le savais depuis deux mois, murmura-t-il d'une voix enrouée. Je t'aurais bien ramenée chez moi la nuit même de l'accident.

— Ce que tu peux être bête ! rit-elle... et comme je t'aime, si tu savais.

C'était la vérité, aussi surprenante qu'elle pût paraître. Trygve lui avait procuré un plaisir fulgurant qu'elle n'avait encore jamais connu, même avec Brad... A présent, comme à travers un voile qui se déchire, l'évidence lui sauta aux yeux. Ils étaient faits l'un pour l'autre, tels deux amants légendaires qui se seraient enfin retrouvés. Trygve la serra contre lui avec fougue.

— Dis, Boucles-d'or, où étais-tu il y a vingt ans ? la taquina-t-il.

— En train de fabriquer des décors pour des pièces d'avant-garde à Broadway.

— Je t'aurais adorée, si je t'avais rencontrée à ce moment-là.

— Moi aussi, répondit-elle d'une voix douce. (A l'époque elle essayait de se guérir des brutalités de son père.) Comme tout est étonnant ! Nous aurions pu continuer à vivre à quelques pâtés de maisons l'un de l'autre, sans jamais nous rencontrer.

— Le destin, ma chérie.

La fatalité au double visage : celui qui détruit et celui qui vous comble de bienfaits.

Ils bavardèrent longtemps, blottis l'un contre l'autre. A contrecœur, Trygve se redressa. Le devoir l'appelait à la maison. Il était trois heures du matin, la baby-sitter devait s'impatienter. Andy, lui, dormait très certainement à poings fermés sur son petit lit de camp chez Jane.

— Bon sang, je déteste l'idée de te laisser seule toute la nuit. Quel gâchis ! soupira-t-il.

Il s'était rassis sur le lit pour l'embrasser. Le désir l'envahit tout entier, et ils basculèrent en travers du lit défait, dans un doux corps à corps, plus voluptueux et plus ardent encore que la première fois.

Il était quatre heures du matin, lorsque Page, en peignoir, le raccompagna jusqu'à la porte.

— A quelle heure comptes-tu emmener Andy à l'école ? demanda-t-il entre deux baisers.

— A huit heures.

— A quelle heure seras-tu de retour ?

— A huit heures et quart.

— J'arriverai à huit heures et demie.

— Seigneur ! tu ne serais pas un petit peu obsédé, par hasard ?

Il haussa un sourcil, narquois.

— Je ne te l'avais pas dit? C'est la raison pour laquelle Dana m'a quitté. La pauvre chérie n'avait plus la force de satisfaire mes appétits féroces.

Ils éclatèrent de rire. En vérité, Dana et lui avaient fait chambre à part pendant les deux dernières années de leur mariage. Trygve avait cru son désir mort à jamais. Et maintenant qu'il s'était ranimé, il comptait rattraper le temps perdu.

— Quel est ton programme pour demain? questionna-t-il.

— L'hôpital, bien sûr...

— Eh bien, je viendrai prendre le petit déjeuner avec toi, puis je te déposerai là-bas.

Un ultime baiser... Grâce à un effort héroïque, il parvint à s'arracher à elle et regagna sa voiture. La main sur la poignée de la portière, il rebroussa chemin en courant, quémandant un baiser supplémentaire qui lui fut accordé aussitôt, après quoi ils se mirent à rire comme des collégiens. Enfin, il s'en fut, dans la nuit pâlissante.

Fidèle à sa parole, il réapparut à huit heures et demie tapantes, le lendemain matin. Andy était à l'école et Page faisait tourner une machine de linge en fredonnant, lorsque Trygve sonna. A sa vue, un sourire illumina le visage de la jeune femme.

— Bonjour mon amour, déclama-t-il, romantique à souhait, en lui tendant un ravissant bouquet d'églantines. Prête pour le petit déjeuner?

Evidemment, ils n'arrivèrent jamais jusqu'à la cuisine. En revanche, il ne leur fallut pas plus d'une seconde pour se retrouver au milieu des draps tout froissés du lit de Page.

— Crois-tu que nous parviendrons à faire autre chose? demanda-t-il plus tard, la couvant d'un regard attendri.

— J'en doute. Je renoncerai probablement à la peinture.

— Et moi à mes écrits.

Leurs horaires flexibles, l'absolue liberté dont ils disposaient, leur soif inextinguible d'amour leur permettaient de se voir souvent et d'assouvir la faim qu'ils avaient l'un de l'autre.

— Il n'y a pas de garderie d'enfants à l'école d'Andy ? plaisanta-t-il.

Elle le chassa du lit. Onze heures approchaient et le besoin de se rendre auprès d'Allie se faisait impératif. Depuis que sa fille avait manifesté un soupçon de retour à la vie, si minime fût-il, Page n'avait de cesse d'être près d'elle.

Trygve resta avec elle à l'hôpital pendant une heure. Avant de repartir chez lui où Bjorn et Chloé l'attendaient, il attira Page à l'écart.

— On se voit ce soir ? s'enquit-il d'un ton plein d'espoir.

— Impossible. Andy sera là, sourit-elle.

— Et demain ?

— Il sortira avec son père comme tous les samedis après-midi, répondit-elle en réprimant un sourire espiègle.

— Parfait. Qu'est-ce qui vous ferait plaisir pour le lunch, chère madame ? Caviar ? Champagne ? Omelette norvégienne ?

Elle se pencha à son oreille, de manière qu'il soit le seul à l'entendre.

— Je préfère vivre d'amour et d'eau fraîche.

— Excellente idée. Je m'occupe de tout. Piquante ou plate, l'eau ?

— Tu es fou ! s'esclaffa-t-elle.

— Oui, de toi ! susurra-t-il en l'embrassant.

Lorsque Page se retourna vers la silhouette immobile d'Allison, un sourire involontaire fleurissait sur les lèvres de la jeune fille.

16

Brad présenta Stéphanie à Andy, un samedi de juin. La rencontre eut lieu au Prego, charmant petit restaurant de Union Street, au cœur de la ville. D'emblée, le garçonnet examina la jeune femme d'un œil soupçonneux, ce qui la mit mal à l'aise... Elle portait un tee-shirt carmin sur un jean blanc qui lui moulait les hanches. C'était indéniablement une jolie fille, avec de longs cheveux bruns et d'immenses yeux de jade, mais sa beauté ne produisit aucun effet sur Andy. Visiblement, nul élan de sympathie ne le poussait vers elle car, contrairement à ses habitudes, il ne cessa durant le repas de l'agacer par des remarques déplaisantes, sur un ton doux amer, tout en s'ingéniant à mettre en évidence les innombrables qualités de sa mère.

Son père lui fit des gros yeux, par-dessus son gâteau au fromage.

— Andy, je te prie de présenter des excuses à Stéphanie.

— Non, jamais, marmonna le petit garçon, le nez dans sa glace à la fraise.

— Tu n'es pas poli avec elle. On ne dit pas à une dame qu'elle a un grand nez.

Brad réprima un sourire. Stéphanie, vexée, s'était mise à bouder dans son coin. Andy ne l'amusait pas.

Mais qu'attendait donc Brad pour lui administrer une bonne fessée ? Parce que le petit impertinent lui avait cherché noise, dès l'instant où il l'avait aperçue. Il avait osé porter sur elle des jugements franchement désagréables. Et non content de l'avoir critiquée sans l'ombre d'un remords, l'affreux gamin ne ratait pas une occasion pour chanter les louanges de sa mère comme pour souligner, par contraste, les défauts réels ou imaginaires de Stéphanie. M'man peignait des fresques admirables, était belle comme le jour et excellente cuisinière, alors que, à son avis, Stéphanie ne savait pas cuire un œuf au plat... C'en était trop ! Sans le savoir, Andy avait surtout démontré que Stéphanie ne connaissait rien aux enfants et qu'elle avait un sens de l'humour plutôt limité.

— Je la déteste, marmonna-t-il d'une voix presque inaudible, les yeux fixés sur son dessert.

— En ce cas, rétorqua Stéphanie à la place de Brad, tu peux dire adieu aux déjeuners avec nous, mon petit vieux. Je ne vois pas pourquoi nous nous donnerions la peine de te sortir tous les samedis, puisque tu nous détestes !

— Bien sûr que nous t'emmènerons, intervint Brad, en posant une main rassurante sur celle de son fils.

Il devinait parfaitement l'insécurité qu'il éprouvait, mais tenait par-dessus tout à ce qu'il s'attache à Stéphanie. Certes, ce premier contact ne s'était pas déroulé sous de bons auspices : Stéphanie et Andy étaient à couteaux tirés et il fallait coûte que coûte leur imposer une trêve.

— Nous nous verrons toujours le samedi, les week-ends, et même plus souvent, reprit-il, en faisait appel à toute sa diplomatie. Nous sortirons, nous nous amuserons, tous les trois.

— Elle n'est pas marrante, répliqua Andy, s'adressant à son père comme si Stéphanie n'existait pas. Pourquoi faut-il qu'*elle* vienne avec nous ?

Stéphanie écumait, mais Brad lui coupa la parole.

— Parce qu'elle me plaît. Elle est mon amie. Je suppose que tu aimes bien sortir avec tes amis.

— Pourquoi est-ce que je ne peux pas venir avec m'man ?

« Parce que, précisément, ça n'amuserait personne », songea Brad, mais il dit :

— Elle refuserait de se joindre à nous. Tu te disais malheureux quand on se bagarrait, n'est-ce pas ? Eh bien, avec Stéphanie, je ne me dispute jamais. Nous nous amusons comme des fous. Nous pourrions aller au cinéma, à la plage ou à un match de base-ball, si seulement tu consentais à y mettre du tien.

Le regard du petit garçon dériva vers la jeune femme, empreint d'un mépris sans nom.

— Je parie qu'elle ne connaît rien au base-ball.

— En ce cas, nous lui expliquerons les règles du jeu, dit Brad calmement.

Seul le silence lui répondit. Manifestement, ses deux invités ne s'appréciaient guère, s'il en jugeait à leur façon de se toiser, tels deux boxeurs avant de monter sur le ring. Peut-être avait-il eu tort de les forcer à se voir, pensa-t-il, la gorge serrée. Peut-être était-ce trop tôt. En tout cas, Andy n'aurait pas d'autre alternative que s'habituer à Stéphanie. Celle-ci exigeait le mariage, refusant tout autre compromis. La bague au doigt ou la fin de l'idylle, avait-elle déclaré lors de leur dernière discussion à ce sujet. Voilà dix mois qu'ils étaient ensemble, et elle estimait avoir été plus que conciliante. A présent, elle entendait récolter les fruits de sa patience. Ou Brad l'épousait, ou elle cessait de le voir et se mettait à la recherche d'un autre mari... Elle savait qu'elle atteindrait son but car, pour rien au monde, Brad n'accepterait de la perdre. Stéphanie représentait maintenant sa seule issue contre la solitude qui l'oppressait depuis qu'il avait quitté Page, Allison et Andy. Sauf que son fils ne l'entendait pas de cette oreille. Décidément, la vie n'était pas simple.

— Faites un effort, tous les deux, reprit-il d'un ton implorant. Je vous aime tous les deux et je souhaite que vous soyez bons copains. D'accord? Marché conclu?

— D'accord, grommela Andy, en lançant un regard venimeux à Stéphanie.

— Tu as intérêt à bien te tenir! lui lança-t-elle.

— Arrêtez de vous chamailler.

En poussant un soupir, Brad régla l'addition.

Le reste de l'après-midi se déroula dans un silence chargé d'hostilité. Une promenade sur la plage n'adoucit en rien l'humeur des deux belligérants. Prétextant que le temps s'était rafraîchi, Stéphanie décida de rentrer. Andy ne desserrait pas les dents. Quand son père lui posait une question, il répondait par monosyllabes. Il n'adressa pas une seule fois la parole à Stéphanie et lorsqu'il dut lui dire au revoir, après qu'ils l'eurent déposée en bas de chez elle, il se contenta de marmonner une phrase inintelligible. Sur le chemin du retour, ils firent une brève halte à l'appartement de Brad. Dans la salle de bains, Andy remarqua sur le lavabo un verre avec deux brosses à dents et un tube de lait démaquillant, ainsi qu'un peignoir fuchsia accroché derrière la porte, ce qui acheva de le déprimer.

— Tu n'as vraiment pas été gentil avec elle, fit remarquer tranquillement Brad, alors qu'il le ramenait à la maison. Ce n'est pas juste. Elle compte beaucoup pour moi et elle ne demande qu'à te dorloter.

— C'est pas vrai. Elle me déteste. Je le sais.

— Elle ne te *déteste* pas! Simplement, elle n'a pas l'habitude de fréquenter des enfants. Donne-lui une chance.

Stéphanie allait sûrement lui faire une scène épouvantable.

— Allie la détestera aussi, affirma Andy.

Le cœur de Brad se serra. Il n'était pas sûr qu'Allie fût capable d'aimer ou de haïr de nouveau quelqu'un.

— Je ne crois pas qu'elle déplaira à Allie, répondit-il, cependant, à seule fin de poursuivre la conversation.

— M'man non plus ne l'aimera pas. Elle est trop maigre. Et elle est bête.

— Elle n'est pas bête, s'emporta Brad. Elle est diplômée de Stanford, elle a un travail intéressant et c'est une fille brillante.

— Je m'en fiche, s'entêta Andy. Elle est bête, et je la déteste !

Il était inutile d'insister pour le moment. Brad s'efforça de changer de sujet. Il fit chou blanc. Cantonné dans un mutisme glacial, Andy regardait fixement par la fenêtre.

Il le déposa devant les grilles du jardin, ébauchant un amical signe de la main à l'adresse de Page, qu'il aperçut dans l'allée. Il redémarra dès que le petit garçon eut mis pied à terre et disparut dans un crissement de pneus. Il avait hâte de retrouver Stéphanie, afin de la rassurer. Elle devait être dans tous ses états. Andy avait été impoli, bien sûr, voire grossier, mais il n'avait que sept ans, et Stéphanie n'avait rien tenté pour s'en rapprocher. Elle était puérile, elle aussi, par moments.

Toute la soirée, Andy fit montre d'un calme qui ne manqua pas de frapper Page. En le bordant dans son lit, elle demanda :

— Quelque chose ne va pas ?

C'est tout juste s'il avait dit deux mots pendant le dîner, alors que d'habitude il lui racontait en détail ses promenades avec son père.

— Tu ne te sens pas bien ? s'alarma-t-elle en lui touchant le front, puis le cou.

Il n'avait pas de fièvre. Seuls ses yeux, où dansait

une flamme courroucée, témoignaient que la sortie d'aujourd'hui ne s'était pas passée comme d'habitude.

— Papa a dit, commença-t-il, au bord des larmes... Non ! je ne peux pas te le dire.

— Vous vous êtes disputés ?

Andy avait-il fait une bêtise qui lui avait valu une réprimande ? Le petit garçon secoua la tête d'un air sombre, puis, ne pouvant plus se contenir, il éclata en sanglots.

— Oh, mon chéri, murmura-t-elle, en le serrant dans ses bras, tu sais que papa t'adore, quoi qu'il ait pu te dire...

— Oui, mais... il... il... (Les mots franchirent laborieusement les lèvres tremblantes d'Andy.) Il a une amie. Elle s'appelle Stéphanie.

Cela lui avait échappé. Il scruta sa mère, craignant de lui avoir fait de la peine, mais elle lui sourit.

— Je sais. Je sais tout, Andy.

— Tu l'as vue ? questionna-t-il, sans dissimuler sa surprise.

— Non, jamais. Et toi ?

— Oui. Au déjeuner. Elle est horrible. On dirait un squelette et elle est bête et vilaine. Et elle me déteste.

— Je suis sûre que non. Tu l'as simplement intimidée.

— Eh bien, moi je l'ai tout de suite détestée. Et papa qui n'arrête pas de me répéter que je *dois* l'aimer !

Si Brad exerçait sur Andy ce genre de pression, sans doute était-ce qu'il projetait d'épouser Stéphanie. Page ressentit un petit pincement au cœur. Chaque jour lui apportait la preuve que Brad l'avait bannie de sa vie.

— Essaie, dit-elle gentiment. Elle est sûrement mieux que tu ne le penses, puisqu'elle plaît à papa.

— Non, elle est méchante, décréta Andy en s'essuyant les yeux. Je ne peux pas la sentir !... Oh, m'man, tu crois que p'pa reviendra un jour ?

C'était donc cela. Il avait perçu Stéphanie comme une rivale de sa mère.

— Je ne sais pas, répondit-elle honnêtement. Je ne le crois pas.

— Mais si il se marie avec elle, il ne reviendra plus... Je la déteste !

— Voyons, mon chéri. Tu la connais à peine. D'ailleurs papa ne l'a pas encore épousée.

Andy avait vu juste, pourtant, elle le savait.

— Ils iront en Europe cet été. Ce qui veut dire que nous ne partons pas en vacances avec papa.

En Europe. Il n'avait jamais proposé à Page de voyage en Europe, bien que sachant pertinemment qu'elle aurait adoré visiter la France et l'Italie. Elle y était allée une fois avec ses parents mais elle n'y était plus retournée depuis son mariage avec Brad.

— De toute façon, nous n'aurions pas laissé Allie, n'est-ce pas ? Maintenant, si ton père souhaite t'y emmener...

— Ils y vont tout seuls. Pendant un mois.

Page hocha la tête. Brad avait sa propre vie maintenant ; ils avaient la leur. Et elle avait Trygve.

— Ne nous faisons pas de souci pour ça, d'accord ? Papa tient énormément à toi, tout comme moi. Son amie te paraîtra plus gentille, quand tu la connaîtras mieux.

Il grommela une phrase indistincte, alors qu'elle l'embrassait. Le lendemain, il s'assit devant son petit déjeuner l'air sombre. A ses yeux, Stéphanie ne signifiait qu'une chose : son père ne reviendrait plus à la maison. Soudain, il regarda sa mère et une nouvelle question fusa :

— Qu'est-ce qu'on va dire à Allie, pour papa ? Quand elle se réveillera, je veux dire.

Page détourna les yeux vers la fenêtre et se moucha.

Pourvu qu'ils puissent un jour en parler avec Allie !

— Nous verrons bien.

— Peut-être que Stéphanie va *mourir* ! fulmina-t-il.

Il était si mignon dans sa colère, que Page réprima un rire.

Peu après, elle reçut un coup de fil de New York. Mme Addison n'avait pas grand-chose à lui raconter, si ce n'est qu'Alexis souffrait d'un ulcère à l'estomac. Rien d'étonnant, compte tenu de son anorexie chronique et des quantités énormes de laxatifs qu'elle consommait. Naturellement, sa mère s'empressa de mettre son ulcère sur le compte d'une sensibilité à fleur de peau.

Mme Addison tomba des nues, lorsque sa fille cadette lui expliqua que Brad n'habitait plus là. Selon son habitude, elle décréta que tout allait s'arranger, après quoi elles raccrochèrent. Plus tard dans l'après-midi, Page rapporta sa conversation avec sa mère à Trygve. Il avait peine à croire qu'une famille entière puisse vivre ainsi dans l'illusion. Ses parents à lui, dit-il, étaient tellement normaux qu'ils en étaient assommants.

— Quels veinards ! s'écria Page.

Ils étaient assis sur la terrasse de Trygve, qui donnait sur la pelouse où Bjorn et Andy jouaient au ballon. Bjorn le lançait et Andy le lui renvoyait de la main gauche. Bientôt, il serait libéré de son plâtre. Chloé, installée sur son fauteuil roulant, potassait une leçon avec Jamie.

— Brad a présenté Stéphanie à Andy hier, dit Page à mi-voix, tandis qu'ils suivaient le ballon des yeux.

— Comment a-t-il pris la chose ?

— Pas très bien. On ne peut pas lui en vouloir. Dans son esprit, Stéphanie représente une menace. Il a toujours espéré que son père reviendrait... Il a dit qu'il la détestait... Seigneur, ils ont dû passer un bon moment !

— Tous les enfants sont pareils. Ils rêvent qu'un jour

leurs parents se remettront ensemble. Les miens désirent secrètement que Dana réapparaisse un beau matin, j'en suis persuadé.

— Et toi ? demanda-t-elle, intéressée.

Il se pencha vers elle en souriant.

— Bon sang, non ! Je quitterais la ville... avec toi dans mes bagages.

— Ah, bien ! soupira-t-elle, alors que leurs mains s'effleuraient rapidement.

L'après-midi tirait paresseusement à sa fin. Trygve et Page préparèrent le repas, tandis que Chloé mettait la table en se déplaçant habilement sur son fauteuil roulant. Après dîner, Bjorn et Andy, chargés de la vaisselle, accomplirent leur tâche avec un sérieux absolu. Ils formaient une équipe formidable. Nick ne tarderait pas à regagner le domicile familial. Il avait trouvé un job pour l'été au club de tennis de Tiburon, à quelques kilomètres de Ross. Il ne manquerait plus qu'Allie... Mais Allie était toujours aux soins intensifs.

Plus tard, dans la soirée, la conversation roula sur elle, et les yeux de Chloé s'embuèrent.

— Comme elle me manque ! J'espère de tout mon cœur qu'elle sera bientôt parmi nous.

Ils l'espéraient tous. Un vague espoir subsistait encore. Elle avait entamé son troisième mois de coma. D'après le Dr Hammerman, au-delà de trois mois, elle n'avait pratiquement plus aucune chance de se réveiller. Page essayait de ne pas y songer, mais toutes les nuits, le spectre d'une Allison endormie à jamais la hantait des heures durant.

— J'ai rencontré Mme Chapman au supermarché, hier, dit Page. La pauvre femme n'est plus que l'ombre d'elle-même.

Trygve eut un hochement de tête. Il se mettait aisément à la place des parents de Phillip. Celui-ci aurait dû terminer le lycée quelques jours plus tôt.

Pendant la remise des diplômes, le directeur avait imposé aux lauréats une minute de silence à sa mémoire.

Les yeux humides, Chloé avait détourné la tête. Les images de la nuit tragique de l'accident resurgirent brutalement... Elle s'en voulait terriblement d'avoir entraîné Allison avec elle.

Trygve interrompit leurs tristes pensées en proposant une partie de Monopoly. Les jeunes se jetèrent à corps perdu dans le jeu, négociant, achetant, revendant et trichant tant qu'ils pouvaient. Alors qu'ils amassaient et dilapidaient des fortunes imaginaires, Trygve attira Page dans son bureau.

— Enfin seuls ! chuchota-t-il, en l'enlaçant, avant de l'embrasser avec fougue.

Tout l'après-midi il s'était langui de leurs étreintes. Il avait hâte de l'avoir pour lui seul, de passer une nuit entière dans ses bras, et même de partir en vacances avec elle. Hélas, c'était trop tôt. Page ne pouvait pas quitter Allison, et de son côté il devait s'occuper de ses enfants.

— Si seulement nous pouvions leur échapper ! soupira-t-il tout contre les lèvres de Page. Ne serait-ce que pour un week-end.

— Mmmm, ce serait merveilleux.

Un rêve impossible. Elle s'était souvent imaginée au lac Tahoe, avec Trygve. Mais il était hors de question d'abandonner Allie. Son existence se résumait en visites au service des soins intensifs. Parfois, elle avait l'impression de négliger Andy. Or, maintenant que Brad n'était plus là, Allie avait la priorité.

Ce soir-là, elle quitta Trygve le cœur lourd. Ils pourraient être heureux ensemble, osa-t-elle se dire pour la première fois. Oui, ils formeraient une grande tribu unie, eux et leurs enfants. Tout le monde avait l'air de si bien s'entendre !

Sur le chemin du retour, elle jeta un coup d'œil

oblique à Andy, installé sur le siège du passager et lui trouva un air presque détendu.

— Eh bien, champion, as-tu passé une bonne soirée ?

— Géniale ! Chloé nous a battus au Monopoly mais Bjorn dit qu'elle a triché. Il paraît qu'elle triche toujours... Comme Allie.

Page lui sourit. Si seulement Allison avait été parmi eux ce soir... Si seulement...

— Bjorn dit que tu plais à son père, poursuivit Andy sur un ton égal.

— Vraiment ? fit-elle, le cœur battant à tout rompre.

Elle regarda la mince figure d'Andy à la dérobée. Elle souhaitait tant qu'il accepte Trygve... Brad aussi aurait aimé qu'il accepte Stéphanie, mais il l'avait prise en grippe.

— Il a dit qu'il vous a bien observés, continua Andy. D'ailleurs Bjorn t'aime bien. Et son père te trouve jolie. Il paraît que vous vous êtes embrassés sur la bouche.

C'était une simple constatation. Pas une accusation. Page commença néanmoins par garder un silence prudent. Pas plus tard que la veille, Andy avait reçu un choc émotionnel en rencontrant Stéphanie. Supporterait-il une nouvelle révélation en si peu de temps ?

— Oui, c'est vrai, en nous disant au revoir, éluda-t-elle en pesant chacun de ses mots. Il est vrai que j'aime bien Trygve.

— Comme... comme papa ?

— Bien sûr que non. Je le considère comme un ami... un très grand ami. Il m'a beaucoup soutenue quand Allison a eu son accident, tu sais ?

Un silence. Lentement, Andy acquiesça de la tête.

— Moi aussi je l'aime bien, Trygve, déclara-t-il finalement. Et Bjorn aussi. Mais j'aime papa davantage.

— Ton papa sera toujours ton papa. Personne ne le remplacera jamais dans ton cœur.

— Vous allez divorcer, m'man ? interrogea-t-il, pris de nouveau d'une nervosité incontrôlable.

Ça voudrait dire que tout était fini. Un tas de ses camarades de classe étaient enfants de divorcés. La plupart des parents s'étaient remariés. Andy savait très bien ce que le divorce signifiait : une rupture définitive, irréparable.

— Je ne sais pas, mon chéri.

Elle n'avait pas eu le cœur de contacter un avocat et, de son côté, Brad n'avait entamé aucune démarche. Trygve lui avait donné le nom de son homme de loi. Elle ne l'avait pas appelé, sous différents prétextes, entre autres le manque de temps. Et pourtant, elle devrait bien en passer par là, un jour, se dit-elle, la gorge sèche.

Elle revit Brad le surlendemain. Il arriva inopinément à l'hôpital, où il n'était pas venu depuis plus d'une semaine. Assise près d'Allie, Page, sentant une présence, leva les yeux pour découvrir Brad.

— Salut, tu vas bien ? dit-il, visiblement mal à l'aise.

— Très bien, merci.

Inutile de lui poser la même question, il paraissait en pleine forme.

— Y a-t-il du nouveau pour Allie ?

— Rien de spectaculaire. Elle continue à légèrement bouger en émettant des sons. On ne sait pas exactement à quoi ces signes correspondent.

Le scanner enregistrait un tracé hachuré chaque fois que Page prononçait son nom. A quoi cela rimait-il ? Qui pourrait le dire ? Allie dormait toujours, alors que le respirateur soufflait de l'air dans ses poumons.

Brad resta sur place aussi longtemps qu'il le pouvait, c'est-à-dire cinq minutes, après quoi il demanda à Page de le suivre dans le hall.

— Tu as bonne mine, constata-t-il.

Elle avait perdu cette expression tourmentée, bien que ses yeux fussent toujours aussi tristes. Une partie de lui-même désirait la prendre dans ses bras. Il n'osa ébaucher le moindre geste. Stéphanie l'aurait tué si elle avait su. Elle était d'une jalousie féroce, contrairement à Page qui lui avait donné toute sa confiance. Parfois, elle lui manquait sincèrement, mais c'était trop tard, il en avait conscience.

— Comment vas-tu ? s'enquit-il.

— Je m'accroche.

Elle était heureuse avec Trygve. Son univers s'était singulièrement rétréci, entre la maison, les visites à l'hôpital, les dîners chez les Thorensen. Ses souhaits s'étaient réduits au seul espoir de voir Allie émerger de son coma.

— Je voulais te parler mais je n'ai pas eu le temps de t'appeler, reprit Brad. Je crois qu'il est temps que nous contactions nos avocats.

Elle le regarda, et ses yeux lui rappelèrent ceux d'Andy.

— Tu as raison, répondit-elle.

C'était la fin de leur mariage.

— Il n'y a pas de raison de traîner. C'est pénible pour tout le monde et plus particulièrement pour Andy. Il ne faut pas le nourrir de faux espoirs. Il s'adaptera mieux à une situation claire et nette. Par ailleurs, tu as aussi le droit, me semble-t-il, de refaire ta vie.

Elle y avait déjà réfléchi. Elle avait droit à un tas de choses : un mari, une famille, la sécurité affective.

— En es-tu sûr ? Es-tu décidé à divorcer ?

Il acquiesça et elle inclina la tête. Brad avait hâte d'épouser Stéphanie, de recommencer une nouvelle vie avec elle. Elle le comprenait. Et elle l'acceptait. C'était fini.

— Voilà... acheva-t-il, morose. Connais-tu un avocat ?

— Oui, mais je ne l'ai pas encore rencontré. J'ignorais que tu étais aussi pressé.

Une pointe d'ironie avait percé sous le ton calme de sa voix. L'espace d'un instant, son ancienne colère faillit rejaillir. Quel toupet, tout de même, de venir la relancer en ce lieu imprégné de tant de mauvais souvenirs !

— Nous obtiendrons le divorce avant la fin de l'année, reprit-il sobrement. Probablement avant Noël.

Stéphanie l'avait décidé ainsi. Elle voulait que la cérémonie soit célébrée la veille de Noël.

— Eh bien, joyeux Noël, donc... J'appellerai mon avocat demain matin.

— Merci. J'apprécie énormément ta... compréhension. Je... (Il prit une profonde inspiration avant de poursuivre :) je suis désolé, Page.

— Oui. Moi aussi.

Elle lui toucha la main avant de tourner les talons.

Allie ne bougea pas de la journée. Pas un geste, pas un soupir. Comme si elle avait senti le désarroi de sa mère, elle se taisait, elle aussi. Page resta là de longues heures, à la regarder. Le soir, lorsqu'elle mit Andy au lit, elle se coucha sans même appeler Trygve. Pour une fois, elle avait besoin de solitude. Et les larmes qu'elle versa sur l'échec de son mariage étaient les dernières, elle le savait.

Elle se réveilla de meilleure humeur, pressée de composer le numéro de Trygve. Comme d'habitude, il sut trouver les mots réconfortants. En raccrochant, elle téléphona à l'avocat et prit rendez-vous.

L'homme de loi lui confirma les dires de Brad. Par consentement mutuel, le divorce serait prononcé aux alentours de Noël. Trygve l'avait invitée à dîner et ils se retrouvèrent à leur table favorite au Silver Dove. Ils faisaient penser à un superbe couple scandinave. Combien de fois, ayant remarqué leur ressemblance, les gens leur avaient-ils demandé s'ils étaient frère et sœur ? « On dit que certains époux se ressemblent », s'était dit Page. Puis elle avait pensé qu'avec Brad, ce n'était pas le cas.

— Tu es la première personne qui me donne envie de me remarier, lui dit Trygve.

Page lut de la sincérité dans ses yeux. Une sensation de vertige s'empara d'elle. Depuis l'accident, tout semblait se précipiter à une vitesse hallucinante.

— Inconsciemment, on sait tout de suite que l'on est dans le vrai, continua-t-il. Je l'ai su dès l'instant où je t'ai aperçue à l'hôpital. Evidemment, je n'ai pas voulu y croire. Tu étais mariée... puis tout a subitement pris une nouvelle tournure. Je veux te rendre heureuse, ma chérie, jusqu'à la fin de mes jours. Et je crois que tu éprouves le même désir.

Elle ne le niait pas. Mais une peur sourde la rendait indécise.

— Je me suis bien trompée la première fois. Pourquoi verrais-je juste cette fois-ci ? Serais-je devenue plus intelligente en si peu de temps ?

— L'intelligence n'a rien à voir là-dedans. Il faut se fier à son instinct. A son cœur. A chaque fibre de son corps qui vous dit : « Vas-y ! Tu as fait le bon choix ! » J'ai toujours su que j'avais eu tort de jeter mon dévolu sur Dana. Je l'avais pressenti dès le début. Elle avait essayé de me faire changer d'avis, mais je n'ai rien voulu entendre.

— C'est drôle, hasarda Page. J'avais tenté l'impossible pour dissuader Brad. Je ne me sentais pas prête. Le mot même de famille éveillait en moi l'écho douloureux de ce que j'avais subi chez mes parents. Brad était pressé de se marier avant de s'installer en Californie. J'ai cédé, malgré ma peur viscérale du mariage, parce que je croyais avoir fait le bon choix, justement.

— Il l'était peut-être, à l'époque. Ecoute-moi, ma chérie, cette fois-ci, nous ne nous trompons pas, j'en suis convaincu. Et je suis pressé, moi aussi. J'ai passé la moitié de ma vie avec la mauvaise personne, alors... sans vouloir te bousculer...

Il s'était interrompu, craignant d'aller trop vite. Page lui sourit.

— Pour une fois, ma mère a raison.

— C'est-à-dire ?

— Elle m'a toujours dit que j'avais de la chance.

— C'est moi qui ai de la chance ! Et je m'exerce à la patience. (Il but une gorgée de vin, puis lui dédia un sourire éblouissant.) Toutefois, je ne suis pas certain de pouvoir attendre longtemps. Le père Noël m'a promis un fameux cadeau, cette année.

Il savait qu'elle serait divorcée à ce moment-là.

— Tu n'es pas raisonnable. Au fond je suis invivable ! Sinon, Brad ne se serait pas lassé.

— Dieu merci, ce type est stupide. Donne-moi une chance de découvrir par moi-même si tu es une compagne agréable... sans être obligé de m'en aller comme un voleur à quatre heures du matin, de peur qu'Andy nous surprenne.

Il brûlait de l'avoir toute à lui. De s'endormir dans le même lit, de se réveiller auprès d'elle. Comme il désirait ardemment passer un week-end entier en sa compagnie.

— Garde la date du 25 décembre dans un coin de ta mémoire.

— Inscris-moi sur tes tablettes de Noël, répliqua-t-elle, malicieuse, et il eut un rire joyeux.

— Je n'y manquerai pas.

17

Vers la fin juin, Page attaqua les peintures murales qu'elle avait conçues pour l'hôpital. Le projet, qui comportait deux fresques dédiées à Allie, avait soulevé l'enthousiasme du personnel. La première, un paysage de Toscane, où le Tibre creusait de paisibles vallées ombreuses au milieu de collines aux formes douces, ornerait le hall des soins intensifs ; elle destinait la seconde à la triste petite salle d'attente : une vue panoramique du port de San Remo dominé par les arcades de la vieille cathédrale et de bustes peints sur fond dégradé... Elle avait dessiné à cet effet plusieurs esquisses et croquis qu'elle avait soumis au jugement de Trygve. Il s'était déclaré très impressionné.

Les travaux dureraient deux mois environ, après quoi elle terminerait la fresque de l'école de Ross. Elle avait décidé d'en faire son métier à partir de l'automne.

— Il faudra bien que je gagne ma vie, avait-elle dit à Trygve.

La somme que Brad lui versait pour les enfants, à laquelle s'ajoutait une maigre pension alimentaire pendant deux ans, ne suffisait plus à maintenir son ancien train de vie. Page comptait sur d'éventuelles commandes susceptibles d'arrondir ses fins de mois. Elle organiserait son travail à partir des horaires d'Andy.

Quant à Allison, nul ne pouvait prévoir ses besoins futurs.

Au fil du temps, le risque que sa fille demeurât dans le coma commençait à l'emporter sur ses anciennes espérances. Sans formuler ses craintes, pas même à Trygve, Page se résignait peu à peu à cette éventualité. Les fresques constitueraient un hommage à Allison, à la rayonnante adolescente qu'elle avait été jadis.

— Les gens oublient si vite, avoua-t-elle tristement à Trygve. En contemplant mes peintures, ils se souviendront peut-être de l'Allie d'autrefois. Car à présent, elle n'est plus tout à fait la même personne.

— Je sais, répondit-il simplement.

Page se jeta dans le travail à corps perdu. Vêtue d'une salopette usée jusqu'à la trame, munie de nombreux pinceaux, elle avait ressenti l'excitation qui s'emparait d'elle chaque fois qu'un sujet prenait forme sous ses doigts. Elle ne s'arrêtait que pour se glisser dans la salle de réanimation où Allie respirait toujours grâce à la machine. On lui avait retiré son pansement et son crâne se veloutait d'un fin et soyeux duvet doré.

— Je t'aime, lui chuchotait Page, avant de retourner à sa besogne.

En même temps, un autre projet avait germé dans son esprit, à la grande joie de Trygve. Lentement mais sûrement, Page revenait à la vie. Elle s'était proposée comme professeur d'arts plastiques à l'institution spécialisée que fréquentait Bjorn et s'y rendait deux fois par semaine. Pendant ses cours, les élèves faisaient du papier mâché, de la sculpture, de la poterie et de l'aquarelle.

C'était le métier le plus gratifiant qu'elle avait jamais exercé, confia-t-elle à Trygve un soir, alors qu'ils préparaient le dîner des enfants. Bjorn ne pouvait plus se passer de Page. Il la suivait partout et n'hésitait pas à lui manifester son affection à tout bout de champ. Il voulait qu'elle lui raconte une histoire au lit, comme à Andy.

— Il est si mignon, soupira-t-elle une nuit, après l'avoir bordé comme s'il avait été son propre enfant.

Trygve l'avait serrée dans ses bras, au comble de l'émotion. Page était leur bonne fée. Des heures durant, elle aidait Chloé à exécuter ses exercices de rééducation.

— J'aurais voulu que tu sois leur mère, dit-il d'une voix rauque.

— Bjorn m'a dit la même chose, sourit-elle. J'en suis très flattée.

Maintenant qu'elle était son professeur, ils avaient développé une relation à part. Bjorn s'appliquait autant qu'il pouvait, dans l'espoir d'être à la hauteur des exigences de Page et plus d'une fois, en examinant ses dessins, celle-ci avait été submergée de fierté. Le directeur de l'école lui avait suggéré un contrat en bonne et due forme qui prendrait effet à partir de la rentrée. Cela correspondait à merveille à l'emploi du temps d'Andy.

Ils passèrent le week-end de l'Independance Day chez les Thorensen. Page se vit attribuer la chambre d'ami, Andy dormit dans celle de Bjorn. Evidemment, au milieu de la nuit, Trygve se faufila dans le lit de la jeune femme, et ils gloussèrent comme des collégiens avant de pousser le verrou, afin d'échapper à une visite intempestive d'un des enfants.

— Bon sang, allons-nous continuer à nous cacher jusqu'à la fin des temps ? grommela Trygve. Il faudra bien qu'ils apprennent un jour la vérité.

Sauf que ni l'un ni l'autre n'avaient le courage de leur dévoiler la vraie nature de leurs rapports, de crainte de les choquer. En particulier Chloé, particulièrement possessive avec son père depuis son accident.

— Si Chloé nous surprenait, elle irait secouer Allie,

histoire de la mettre au courant de nos folles nuits, rit Page.

Trygve cueillit sur ses lèvres un baiser ardent, qui leur fit oublier le reste du monde.

Il orchestra magistralement le barbecue annuel du 4 juillet, auquel il avait convié quelques amis. Jane Gilson et son mari, ainsi que quatre autres couples. A part Jane, c'était la première fois que les autres voyaient Page depuis l'accident... et sans Brad. Aucun ne l'embarrassa de la moindre question indiscrète et chacun afficha une bonne humeur de circonstance. Debout derrière le gril, Trygve officiait tandis que Page et les enfants servaient les invités. En début de soirée, Bjorn extorqua à son père l'autorisation de démarrer le feu d'artifice, aidé par Andy. Le bouquet final, immense corolle d'un rouge flamboyant, arracha des cris d'admiration à l'assistance.

— Mon Dieu, se plaignit Page, n'est-ce pas trop dangereux ?

Elle couvait Andy d'un œil attentif. Personne ne songea à lui reprocher sa phobie des accidents. Elle ne respira que lorsque la pluie des dernières flammèches retomba lentement sur le gazon.

Les derniers invités venaient de partir et Page et Trygve nettoyaient la cuisine, lorsque Chloé fit irruption, appuyée sur ses béquilles.

— Venez, venez vite !

La pâleur de son visage inquiéta Page. Que s'était-il passé ? L'un des garçons se serait-il blessé ? Ils s'élancèrent à la suite de la jeune fille. Celle-ci s'arrêta net devant le poste de télévision allumé. Incrédules, ils contemplèrent les scènes abominables qui défilaient sur l'écran.

— ... épouse du sénateur John Hutchinson, commentait la voix du journaliste, à La Jolla, aujourd'hui, lors d'une collision de plein fouet, a provoqué la mort d'une famille de quatre personnes. Sa propre fille de douze ans est atteinte de blessures. Nous ignorons pour l'instant leur gravité. Mme Hutchinson a été arrêtée pour conduite en état d'ivresse et homicide involontaire. Les tests ont révélé un taux d'alcoolémie très élevé. Nous n'avons pas encore pu joindre le sénateur mais de toute évidence, la responsabilité de Mme Hutchinson ne fait aucun doute.

Le présentateur marqua une pause délibérée, avant de se tourner vers l'objectif. Son visage emplit l'écran et, le cœur battant, Page eut l'impression qu'il la regardait droit dans les yeux.

— Laura Hutchinson a été impliquée dans un accident analogue en avril dernier, à San Francisco, reprit-il. Une collision de face. Un jeune homme de dix-sept ans y a trouvé la mort, et deux jeunes filles de quinze ans ont été grièvement blessées. Aucune accusation n'avait été retenue, alors, contre Mme Hutchinson, mais à la lumière des événements tragiques de La Jolla, l'affaire va être certainement réouverte.

La caméra se recula, tandis que le présentateur évoquait des émeutes sanglantes à Los Angeles. Figés de stupeur, Page, Chloé et Trygve fixaient toujours l'écran. Laura Hutchinson venait de tuer une famille entière. Et elle était inculpée pour conduite en état d'ivresse.

— Oh, mon Dieu… mon Dieu… murmura Page, elle était ivre aussi, ce soir-là, et vous avez tous failli y passer.

Elle s'était effondrée sur le canapé, la tête dans les mains, secouée de sanglots. Chloé s'était assise également, en larmes. Trygve éteignit le poste avant de prendre place, incrédule, entre les deux femmes qui pleuraient. Les Applegate appelèrent dans la minute qui suivit. Page aurait voulu téléphoner aux Chapman mais le courage lui manqua.

Trygve ralluma la télé. Sur une autre chaîne passait

un reportage similaire. Les nouvelles étaient pires : Laura Hutchinson avait causé la mort d'une femme de vingt-huit ans, de son mari de trente-deux ans, de leur petite fille et leur petit garçon, respectivement âgés de deux et cinq ans. La femme était enceinte de huit mois. Ce nouveau fait portait le nombre de victimes à cinq. Sa propre fille avait eu un bras cassé, quinze points de suture sur la joue gauche, ainsi qu'une légère commotion cérébrale.

Ambulances, fourgons de pompiers et voitures de police avaient investi le lieu du drame. Un carambolage monstre avait suivi la collision et des infirmiers évacuaient les blessés légers.

— Seigneur, murmura Page, en se disant que Phillip Chapman venait d'être vengé, tu crois qu'elle ira en prison ?

Elle s'était tournée vers Trygve, qui opina.

— Absolument. Flagrant délit d'ivresse au volant ! Son mari va avoir du pain sur la planche. De plus, il peut dire adieu à son siège de sénateur. Cette femme est un danger public. Elle vient de massacrer cinq personnes.

— Six, avec Phillip, répondit Page. (Sept, si Allie succombait.) Quand je pense qu'elle a osé assister aux obsèques !

— Politique oblige ! railla Trygve. Son geste l'avait rendue sympathique aux yeux du public.

— Quelle horreur ! chuchotèrent les lèvres pâles de Page.

Elle pleura longtemps, cette nuit-là, dans les bras de Trygve, comme une mère à qui l'on apprend tout à coup le nom de l'assassin de son enfant. Car plus aucun doute ne subsistait. Laura Hutchinson devait être ivre au volant de sa Lincoln, la nuit où elle avait percuté la voiture de Phillip.

Le lendemain, les éditions du matin relataient le nouveau cauchemar. Et durant le journal télévisé, John

Hutchinson, visiblement accablé, fit une brève déclaration à la presse... Il commença par se dire effondré, puis offrit d'assumer les frais des funérailles des victimes et réclama que toute la lumière soit faite. Incidemment, il ajouta que la boîte de direction et les freins de la voiture de son épouse étaient défectueux. Il s'était fait interviewer en compagnie de sa fille, qui exhibait ostensiblement son bras plâtré avec un sourire crispé. Laura Hutchinson restait invisible. D'après le porte-parole de son époux, elle était dans un état de choc qui avait nécessité qu'on la mette immédiatement sous sédatifs.

— Dites plutôt qu'elle est en cure de désintoxication ! s'exclama Page, outrée.

Sitôt qu'ils ouvrirent la porte pour se rendre à l'hôpital, ils furent assaillis par une nuée de reporters, qui voulaient photographier Chloé sur son fauteuil roulant ou avec ses béquilles.

— Monsieur Thorensen, que pensez-vous de l'accident de Laura Hutchinson à La Jolla ? demanda l'un d'eux.

— Ce qui est arrivé est une tragédie, pas un mystère, rétorqua-t-il sobrement en se frayant un passage vers sa voiture.

Il avait sèchement refusé de les autoriser à prendre Chloé en photo. Les journalistes devaient tenir un siège devant l'hôpital, s'affola Page, en se glissant dans la voiture. Dès qu'ils furent arrivés, elle courut aux soins intensifs. Elle vivante, personne ne donnerait Allie en spectacle, la transformant en objet de curiosité. Elle ne le permettrait jamais, même pour confondre Laura Hutchinson.

En effet, une foule de reporters et photographes s'agglutinait dans le hall du service de réanimation, devant la fresque inachevée. Un remous parcourut le groupe, à l'approche de Page.

— Madame Clarke, rendez-vous Laura Hutchinson responsable de l'accident de votre fille ?

— Votre fille est toujours dans un coma profond, n'est-ce pas, madame Clarke? Y a-t-il un espoir qu'elle se réveille un jour?

Page jouait des coudes pour passer. Derrière elle, Trygve sommait les journalistes de la laisser tranquille. Ceux-ci avaient tenté en vain de voir le Dr Hammerman et avaient même essayé de soudoyer Frances, espérant prendre un ou deux clichés d'Allison, mais l'infirmière en chef les avait renvoyés, menaçant de porter plainte pour tentative de corruption.

— Pas de commentaire! cria Page.

— Donnez-nous votre sentiment. A cause de cette femme, votre fille est dans le coma. Ça ne vous rend pas furieuse?

— Ça me rend triste, répondit-elle sans tourner la tête. Je voudrais présenter mes condoléances aux parents de la famille disparue.

Sans un mot de plus, elle franchit la double porte des soins intensifs, Trygve sur ses talons. Les infirmières refermèrent aussitôt les battants. Elles avaient baissé les stores, de manière à soustraire Allie et Page à la curiosité malsaine des photographes.

L'après-midi, Trygve passa un coup de fil à son ami journaliste. En bon détective, ce dernier avait mené une enquête dont les résultats enfonçaient définitivement Mme Hutchinson.

— Quatre séjours dans une clinique de désintoxication de Los Angeles pendant les trois dernières années, sous un nom d'emprunt. Un de mes indicateurs qui fait partie du personnel m'a confirmé qu'il s'agissait bien d'elle. Par ailleurs, d'après les rapports de la police routière, Laura Hutchinson a été à l'origine d'une bonne demi-douzaine d'accidents mineurs de la circulation, dont un assez sérieux à

Martha's Vineyard où elle passe habituellement ses vacances d'été. Les hommes de main du sénateur ont réussi, moyennant finances très certainement, à faire classer les dossiers.

Ainsi, une dangereuse alcoolique avait continué à circuler sur les routes en toute quiétude. En une seule année, elle avait réussi à blesser sa propre fille et à causer la mort de six personnes. Elle en avait estropié une septième et laissé une huitième dans le coma.

— Joli record ! grommela Trygve.

La vindicte populaire explosa en fin de journée. Les Mères contre l'alcool au volant avaient signé des pétitions contre celle qu'elles considéraient à présent comme une meurtrière. Interviewés, les Chapman rappelèrent que Laura Hutchinson avait ôté la vie à leur unique enfant tout en souillant sa mémoire. Pendant ce temps, le porte-parole du sénateur répétait inlassablement que la boîte de direction et les freins de la voiture de l'épouse de son patron ne fonctionnaient pas normalement... Un son de cloche que le sénateur aurait du mal à faire entendre à ses électeurs.

La semaine suivante, la cabale se déchaîna. *Oprah* et *Donahue* publièrent des entretiens de personnes qui avaient perdu des êtres chers lors d'accidents similaires. Enfin, on aperçut Laura Hutchinson au journal télévisé. Vêtue de noir, le regard masqué de lunettes teintées, se hâtant vers le palais de justice. Ses antécédents ne faisaient qu'aggraver son cas. Elle risquait d'être inculpée pour homicide par imprudence, encourant une peine maximale de quarante ans de prison.

Maigre consolation au regard de ses victimes, pensa Page.

Chaque fois qu'elle voyait Allie, elle ne pouvait s'empêcher de penser à Laura Hutchinson et à la jeune femme qui était morte, enceinte.

Vers le milieu de la semaine, la campagne de presse

contre l'épouse du sénateur confina au délire. Les journaux firent paraître plusieurs interviews des Chapman, alors que des reporters prenaient en chasse les Applegate, Page, Brad, et Trygve. Des équipes de télévision continuèrent le siège des soins intensifs à l'hôpital général de Marin. Le producteur d'une émission essaya de convaincre Page de permettre à ses cameramen de filmer Allison. Elle refusa énergiquement.

— Vous ne voulez pas que d'autres mères sachent ce qui vous est arrivé ? hurla une jeune journaliste, d'un ton agressif. Vous n'avez pas envie de voir Laura Hutchinson derrière les barreaux ?

— Vous montrer Allison ne changera rien.

— Acceptez-vous au moins de nous en parler ?

Après réflexion, elle consentit à donner un bref entretien dans le hall, ne serait-ce que pour étoffer les arguments de l'accusation. Un procès serait intenté à Mme Hutchinson à propos de la boucherie de La Jolla. D'une voix calme, Page raconta comment, à la suite d'un traumatisme crânien, Allison se trouvait dans le coma depuis trois mois. Elle se sentit plus légère lorsqu'elle eut terminé mais, apparemment, ce n'était pas assez, car la même journaliste réattaqua :

— Est-ce que l'accident n'a pas eu d'autres conséquences sur votre vie privée, madame Clarke ?

Elle devait être au courant de sa séparation avec Brad. Or, Page, n'ayant nullement l'intention de susciter la pitié des téléspectateurs, éluda la question.

— Avez-vous d'autres enfants, madame Clarke ?

— Un fils. Andrew.

— A-t-il été affecté par le drame ?

— Oui, comme nous tous, répondit-elle prêtant, sans s'en apercevoir, le flanc à l'attaque suivante.

— Est-il vrai que votre petit garçon a fait une fugue, à la suite du traumatisme psychologique qu'il a subi ?

Ils avaient dû éplucher les rapports de police. Page ravala une bouffée de rage.

— Comme je vous l'ai déjà dit, nous en avons tous souffert et nous nous efforçons de surmonter notre chagrin, répliqua-t-elle en grimaçant un sourire. Mme Hutchinson répondra de ses actes devant la loi... bien que pour nous, cela ne changera pas grand-chose.

Si les Hutchinson avaient eu l'honnêteté d'affronter l'alcoolisme de Laura des années plus tôt, peut-être que son chemin n'aurait pas croisé celui de la Mercedes des Chapman, cette fatale nuit d'avril.

Page n'aima pas son interview lorsqu'elle la regarda à la télévision. Un habile montage conférait à ses paroles un sens différent. Elle avait l'air pathétique. Laura Hutchinson serait jugée uniquement pour l'accident de La Jolla. Celui du pont du Golden Gate serait réfuté par la défense, faute de preuves. C'était pourquoi Page avait accepté d'apporter son témoignage en répondant aux questions des journalistes... Bien sûr, la condamnation de la coupable ne sortirait pas Allie du coma. Cependant, la punition de celle qui avait été la cause de leur malheur apportait un peu de baume au cœur brisé de Page. Le procès avait été fixé à la première semaine de septembre.

18

Les Thorensen prirent la route du lac Tahoe le premier août. Page avait promis de les rejoindre quinze jours plus tard. Brad était en Europe avec Stéphanie, les Gilson étaient absents et elle dut inscrire Andy dans un camp de vacances où elle le récupérait le soir. Trygve avait proposé d'emmener Andy avec eux, mais le petit garçon avait préféré rester à Marin County. Etre près de sa mère le rassurait et atténuait le sentiment d'insécurité qui l'habitait. Parfois, un cauchemar le réveillait en pleine nuit, après quoi il allait se blottir contre Page, comme pour conjurer sa peur et son inquiétude constantes.

L'accident datait presque de quatre mois maintenant. Le cap fatidique des trois mois avait été franchi, sans le moindre signe d'amélioration. Allie restait plongée dans l'inconscience. Page en était presque venue à l'accepter. Elle avait passionnément souhaité que sa fille se réveille, qu'un jour, en entrant dans l'unité des soins intensifs, Allie l'accueille d'un regard, même s'il lui avait fallu ensuite livrer bataille pour redevenir elle-même. Page aurait fait n'importe quoi pour la ramener à la vie. Hélas, tout doucement, l'idée que cela n'arriverait peut-être jamais commençait à faire son chemin.

Les coups de fil quotidiens de Trygve lui étaient d'un

grand secours. Ses journées se déroulaient suivant une routine immuable : déposer Andy au camp, aider le kinésithérapeute à masser les membres atrophiés d'Allie, travailler sur sa fresque pendant quelques heures, avant de repartir chercher Andy et préparer le dîner.

Elle avait apporté la touche finale à la première fresque vers la fin de la première semaine d'août et s'était attaquée à la seconde, sur la cloison de la petite salle d'attente. Le port de San Remo commençait à découper ses façades ocre sur le mur gris, recouvert d'un fond verdâtre qui donnerait plus tard aux couleurs un lustre inimitable. Lors d'une pause, elle s'était installée près d'Allie. C'était un après-midi lumineux et paisible et, à travers les stores vénitiens filtraient les rayons d'un soleil radieux. Suivant son habitude, Page s'était mise à décrire à Allie la nouvelle fresque, dont la composition comportait quelques problèmes de perspective. Tout en parlant, elle remarqua... oh, trois fois rien... un infime mouvement de la main décharnée d'Allie sur le drap. De tels gestes correspondaient, selon le Dr Hammerman, à des réactions musculaires machinales... sans signification particulière, à présent elle le savait.

Page se leva. Postée devant la fenêtre, elle s'abîma un instant dans ses questions de perspective en mâchonnant son crayon gras, crut trouver la solution dans un audacieux dégradé de nuances. Son œil dériva distraitement vers la forme blanche prostrée sur le lit. Les mains bougèrent à nouveau. Les doigts saisirent le drap, puis s'ouvrirent comme s'ils s'avançaient à la rencontre de Page. Allison n'avait jamais ébauché un geste aussi complexe. Sa mère la considéra, les sourcils froncés, à l'affût du mouvement suivant, s'efforçant de saisir une différence par rapport aux réflexes mécaniques habituels.

La tête d'Allie remua imperceptiblement, pivotant lentement sur l'oreiller. Le souffle bloqué, Page l'observa de plus près. On eût dit que, sentant une présence, Allie cherchait à la localiser. Mais n'était-ce pas une interprétation pure et simple d'un phénomène banal ?

— Allie, tu es là ? Est-ce que tu peux m'entendre ?

Page avait posé son carnet de croquis et le crayon, pour s'emparer de la main de sa fille.

— Allie, ouvre les yeux, ma chérie. N'aie pas peur. C'est maman, supplia-t-elle dans un murmure.

Les doigts de la jeune fille serrèrent faiblement sa main, et Page fondit en larmes. Elle l'avait entendue. Du fond de son tunnel noir, Allison avait perçu le son de sa voix.

— Allie, tu m'as serré la main. Je l'ai senti. Je sais que tu m'entends, bébé. Allons, ouvre les yeux maintenant.

Les cils de la jeune fille papillotèrent. Oh, si peu, d'une façon à peine visible. Puis, plus rien de nouveau. Comme si l'effort l'avait épuisée. Page la scrutait intensément à travers l'écran fluide de ses larmes. Etait-elle plus près de la conscience ? Avait-elle, au contraire, glissé plus profondément dans sa torpeur ? Plus aucun signe de vie. Puis, soudain, la main d'Allie serra celle de Page, un peu plus fort, cette fois.

Page se contint difficilement. Elle n'avait qu'une envie : secouer Allie jusqu'à ce qu'elle se réveille. Du fond de sa gorge montait un cri de joie qu'elle réprima à grand-peine.

Allie est toujours là. Quelque part au tréfonds de ses ténèbres, elle est vivante. Vivante !

Mais aucun son ne lui échappa. Elle resta assise, comme foudroyée, les yeux fixés sur le petit visage où l'épaisse frange de cils jetait une ombre mouvante... *mouvante* ! Un infime frémissement avait parcouru les paupières closes. Un nouveau flot de larmes piqua les yeux de Page. Qu'est-ce que cela voulait dire. Etait-ce des spasmes sans aucun rapport avec la volonté ? Son imagination ne lui jouait-elle pas un de ces tours cruels ?

— Mon bébé, mon amour, s'il te plaît, ouvre les yeux. Je t'aime tellement. Oh, Allie, je t'en supplie.

Des sanglots silencieux la secouèrent, tandis qu'elle embrassait les doigts crispés sur sa main. Et de nouveau, les cils d'Allie tremblotèrent, puis avec une infinie lenteur, elle ouvrit les yeux, et pour la première fois depuis presque quatre mois, son regard se posa sur sa mère.

Allie ne paraissait pas capable de reconnaître ce qu'elle voyait, après quoi elle fixa Page droit dans les yeux.

— Ma... ma...

Page se mit à couvrir de baisers le visage d'Allie, son front, ses cheveux, ses larmes ruisselant sur la petite figure exsangue, puis Allie répéta :

— Mam... man...

Le mot jaillit comme un croassement rauque mais résonna comme une divine mélodie aux oreilles de Page. *Maman...*

Elle demeura immobile, pleurant et riant à la fois, et lorsque Frances pénétra dans la pièce, elle n'en crut pas ses yeux.

— Mon Dieu, elle est réveillée !

Elle se précipita dehors, à la recherche du Dr Hammerman. Le temps que le praticien accoure, Allie s'était assoupie. Mais elle n'était pas retombée dans le coma.

Le médecin examina calmement la patiente, qui rouvrit les yeux. Les minces arcs de ses sourcils se joignirent. Qui était cet inconnu ? Elle se mit à pleurer en regardant sa mère.

— N'aie pas peur, ma chérie. Le Dr Hammerman est notre ami. Grâce à lui, tu vas guérir.

Même s'il leur fallait mille ans pour y arriver. Page ne s'inquiétait pas. Allie avait ouvert les yeux. Et lui avait parlé. Le reste lui importait peu... Le médecin demanda à la jeune fille de lui serrer la main, puis de le regarder, ce qu'elle fit. Il la pria ensuite de lui dire quelque chose, mais une fois de plus, elle tourna des yeux apeurés vers sa mère, en secouant la tête. Peu après, dans le hall, le docteur expliqua à Page que sa fille avait probablement perdu une grande partie de son vocabulaire, tout comme ses facultés motrices, ce qui confirmait l'étendue des dommages subis par le cerveau.

— Mais elle pourra réapprendre un tas de choses. Marcher, s'asseoir, se nourrir elle-même. Parler même. Dans les prochains jours, nous nous rendrons mieux compte à quel rythme les progrès s'accompliront.

Le plus rapidement possible, pensa Page. Elle se battrait à son côté, de toutes ses forces.

Hammerman parti, elle téléphona à Trygve.

— Attends... attends une minute... parle moins vite...

Il l'entendait très mal dans l'écouteur de son appareil sans fil, qu'il avait pris avec lui au bord du lac. Il avait juste saisi une partie du flot de paroles que Page déversait à l'autre bout de la ligne, quelque chose que Hammerman aurait dit à propos de troubles psychomoteurs concernant Allison.

— Recommence dès le début ! cria-t-il.

— Elle m'a parlé ! *Parlé* ! hurla Page, et Trygve faillit lâcher le combiné. Elle a ouvert les yeux, elle m'a regardée et elle a dit maman.

C'était le plus beau jour de sa vie, depuis la naissance d'Allie... et le moment où elle avait su qu'Andy était sauvé.

— Oh, Trygve...

Elle se lança dans un récit incohérent que Trygve écoutait en pleurant. Ses enfants l'avaient entouré, alarmés, ne sachant s'il s'agissait d'une bonne ou d'une mauvaise nouvelle. Allie est-elle morte ? demanda Chloé, horrifiée, et il lui fit signe que non.

— Nous rentrons ce soir, dit-il rapidement. Je te rappellerai. J'ai hâte d'annoncer ça aux enfants.

La communication fut interrompue. Alors que Page regagnait en courant la salle de réanimation, Trygve apprit à ses enfants qu'Allie s'était réveillée.

— Elle va bien ? s'enquit Chloé, en larmes.

— Il est encore trop tôt pour le dire, ma chérie, répondit-il en la serrant dans ses bras.

Toute la famille regagna Marin County dans la soirée. Allison dormait lorsqu'ils arrivèrent à l'hôpital. Mais on voyait aisément qu'elle n'était plus dans le coma, qu'elle avait simplement sombré dans un sommeil réparateur. On lui avait retiré le respirateur. Elle resterait encore quelque temps aux soins intensifs, de manière que les médecins puissent l'observer sans relâche.

— Qu'est-ce qu'elle a dit ? voulut savoir Chloé, quand tous furent installés autour de la table de cuisine, chez les Thorensen.

— Elle a dit maman.

Page leur narra une fois de plus le réveil d'Allison. Elle ne pouvait s'empêcher de pleurer, mais c'étaient des larmes d'émotion et de joie. Trygve pour retenir les siennes. Chloé se mit à pleurer également et Bjorn l'imita, parce que les pleurs des gens altéraient son équilibre trop fragile. Il tenait Andy par la main, et tous deux étaient suspendus aux lèvres de Page.

Le bonheur, si longtemps envolé, était revenu. Le lendemain, Chloé accompagna Page à l'hôpital. Allison ouvrit les yeux, regarda la nouvelle arrivante un long moment.

— Fille... Fille... bredouilla-t-elle en la montrant du doigt.

— Chloé, rectifia sa mère avec prudence. Chloé est ton amie, Allie.

Allison hocha la tête. Comme si elle le savait mais que les mots lui manquaient. Elle donnait l'impression d'atterrir d'une autre planète.

— Je crois qu'elle m'a reconnue, dit Chloé en quittant l'hôpital.

Plus tard, elle avoua à son père sa déception.

— Donne-lui le temps de s'adapter, lui conseilla Trygve. Elle revient de loin, il lui faudra un bon moment pour retrouver ses facultés.

— Combien de temps, papa ?

— Peut-être deux ou trois ans, d'après le Dr Hammerman. Elle va devoir reconstituer son vocabulaire, autrement dit réapprendre à parler. Il pense que lorsqu'elle aura dix-huit ans, elle devrait avoir retrouvé une partie de son ancienne autonomie.

Un peu plus tard, Page fut plus explicite. Une équipe de rééducateurs s'occupait d'Allie à plein temps : le kiné, pour l'aider à se remuscler, un spécialiste pour les troubles moteurs, un autre pour les troubles du langage.

— On peut dire qu'elle sera très occupée pendant les prochains mois, sourit-elle. Et, du coup, moi aussi.

— Viendras-tu à Tahoe ? lui demanda Trygve plus tard, lorsqu'ils furent seuls.

Toute la famille repartait le lendemain.

— Je ne sais pas... Je n'ose pas la laisser maintenant.

Et si elle retombait dans le coma ? Si elle arrêtait de bouger, de parler ? D'après Hammerman, il n'y avait pas de danger mais Page avait scrupule à abandonner sa fille.

— Pourquoi n'attends-tu pas une semaine ou deux ? Tu prendras alors plus facilement une décision. Tahoe n'est pas loin, tu pourrais revenir tous les trois ou quatre jours. Je te ramènerais en voiture, nous passerions la nuit ici et repartirions le lendemain matin... Tes vacances ne seraient pas de tout repos, mais ça te changerait les idées. Réfléchis.

— Je veux bien, dit-elle en souriant, puis elle l'embrassa.

— J'ai envie d'emmener Andy dès demain, après sa visite à l'hôpital. Je crois qu'il sera d'accord.

Tous deux savaient qu'il serait déçu si Allison ne le reconnaissait pas immédiatement.

— Oui, ça lui fera le plus grand bien, admit Page.

Elle avait besoin de consacrer tout son temps à Allison.

— Je reviendrai te chercher la semaine prochaine. Si tu ne te sens pas prête à partir, je passerai quelques jours avec toi et je serai là la semaine d'après.

— Pourquoi es-tu si bon avec moi ? interrogea-t-elle, tandis qu'il l'attirait dans ses bras.

— Parce que j'essaie de te séduire, lui fut-il répondu.

Elle avait appelé Brad en Europe, dès qu'Allie avait ouvert les yeux. Enthousiasmé, il avait déclaré qu'il avait hâte de la revoir, ce qu'il fit dès son retour aux Etats-Unis. Tout comme Chloé et Andy, il ne put dissimuler son désappointement. Il s'était attendu à ce qu'Allie l'acceuille à bras ouverts en criant : « Oh, mon papa chéri ! », mais elle l'avait scruté d'un œil circonspect avant de se tourner vers Page, en secouant la tête.

— Homme... Homme...

L'effort qu'elle déployait pour mettre un nom sur ce visage lui chiffonnait les traits. Et alors que Brad s'en allait, ulcéré, elle murmura :

— Pa... pa...

— Elle l'a dit ! cria Page en faisant signe à Brad de revenir. Elle a dit papa.

Brad en avait eu les larmes aux yeux. Cependant, il s'était hâté de partir. Il n'avait pas la force de rester plus longtemps. Allie lui paraissait si différente, si limitée. Elle était assise mais ne pouvait pas encore marcher et elle butait sur chaque mot, comme une enfant de cinq ans.

Lorsque Trygve revint, une semaine plus tard, il se déclara impressionné par ses progrès.

— Chloé ! s'écria-t-elle, sitôt qu'elle l'aperçut. Chloé.

— Trygve, corrigea-t-il. Je suis le père de Chloé.

Allie eut un hochement de tête. Un instant après, elle lui sourit. C'était nouveau. Un certain décalage semblait régir ses faits et gestes. Son cerveau enregistrait une émotion et la réaction arrivait avec un léger retard. Aux dires de Hammerman, la coordination entre les ordres lancés par le cerveau et leur exécution par le corps, se remettrait peu à peu en place, grâce à un travail intense de tous les instants.

— Elle a l'air en pleine forme ! s'exclama Trygve, avec sincérité.

En effet, il n'y avait aucune comparaison entre la vie végétative qui était celle d'Allie, encore quinze jours plus tôt, et l'être courageux qui luttait consciemment pour sa survie.

— Tu trouves aussi ? demanda Page, le visage illuminé d'un sourire. Elle comprend presque tout. Sauf qu'elle confond les mots. Hier, je lui ai montré son ourson préféré. Aussitôt, elle a dit « sandwich », alors qu'en fait il s'appelle Sam, ce qui est phonétiquement assez proche. Ensuite, elle a éclaté de rire tout en fondant en larmes en même temps. On dirait des montagnes russes, mais c'est fantastique !

— Qu'en pense Hammerman ?

— Qu'il est trop tôt pour mesurer la rapidité avec laquelle elle progresse. Pourtant, d'après les tests, il est persuadé qu'Allie recouvrira quatre-vingt-quinze pour cent de ses facultés... Cela veut dire qu'elle aura quelques difficultés à gérer son budget, ou à conduire une voiture, si ses réflexes ne s'ajustent pas. En revanche, elle aura une vie normale, ira à l'université, pourra travailler, fonder un foyer, rire à une plaisanterie, apprécier un bon bouquin, raconter une histoire. Bref, elle atteindra, à peu de choses près, le niveau intellectuel qu'elle aurait eu si l'accident n'avait pas eu lieu.

C'était un miracle, compte tenu qu'elle était restée pendant quatre mois dans le coma.

— C'est formidable ! jubila Trygve.

Chloé affronterait le même genre de handicap. Elle ne deviendrait jamais danseuse. Mais elle parviendrait à remarcher, à bouger, à vivre. Elle avait perdu quelque chose mais pas tout. Contrairement au pauvre Phillip ou aux autres victimes de Laura Hutchinson.

Le lendemain, Page mit Allison au courant de son projet de partir à Tahoe. La petite commença par pleurer, puis un sourire éclaira sa figure, lorsqu'elle sut que sa mère reviendrait tous les deux ou trois jours. Trygve comprenait parfaitement le besoin de Page d'être près de sa fille. Il aurait agi de même.

L'air frais de la montagne agit sur l'esprit fatigué de Page comme un puissant élixir de jouvence. A mesure que la voiture de Trygve grimpait la route sinueuse bordée d'une végétation luxuriante, elle eut l'impression que son cœur allait éclater de bonheur.

— Qu'est-ce qui te fait sourire ? interrogea le conducteur. Tu ressembles à une chatte qui ronronne au soleil.

Lui aussi se sentait gagné par un bien-être merveilleux. La semaine qu'il venait de passer loin de Page lui avait paru longue et monotone. La retrouver l'emplissait d'une félicité qu'il n'avait encore jamais éprouvée jusqu'alors.

— Je suis simplement heureuse, répondit-elle.

— Je n'arrive pas à comprendre pourquoi, la taquina-t-il.

— Moi si ! J'ai tout ce qui peut combler une femme.

Deux enfants miraculés, un homme merveilleux, et trois autres enfants que j'adore.

— Il y a largement la place pour un ou deux autres mouflets.

— Ne tentons pas le diable. Cinq grands enfants sont plus que je ne saurais mériter.

— Balivernes ! marmonna-t-il, déterminé à fonder la famille la plus nombreuse du comté.

Evidemment, c'était peut-être trop demander, alors que la guérisson d'Allie avait exaucé leurs vœux les plus chers.

Son bref séjour à Tahoe se déroula comme dans un rêve. Trygve et Page partagèrent la même chambre et, à part quelques ricanements amusés de Bjorn et d'Andy, tout le monde parut accepter la nouvelle situation avec naturel et bonne humeur. La paix régnait sur les montagnes et ils passèrent des journées magnifiques au bord du lac miroitant à pêcher, à se promener, à parler de mille choses. Ils allumèrent des feux et se régalèrent de délicieuses grillades de viande ou de poisson, dormirent une fois à la belle étoile. Des vacances parfaites, pour une grande famille heureuse et unie. Les fréquents retours de Page à Ross étaient, certes, fatigants, mais utiles. Et les progrès d'Allie s'avérèrent étonnants.

A la fin de la seconde semaine, elle arrivait à se tenir debout, assistée par une infirmière. Et quand Page pénétra dans la pièce, sa fille lui sourit en lançant un joyeux :

— Salut, maman, ça va ?

Elle se rappelait le nom de Trygve, ne manquait jamais de demander des nouvelles de Chloé. Et elle déclara qu'elle voulait revoir Andy.

— Ton petit frère s'adonne gaiement à la pêche, au lac Tahoe, répondit Page.

— Poisson... pue... yark ! cria Allie, avec une grimace dégoûtée qui les fit éclater de rire.

— Oh oui, tu as raison, confirma Trygve, tout sourire. Ils sentent très mauvais.

— Poubelle ! jeta Allie en cherchant frénétiquement ses mots, déclenchant de nouveaux rires autour d'elle.

— Je n'irai pas jusque-là. La prochaine fois, tu viendras avec nous et tu pourras partir aussi à la pêche à la poubelle.

Elle rit à sa plaisanterie, et Trygve la serra dans ses bras. Elle avait presque retrouvé sa beauté, malgré sa maigreur et ses cheveux trop courts. Aucune blessure apparente n'altérait l'harmonie de ses traits. Les dégâts avaient été intérieurs.

Trygve et Page retournèrent à Tahoe pour le week-end de Labor Day. Le temps s'était rafraîchi et quelque chose d'une ineffable mélancolie au fond de l'air annonçait la fin de l'été.

Les journaux signalaient le début du procès de Laura Hutchinson à La Jolla, le mardi suivant.

— J'espère qu'ils l'emprisonneront pendant cent ans ! bougonna Chloé.

Elle songeait au calvaire d'Allie et, bien sûr, à Phillip. L'élégante épouse du sénateur avait bien berné son monde ! Sobre, distinguée, excellente mère de famille. La conductrice idéale. Elle n'avait été que trop contente de laisser jeter le blâme sur Phillip Chapman. Mais les médias s'étaient mis en chasse d'informations. Un témoin de dernière heure prétendait que, *ce soir-là*, elle avait quitté la réception en titubant. Pourquoi les officiers de police n'avaient-ils rien remarqué ? Pourquoi ne l'avaient-ils pas soumise à l'alcootest ? Au moins, les victimes de La Jolla vengeraient toutes les autres.

— Bizarre, comme la vie peut changer ! murmura Page.

Elle et Trygve étaient assis au bord du lac, dans les rayons obliques du couchant. Ils rentreraient à Ross le lendemain, et afin de fêter leur départ, Trygve avait invité tout son petit monde au restaurant.

— Il y a cinq mois, j'étais une autre personne, reprit-elle. Menant une autre vie. On ne sait jamais ce que le lendemain vous apportera. Je n'arrive pas à croire que nous avons vécu de telles épreuves.

Des épreuves dont ils étaient sortis victorieux, mais à quel prix !

— Jamais je ne voudrais revivre ce jour affreux, dit Trygve, songeur. Je me rappelle parfaitement le moment où le téléphone a sonné... et celui où je t'ai vue à l'hôpital. Alors que je croyais qu'elles étaient avec toi.

— Et moi je te croyais mort, puisque la réceptionniste m'avait dit que le conducteur avait été tué sur le coup. Seigneur, quel cauchemar... En fin de compte, nous ne nous en sommes pas trop mal sortis.

Elle vouerait un respect éternel au destin, tour à tour impitoyable et généreux. Elle sourit à Trygve en lui prenant la main.

— Tu as été si merveilleux avec moi ces derniers mois, mon chéri.

— Tu le méritais. Tu mérites tout le bonheur du monde... As-tu réfléchi à nos projets ?

Il voulait l'épouser à Noël, dès que le divorce aurait été officiellement prononcé.

— Oui, répondit-elle en contemplant l'étendue calme du lac, puis elle se tourna vers lui, l'enveloppant d'un drôle de regard. Es-tu sûr que tu le veux, Trygve ? J'ai deux enfants. La convalescence d'Allie ne promet pas d'être facile.

— Celle de Chloé non plus. Et Bjorn sera toujours comme il est. Et toi, Page ? Te sens-tu prête à endosser mes fardeaux ?

— Absolument. Je n'aurais jamais imaginé que je pourrais aimer autant les enfants de quelqu'un d'autre.

Elle s'était prise d'affection pour Bjorn, Chloé ainsi que pour Nick, qu'elle avait mieux connu durant l'été.

— L'échange est équitable, sourit Trygve. Je n'osais envisager un remariage à cause de Bjorn, étant persuadé qu'aucune femme ne saurait l'aimer sincèrement. Puis, tu es venue... Il mérite d'être entouré d'affection. C'est un bon garçon.

— Comme son père, dit-elle en se blottissant contre lui.

— Fixons une date. Noël te convient-il ?

— En fait, j'aimerais que nous en parlions.

— C'est sérieux ? demanda-t-il, tout excité.

Il connaissait ses réticences. Toutefois, depuis qu'Allison était sortie du coma, elle semblait avoir changé d'avis.

— Il faut que je t'avoue quelque chose...

Il la scruta, la gorge sèche. Quelque chose à propos d'Allie ? Ou de Brad ? Allait-elle lui apprendre qu'elle était toujours amoureuse de son ex-mari ? Le souffle court, il attendit la suite.

— Tu as souvent dit que tu voudrais un bébé, commença-t-elle d'un air nerveux qui lui arracha un rire.

C'était donc cela. Elle s'estimait trop âgée et entendait se consacrer entièrement à Allie.

— Oui, je l'ai dit. J'adorerais avoir un bébé avec toi. Mais ne me prends pas au mot, si tu n'en as pas envie. Il ne s'agit pas d'une clause obligatoire dans un contrat.

Ils restèrent un instant silencieux, allongés sur le plaid que Trygve avait étendu sur l'herbe ondoyante, dans la lumière poudreuse du crépuscule, puis Page se hissa sur un coude, afin de mieux observer son compagnon.

— Laisse-moi te soumettre le problème sous un autre angle, déclara-t-elle. Admettons que le mariage ait lieu à Noël... La mariée sera alors enceinte de six mois.

— Quoi ?

Il s'était assis sur son séant, affolé et ravi.

— Eh oui, confirma Page en riant. Il a dû y avoir une

faille dans ma méthode de contraception... Ça fait environ six semaines. Au début je me suis dit que je rêvais. Or, je ne rêvais pas. Voilà qui ajoutera du piment au mariage.

Elle eut un sourire d'excuse. C'était incroyable, mais cette nouvelle vie qui grandissait en elle l'emplissait d'un indicible bonheur. Elle avait toujours voulu un autre bébé... Et elle avait l'impression d'avoir été catapultée dans un autre monde à la vitesse de l'éclair et d'avoir atterri dans un champ de fleurs.

— Tu sais que tu m'étonnes ! murmura Trygve en se blottissant contre elle et en l'enlaçant. Je présume que nous aurons encore un bébé-miracle, ajouta-t-il en riant.

— Que veux-tu dire ?

— Bjorn est spécial à sa manière, tu as failli perdre Andy à sa naissance, Chloé et Allie sont des miraculées. Nous serons unis devant Dieu et les hommes à Noël et... nouveau miracle ! Un bébé, trois mois plus tard.

— Tu es odieux ! Pense à l'embarras de nos pauvres enfants.

— Mais non ! Ils comprendront parfaitement que les adultes aussi font des bêtises de temps à autre. Et puis quoi ? Dieu nous offre un superbe cadeau, allons-nous le refuser ? Je le tiendrai contre mon cœur, avec toi, et tous les soirs je remercierai le Seigneur de nous avoir réunis. Et je bénirai notre amour, aussi longtemps que je vivrai.

Il l'attira dans ses bras et l'embrassa en pensant qu'ils avaient beaucoup souffert, qu'ils avaient accosté sur des rivages dangereux, mais qu'ils avaient la chance et l'immense bonheur de s'être rencontrés, de s'aimer, et d'être tout l'un pour l'autre.

Vous avez aimé ce livre ?
Vous souhaitez en savoir plus sur son auteur ?
Devenez membre du
CLUB DES AMIS DE DANIELLE STEEL
et recevez une photo en couleurs dédicacée

Il vous suffit de renvoyer ce bon — accompagné d'une enveloppe timbrée à votre nom —
au CLUB DES AMIS DE DANIELLE STEEL — 12, avenue d'Italie — 75627 PARIS CEDEX 13.

CLUB DES AMIS DE DANIELLE STEEL
Monsieur — Madame — Mademoiselle
NOM :
PRÉNOM :
ADRESSE :
CODE POSTAL :
VILLE :
Pays :
Age :
Profession :

Voici la liste des romans de Danielle Steel publiés aux PRESSES DE LA CITÉ :
Album de famille (87 574-0) — **La Fin de l'été** (71 166-3) — **Une autre vie** (87 575-7) — **Secrets** (87 954-4) — **La Maison des jours heureux** (71 167-1) — **La Ronde des souvenirs** (71 164-8) — **La Vagabonde** (87 953-6) — **Traversées** (71 165-5) — **Les Promesses de la passion** (45 062-4) — **Un parfait inconnu** (49 632-3) — **Kaléidoscope** (91 561-1) — **Zoya** (48 157-2) — **Star** (50 969-5) — **Cher Daddy** (50 970-3) — **La Belle Vie** (97 608-4) — **Loving** (91 560-3) — **Au nom du cœur** (71 657-1) — **Il était une fois l'amour** (71 658-9) — **Souvenirs du Vietnam** (50 971-1) — **Coups de cœur** (83 776-5) — **Un si grand amour** (83 779-9) — **Joyaux** (83 778-1) — **Naissances** (83 773-3) — **Disparu** (98 282-7) — **Le Cadeau** (168 989-2) — **Accident** (98 285-0).
Si un ou plusieurs titres vous manquent, commandez-les à votre libraire, en lui indiquant le numéro de code du livre figurant entre parenthèses.
(Au cas où votre libraire ne pourrait obtenir le ou les livres que vous désirez, écrivez-nous pour acquérir le ou les titre(s) qui vous manquent, par l'intermédiaire du club.)

Cet ouvrage a été composé
par l'Imprimerie BUSSIÈRE
et imprimé sur presse CAMERON
dans les ateliers de la S.E.P.C.
à Saint-Amand-Montrond (Cher)
en septembre 1994

N° d'édition : 6278. N° d'impression : 2122-1741.
Dépôt légal : septembre 1994
Imprimé en France

se passionner pour = to get interested in (e.g. a game, language, hobby etc)

s'enliser = to get stuck, to sink

marché conclu = it's a deal!

ténèbres = darkness

espiègle = mischievous

lancinante = haunting (e.g. music)

se chamailler = to squabble, to bicker

tache de rousseur = freckle

la besogne = work, job

store = shade, blind (of windows)